Rudolf Geser

# Die schönsten Alpentouren mit dem Mountainbike

40 ausgewählte Routen in Deutschland,

Österreich, Italien, Frankreich und der Schweiz

südwest

*Ein lauschiges Plätzchen hat dieser Biker für seine Rast gefunden.*

*Nicht immer sind die Strecken so gut ausge-schildert wie auf der Vergiel-Bergstraße.*

Rudolf Geser

# Die schönsten Alpentouren mit dem Mountainbike

40 ausgewählte Routen in Deutschland,
Österreich, Italien, Frankreich und der Schweiz

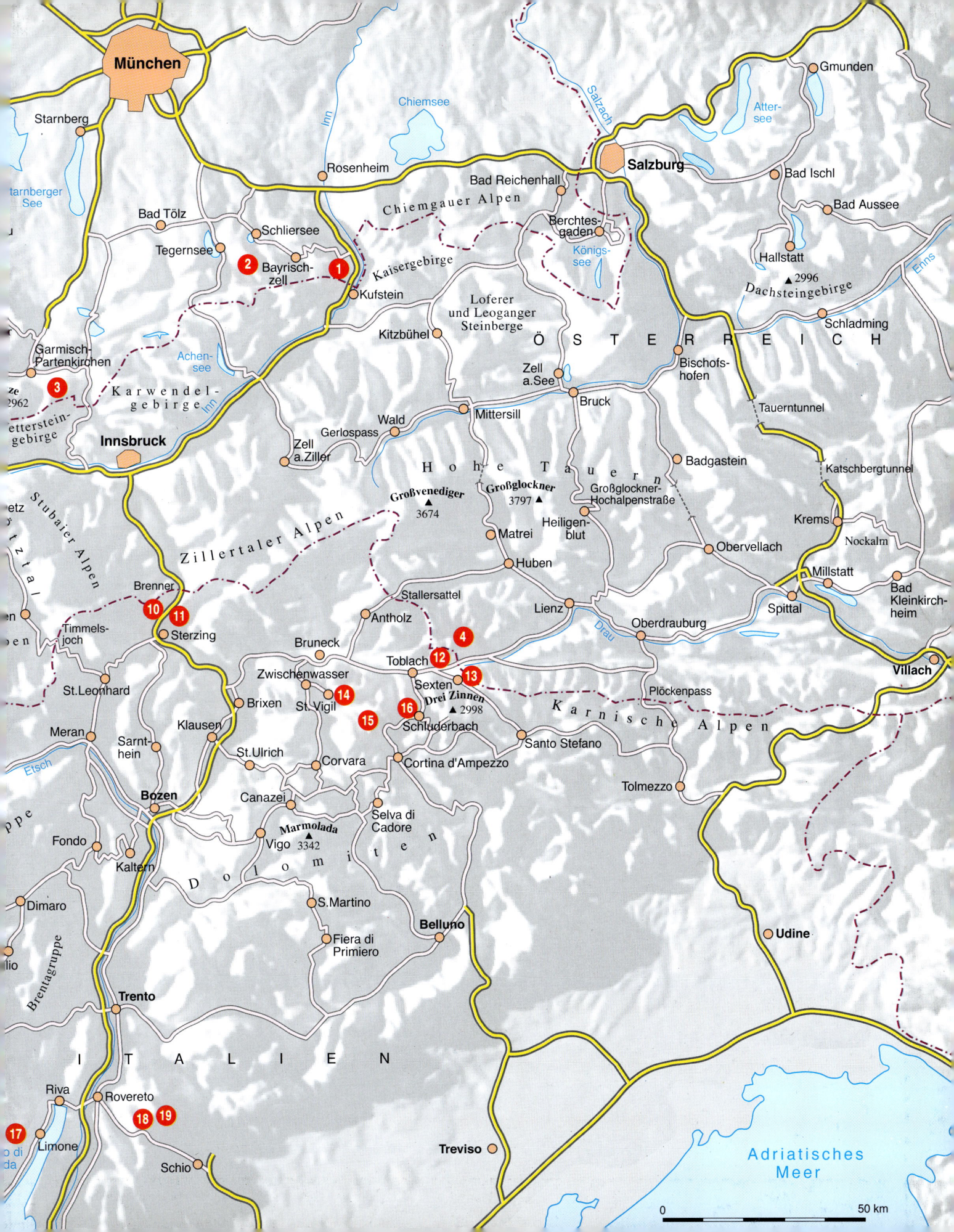

*Solche Naturtunnel stellen kein ernsthaftes Hindernis dar, aber es gibt auch andere Exemplare wie etwa am Parpaillonpass (siehe Tour 37) oder am Mont Jafferau (siehe Tour 24).*

*Unterwegs auf der Ligurische-Alpen-Grenzkamm-Höhenstraße (Tour 28), mit fast 80 km Länge die längste Tour in diesem Führer.*

# Vorwort

Der Tremalzopass hoch über dem Gardasee, die Schwindel erregend in den Fels gesprengte Pasúbio-Bergstraße in Venetien, die bis in 3130 Meter hinaufführende Chaberton-Bergstraße oder die fast 80 Kilometer lange Ligurische-Alpen-Grenzkamm-Höhenstraße sind nur die bekanntesten Namen in einer ganzen Reihe von unbefestigten Pass- und Bergstraßen oder alten Militärstraßen, die den Alpenraum durchziehen. Nicht minder interessant sind jedoch auch die weniger bekannten Strecken, etwa die Brenner-Grenzkamm-Höhenstraße über den Brennerpass, die Helm-Bergstraße, das Limojoch oder die Plätzwiesesattel-Straße in den Dolomiten, Finestrepass, Sommeiller-Bergstraße und Assietta-Kammstraße im Piemont oder die Parpaillon-Passtunnelstraße sowie die Colle-de-Mallemort-Festungsstraße in den französischen Alpen. Sie sind allesamt Glanzstrecken des Alpenraums, die teilweise in Höhen von über 3000 Metern vorstoßen. Aber selbst wenn es nicht ganz so hoch hinausgeht, bestechen die Touren stets durch ein Landschaftserlebnis von außergewöhnlichem Reiz.

40 solcher Touren in den Alpenländern Deutschland, Österreich, Italien, Schweiz und Frankreich werden in diesem Führer beschrieben. Diese Touren sollte eigentlich jeder engagierte Mountainbiker einmal unter die Räder nehmen – vor allem dann, wenn man auch einmal abseits ausgetretener Pfade unterwegs sein möchte und den Reiz des Außergewöhnlichen sucht, ohne jedoch den Kontakt zu einer befahrbaren Trasse zu verlieren.

Die hier vorgestellten Touren führen uns von den Tegernseer- und Schlierseer Alpen über das Wettersteingebirge nach Österreich, etwa zur Venetalm hoch über dem Inntal oder zur Laguzalpe in Vorarlberg. In Italien finden wir sie mit der Schlüsseljoch-Straße oder der Pustertaler-Grenzkamm-Höhenstraße vor allem in Südtirol und den Dolomiten, aber auch noch weiter im Südwesten, im Piemont. Dort versammeln sich auf recht engem Raum die höchstgelegenen und spektakulärsten der hier vorgestellten Pass- und Bergstraßen: der Finestrepass über dem Susatal, die

*Diese Gruppe ist am Soiernweg im Karwendel unterwegs.*

Assietta-Kammstraße über dem Wintersportort Sestrière sowie die Sommeiller-Bergstraße, auf luftige 3040 Meter hinaufführend und bis oben befahrbar. Auf der Chaberton-Bergstraße kommt man sogar noch etwas höher – bis auf 3130 Meter –, allerdings wird man, um an das alte Fort auf seiner Spitze zu gelangen, hin und wieder sein Bike schieben müssen. Auch auf dem Jafferau, in immerhin 2801 Meter Höhe, finden wir ein altes Fort.

Und wer nicht ganz so hoch hinaus will, sondern lieber etwas länger radelt, für den sind die fast 80 Kilometer auf der Ligurische-Alpen-Grenzkamm-Höhenstraße, von der italienischen Riviera bis zum Tendapass an der Grenze zur französischen Provence, die richtige Wahl.

In der Schweiz kann man sich für Straßen mit herrlichen Aussichtspunkten entscheiden, etwa auf der Tour zur Alp Discholas über dem Unterengadin oder auf der Strecke nach Aurafreida im Puschlav, man kann aber auch auf der Rosenlaui- und Schwarzwaldalpstraße tief in die Bergwelt der Berner Alpen hineinradeln. Auch die steilste Straße der Schweiz, mit 28 % Steigung durch das Kiental hinauf zur Griesalp, wird beschrieben. Eine Steigung von sagenhaften 40 % bietet die in Frankreich liegende Colle-de-Mallemort-Festungsstraße an ihrem steilsten Abschnitt. Fahrbar ist das zwar nicht mehr, dafür kann man hier schiebend eine eindrucksvolle, ursprünglich gebliebene Bergwelt genießen. Jeder Pass ist anders – die Parpaillon-Passhöhe z. B. ist kein luftiger

*Abschnitte, an welchen man die Bikes schultern muss, sind in den in diesem Führer beschriebenen Touren eher die Ausnahme.*

Aussichtspunkt, sondern ein düsterer Tunnel, und auch der Weg hinauf zum Fort am Mont Malamot gestaltet sich durch einen ebensolchen Tunnel hindurch recht abenteuerlich. Den Abschluss unserer Touren schließlich bildet der Tendapass in der französischen Provence mit seiner einmaligen Kehrenführung.

Mit einer dem Schwierigkeitsgrad der gewählten Tour entsprechenden Kondition, gutem Material und etwas Glück mit dem Wetter kann jede einzelne der beschriebenen Touren selbst hoch gesteckte Erwartungen erfüllen. Somit bleibt mir nur noch, Ihnen viel Spaß und ein gutes Gelingen zu wünschen.

*Rudolf Geser*

# Allgemeine Hinweise

Alle in diesem Buch beschriebenen Alpenstraßen wurden ursprünglich für die Nutzung durch motorisierte Verkehrsmittel gebaut. In einer Vielzahl von Fällen wie etwa am Jafferau, am Chaberton, an der Brenner-Grenzkamm-Höhenstraße, der Pustertaler Höhenstraße oder am Mont Malamot geschah dies aus militärischen Gründen. Einige Straßen wurden aber auch vorwiegend aus touristischen Gründen gebaut, beispielsweise die Varaita-Máira-Kammstraße, die Plätzwiesesattel-Straße oder die Rosenlaui- und Schwarzwaldalp-Straße. Andere Strecken hatten früher als Passübergänge durchaus auch Bedeutung für den Personen- oder Lastverkehr, etwa die Parpaillon-Passtunnelstraße oder der Tendapass, manche dienen nach wie vor der Versorgung von abgelegenen Almen wie z. B. die Venetalm- oder die Aurafreida-Bergstraße.

Vor allem die Militärstraßen und die alten Passstraßen haben ihre ursprüngliche Bedeutung fast völlig verloren und werden heute hauptsächlich aus touristischen Gründen mehr oder weniger gut instand gehalten. Der Erhaltungszustand ist recht unterschiedlich. Er reicht von einer ausgezeichnet zu befahrenden festen Erdstraße wie etwa am Tendapass bis zu grobem losem Schotter und steinigem bis felsigem Untergrund, so beispielsweise am Chaberton, wo einige Abschnitte schiebend bewältigt werden müssen. Nirgends sind dabei jedoch ausgesetzte oder gefährliche Streckenabschnitte zu erwarten.

Ein großer Teil der Strecken ist für den öffentlichen Verkehr zwar freigegeben,

*Gut gewartetes Material und eine zweckmäßige Ausrüstung vom Helm bis zu den Schuhen sorgen dafür, dass Touren in den Bergen auch wirklich Spaß machen.*

von einigen wenigen touristisch interessanten Strecken abgesehen, etwa der Rosenlaui- und Schwarzwaldalp-Straße sowie der Kiental- mit Grießalp-Straße in der Schweiz, kommen sie jedoch ihres schlechten Zustands wegen für die Befahrung mit normalen Kraftfahrzeugen nicht in Betracht. So trifft man auf den meisten Strecken außer Wanderern lediglich noch einige Allradfahrzeuge und vor allem Enduromotorräder an. Letztere stellen meiner Erfahrung zufolge das größte Gefahrenpotenzial für Mountainbiker dar. Hier kann es durchaus zu Zusammenstößen kommen, vor allem wenn Mountainbiker oder Motorradfahrer bei der Abfahrt zu weit aus der Kurve getragen werden. Eine große Gefahr geht außerdem von durch die grobstolligen Motorradreifen hochgeschleuderten Steinen aus.

Während die beliebten Strecken am Pasúbio sowie am Tremalzopass zum Glück – zumindest aus Sicht der Biker – für Motorräder derzeit gesperrt sind, ist dies bei den Strecken im italienischen Piemont nicht der Fall: Vor allem die Jafferau-Bergstraße und die Sommeiller-Bergstraße sind bei Motorradfahrern beliebt. Hier sollte der Mountainbiker die Tour nach Möglichkeit auf einen Wochentag legen.

Abgesehen von diesen wenigen als »Modetouren« zu bezeichnenden Bergstrecken stellt der Verkehr jedoch kein Problem dar. Die weitaus meisten Touren sind sogar geradezu als einsam zu bezeichnen, und es kann durchaus vorkommen, dass man etwa auf der Ligurische-Alpen-

Grenzkamm-Höhenstraße, der Brenner-Grenzkamm-Höhenstraße oder der Mont-Malamot-Festungsstraße nicht ein einziges Fahrzeug antrifft.

## Rad, Ausrüstung und Fahrverhalten

### Rad

Da allen beschriebenen Touren gänzlich oder zum großen Teil unbefestigte Straßen oder Wege zugrunde liegen, können sie nur mit einem Mountainbike durchgeführt werden. Denn nur deren breite, griffige Reifen im Zusammenspiel mit der speziellen Rahmengeometrie gewährleisten ein vernünftiges Vorwärtskommen sowie ein sicheres Fahrverhalten. Zwei Eigenschaften eines solchen Rads sind es, die für den Fahrspaß wesentlich sind: das Gewicht und die Steigfähigkeit.

Je leichter ein Rad ist, umso Kräfte sparender ist das Vorwärtskommen und umso größer ist der Fahrgenuss. Räumen Sie daher beim Kauf eines Mountainbikes dem Gewicht durchaus einen großen Stellenwert ein. Wenn Sie die Wahl zwischen zwei funktionell gleichwertigen und auch preislich auf gleichem Niveau liegenden Bikes haben, wählen Sie das leichtere. Letztendlich sollte das Gewicht ihres Bikes nicht über, sondern besser noch unter zwölf Kilogramm liegen.

Der zweite wesentliche Faktor, die Steigfähigkeit des Rads, hängt vor allem von der Rahmengeometrie ab. Ein kurzer Hinterbau, ein steiler Sitzwinkel und ein

*Leichtbau dominiert diesen Vorbau aus Fahrersicht gesehen.*

knapper Radstand sind die besten Voraussetzungen für eine optimale Steigfähigkeit. Gute Steigfähigkeit bedeutet dabei nichts anderes, als dass das Vorderrad an steilen Abschnitten so lange wie möglich am Boden bleibt. Verliert es diese Bodenhaftung, wird das Rad sofort instabil, man kippt seitlich weg. Die Bodenhaftung ist freilich auch vom jeweiligen Untergrund abhängig: Auf steinigen und holprigen Wegen kann das Rad recht früh abheben, auf festem Untergrund dagegen kann man es durch Gewichtsverlagerung länger am Boden halten.

Man muss mit einem Mountainbike nicht nur gut bergauf, sondern ebenso gut bergab und in der Ebene fahren können. Die hierfür optimalen Winkelfunktionen des Rahmens sind jedoch andere wie die für die Steigfähigkeit benötigten. Letztendlich kann der Rahmenbauer daher immer nur einen Kompromiss eingehen, welcher alle drei Fahrbereiche so gut wie möglich abdeckt. Es bleibt einem vor dem Kauf somit nichts anderes übrig, als die Tests in Fachzeitschriften zu studieren und sich

dort zu informieren, welches Mountainbike hier einen optimalen Kompromiss findet, also bei bestmöglichem Steigungsverhalten die annähernd besten Werte für Geradeauslauf und sicheres Abfahrtsverhalten bietet.

Keine Kompromisse sollten Sie allerdings bei den Reifen eingehen. Lesen Sie auch hier die Testberichte sorgfältig, und wählen Sie den Reifen mit den besten Haftungswerten. Zwar sind dies in der Regel Reifen mit einem recht grobstolligen Profil und ausgeprägten Seitenstollen, die damit beim Bergauffahren einen größeren Rollwiderstand als leichter profilierte Reifen bieten, allerdings ist der Sicherheitsgewinn bei den Abfahrten erheblich.

Achten Sie auch immer auf den richtigen Reifenluftdruck. Ist dieser zu hoch, verliert das Vorderrad viel leichter die Haftung, und man rutscht leicht unvermittelt weg. Bei zu niedrigem Luftdruck besteht die Gefahr von Reifenpannen aufgrund von Durchschlägen. Der optimale Luftdruck ist abhängig von Ihrem Gewicht, Ihrem Fahrstil und auch vom Untergrund. Wenn Ihr Hinterrad auf schlechtem Untergrund sehr früh durchdreht, versuchen Sie es ruhig einmal mit etwas weniger Luftdruck. Oft wird die Haftungsgrenze dadurch entscheidend verbessert.

Ob Sie ein vollgefedertes Bike benutzen, obliegt Ihren persönlichen Vorlieben. Alle Touren können selbstverständlich auch mit ungefederten Bikes befahren werden. Allerdings ist eine Federgabel sehr zu empfehlen, da sie zum einem mehr Komfort bietet, zum anderen aber auch einen erheblichen Sicherheitsaspekt, vor allem bei Abfahrten, darstellt.

### Ausrüstung

Eine hochwertige und funktionelle Bekleidung sollte für Mountainbiketouren selbstverständlich sein. Die Radhose sollte Träger sowie einen Ledereinsatz haben. Die Trikots sollten aus atmungsaktivem Material bestehen, das die Feuchtigkeit durch Schwitzen rasch an die Luft ableitet. Empfehlenswert ist Funktionsunterwäsche, die stark feuchtigkeitstransportierend ist, und auch bei starkem Schwitzen den Körper so weit wie möglich trocken hält. Für die Abfahrt benötigen Sie eine Jacke oder zumindest Weste, die vorne winddicht ist. Die Schuhe sollten eine ausreichend feste Sohle haben, um eine optimale Kraftübertragung auf das Pedal zu gewährleisten, andererseits aber noch ausreichend biegsam sein, so dass auch längere Gehpassagen möglich sind. Eine feste Kappe im Zehenbereich schützt vor aufgeschleuderten Steinen. Fahren Sie nie ohne Handschuhe, am besten geeignet sind solche mit Verstärkungen im Innenhandbereich oder mit zusätzlichen stoßabsorbierenden Einlagen. Tragen Sie bei jeder Tour einen Schutzhelm! Nur dieser bietet einen wirksamen Schutz vor Kopfverletzungen.

Naturgemäß sind die Mitnahmemöglichkeiten für Gepäck auf dem Mountainbike sehr begrenzt. Stecken Sie jedoch immer – auch bei schönem Wetter am Beginn der

Tour – eine wind- und regenundurchlässige Jacke sowie etwas Proviant, vielleicht in Form eines Müsli- oder Energieriegels, in Ihre Trikottasche. Führen Sie nach Möglichkeit zwei Trinkflaschen von je 0,75 Liter Inhalt mit. 1,5 Liter Getränke, etwa in Form von Tee, Apfelschorle oder isotonischen Getränken, sind an warmen Tagen im Nu verbraucht.

Wer noch Wechselkleidung, ein Erste-Hilfe-Set und zusätzlichen Proviant mitführen möchte, wird um einen Rucksack nicht umhinkommen. Allerdings kann es damit zu starkem Schwitzen am Rücken sowie zu Verspannungen im Schulterbereich kommen. Auch sind bei längeren Touren wegen des zusätzlichen Gewichts Sitzbeschwerden nicht auszuschließen. Wenn Sie also mit einem Rucksack nicht

*Wasserdicht sollten die Naben bei solchen Bachdurchquerungen schon sein.*

zurechtkommen, versuchen Sie es ruhig einmal mit einem Gepäckträger. Der Zubehörhandel bietet hier erstaunlich funktionelle Lösungen an.

Leider kann man Defekte unterwegs nie ganz ausschließen. Folgende Werkzeuge sollte man deshalb grundsätzlich auf jeder Tour mitführen: Reifenheber, Flickzeug, Reserveschlauch, Luftpumpe, Kettennietendrücker, Nippelspanner (Speichenschlüssel) sowie ein Universalwerkzeug, zum Beispiel in Form eines Schweizer Messers, mit den wichtigsten Inbusschlüsseln (2 bis 6 mm) sowie Schraubendreher für Kreuz- und Schlitzschrauben.

Vergessen Sie nicht, vor jeder Fahrt Ihr Rad auf seinen ordnungsgemäßen Zustand, insbesondere die Bremsen und die Schaltung zu überprüfen. Auch die Spannung der Speichen sollte hin und wieder mittels Fingerdruck an den Kreuzungsstellen überprüft werden. Kontrollieren Sie

*Dieses Paar findet ganz offensichtlich Gefallen am gemeinsamen Biken.*

zudem regelmäßig, ob der Vorbau und das Lenkkopflager fest angezogen sind – nicht auszudenken, wenn sich hier während der Abfahrt etwas lockern sollte. Und überprüfen Sie auch die Oberfläche der Reifen: Die Decke darf keine Risse, Schnitte oder auffällige und unregelmäßige Abnützungen, etwa durch starkes Bremsen, aufweisen. Entscheiden Sie sich im Zweifelsfall für Ihre Sicherheit, und wechseln Sie ältere oder beschädigte Reifen aus.

### Fahrverhalten

Gehen Sie grundsätzlich nur Touren mit einem Schwierigkeitsgrad an, der Ihrem Trainingszustand entspricht. Beginnen Sie die Tour lieber zu langsam als zu schnell, und lassen Sie sich in keinem Fall von schnelleren Fahrern von der für Sie richtigen Geschwindigkeit abbringen. Schalten Sie an Anstiegen lieber früher in einen leichteren Gang, um keinerlei Kräfte zu verschwenden.

Trinken Sie frühzeitig, auch wenn Sie noch keinen Durst verspüren, und füllen Sie die Wasserflasche rechtzeitig nach. An warmen Tagen ist ein Liter je Stunde Fahrzeit das Minimum. Ein Trinkrucksack kann bei längeren Fahrten, insbesondere bei großer Hitze, ein durchaus sinnvolles Ausrüstungsteil sein und im Falle eines Sturzes sogar die Rückenpartie etwas schützen.

Vergessen Sie auch nicht, rechtzeitig – also bevor das Hungergefühl einsetzt – zu essen. Vor allem kleinere Portionen wie Energie- oder Müsliriegel, Bananen, aber auch etwas Schokolade belasten bei Anstrengungen nicht allzu sehr und helfen, dem gefürchteten »Hungerast«, einem plötzlich und rapide einsetzenden Leistungsabfall, vorzubeugen.

Vermeiden Sie bei Passabfahrten jegliches Risiko, und fahren Sie hier noch defensiver und vorsichtiger als sonst. Fahren Sie nur so schnell, dass Sie immer auf halber Sichtweite anhalten können. Unübersichtliche Streckenabschnitte sollten nur im Schritttempo befahren werden. Legen Sie bei längeren Abfahrten immer wieder mal eine kurze Pause ein, und lockern Sie die Handgelenke sowie die Muskulatur im Nacken- und Schulterbereich, um Schmerzen und Verspannungen zu vermeiden.

## WICHTIGE TELEFONNUMMERN

**Alpenvereinswetterbericht (gesamter Alpenraum)**   o 89) 29 50 70

**Deutscher Wetterdienst**

Alpenwetter (wie Alpenvereinswetterbericht)   (01 90) 11 60-11

| | |
|---|---|
| Bayerische Alpen | (01 90) 11 60-19* |
| Gardaseer Berge | (01 90) 11 60-16* |
| Ostalpen | (01 90) 11 60-18* |
| Schweizer Alpen | (01 90) 11 60-17* |

**Österreichischer Wetterdienst**

| | |
|---|---|
| Alpenwetter (wie Alpenvereinswetterdienst) | 0450 1 99 00 00-11* |
| Regionalwetter Österreich und Norditalien | 0450 1 99 00 00-19* |
| Gardaseer Berge | 0450 1 99 00 00-16* |
| Ostalpen | 0450 1 99 00 00-18* |
| Schweizer Alpen | 0450 1 99 00 00-17* |
| Persönliche Beratung | +43 51 22 91 60 0 (Mo–Sa 13.00 – 18.00 Uhr) |

**Schweizer Wetterdienst**   +41 11 62

| | |
|---|---|
| Schweizer Alpen | 157 1262-18* |
| Ostalpen | 157 1262-19* |
| Persönliche Beratung | 157 5262-0* |

**Notrufnummer in den Alpen**   112

(Diese europäische Notrufnummer ist außerhalb Deutschlands nur über Mobiltelefon zu erreichen. Sie wird auf die landesspezifischen Notrufnummern weitergeleitet.)

* Die Nummer ist nur im jeweiligen Land anwählbar.

# Zur Routenplanung

Folgende Angaben sollen Ihnen bei der Tourenplanung helfen: Für eine erste Einschätzung der Tour sind maximal erreichte Höhe, Länge, zu überwindende Höhenmeter und benötigte Zeit bereits im Untertitel angegeben, zudem ersehen Sie am Piktogramm den Schwierigkeitsgrad.

Für die Detailplanung helfen die Informationen im Kasten, wo Sie genaue Angaben zu Anfahrt, Startort, Schwierigkeitsgrad inklusive Höchststeigung und Befahrbarkeit finden. Hier sind nochmals Länge, Höhendifferenz und Zeit ausgewiesen. Außerdem wird der Straßenzustand beschrieben, und es sind Hütten beziehungsweise Unterkünfte sowie eventuell zusätzlich benötigtes Kartenmaterial genannt.

## Anfahrt

Hier ist der schnellstmögliche Weg mit dem Auto zum Startort über die nächstgelegene Autobahn sowie Bundes- und Landstraßen beschrieben.

*Auf solchem Untergrund ist es in jedem Fall ratsamer, das Bike zu schieben.*

## Startort

Neben dem Ausgangspunkt ist jeweils die Höhenangabe vermerkt. Falls nötig, ist hier auch der Weg innerhalb der Ortschaft detailliert beschrieben.

## Schwierigkeitsgrad

Hier finden Sie die Bewertung der Tour als »leicht«, »mittelschwer« oder »schwer«. Dabei ist darauf hinzuweisen, dass diese Einteilung vor allem aufgrund der objektiven Tourdaten wie Streckenlänge, Höhenmeter und Höchststeigung erfolgen muss. Letztere ist jeweils mit Ort und Länge unmittelbar nach dem Schwierigkeitsgrad angegeben.

Beispiel: Ein sehr gut trainierter Biker mag die Chaberton-Bergstraße vielleicht leicht finden und könnte oben angelangt noch eine weitere Tour anhängen. Die Mehrzahl der Biker ist dort oben jedoch an den Grenzen der Belastbarkeit angelangt und empfindet die Tour sicherlich als schwer. Und während ein gut trainierter Biker die Plätzwiesesattel-Straße aufgrund seines Trainingszustands zu Recht als leicht empfinden wird, erscheint sie einem nicht so gut trainierten Biker durchaus schwer. Er wird sie jedoch in jedem Fall hochkommen, auch wenn er sich dabei schwer tut. Die Chaberton-Bergstraße dagegen wird ein weniger gut trainierter Biker nicht schaffen, auch wenn er sich noch so anstrengt. Objektiv betrachtet ist die Plätzwiesesattel-Bergstraße deshalb unter die leichten, die Chaberton-Bergstraße dagegen unter die schweren Touren einzuordnen – beide Bewertungen sind unschwer aus der jeweiligen Länge der Strecke, den zurückzulegenden Höhenmetern sowie der Höchststeigung abzuleiten. Mit der Einteilung in Schwierigkeitsgrade soll versucht werden, die Touren vom Schwierigkeitsprofil her in Relation zueinander zu stellen, wobei allerdings für die subjektive Einschätzung der Schwierigkeit jeweils die eigene körperliche Leistungsfähigkeit mitberücksichtigt werden muss. Zusammenfassend können folgende Angaben zu den einzelnen Schwierigkeitsbewertungen gemacht werden:

### Leichte Radtour

Weder Streckenlänge noch zu überwindende Höhenunterschiede stellen besondere Anforderungen an die Kondition. Wegen ihrer Gesamtcharakteristik ist die Tour von jedermann und ohne spezielle Trainingsvorbereitung zu bewältigen.

Dennoch sollten auch leichte Radtouren nicht gänzlich unvorbereitet in Angriff genommen werden. Solche Touren sind in den hier beschriebenen Gebieten eher die Ausnahme.

### Mittelschwere Radtour

Sowohl aufgrund des zu bewältigenden Höhenunterschieds als auch der Steigungsabschnitte ist bereits deutlich mehr Kraftaufwand als bei leichten Touren erforderlich. Die Durchführung einer solchen Tour setzt eine gewisse Grundkondition und Vorbereitung voraus. Mittelschwere Radtouren sind im Alpenraum der Regelfall. Bereits als eigenständige Touren durchaus lohnend, sind sie zudem ein hervorragendes Training für schwere Unternehmungen.

### Schwere Radtour

Große Höhenunterschiede auf langen Strecken, teilweise mit schweren Steigungsabschnitten über längere Distanzen, kennzeichnen schwere Radtouren. Ausgezeichnete Kondition und ein spezielles Training sind für ein gutes Gelingen unabdingbare Voraussetzungen. Mindestens 1000 Trainingskilometer, erprobtes Material und entsprechende Erfahrung sollten für die Bewältigung solcher Touren selbstverständliche Voraussetzungen sein.

Zwischenschritte innerhalb dieser Schwierigkeitsgrade erlauben eine noch genauere Bewertung: Eine mittelschwere bis schwere Tour tendiert bereits zur höheren Kategorie, ohne deren Schwierigkeiten jedoch vollständig zu erreichen.

## Länge

Hier ist die Streckenlänge vom Ausgangspunkt bis zum Scheitel (Pässe) oder Endpunkt (Bergstraßen) angegeben. Es handelt sich um die von mir mit dem Fahrradtacho tatsächlich gemessene Strecke, die geringfügig von offiziellen Kilometerangaben in Karten abweichen kann.

*Diesen Obelisk mit steinernem Adler findet man auf der Testa dell'Assietta – mit 2567 m höchster Punkt auf der Assietta-Kammstraße (Tour 22).*

## Höhendifferenz

Sie gibt den zu bewältigenden Höhenunterschied vom Ausgangspunkt bis zum Scheitel- beziehungsweise Endpunkt der Strecke an. Die Berechnung erfolgte aufgrund offizieller Angaben in Karten und Führern. Kürzere Abfahrten ohne wesentlichen Höhenverlust wurden nicht berücksichtigt.

## Zeit

*Einmal nicht in öden Hochgebirgsregionen, sondern im grünen Talboden unterwegs.*

Bei der ersten der beiden Zeitangaben handelt es sich um die von mir benötigte reine Fahrzeit für die Auffahrt (ohne Pausen). Konditionsstarke Fahrer können diese sicherlich unterbieten. Die zweite Zeitangabe ist ein Wert, den auch weniger gut trainierte Fahrer erreichen. Die beiden Zeitangaben sind als Richtwerte anzusehen, innerhalb derer die Bewältigung der Tour jedermann möglich sein sollte. Bitte beachten Sie bei Ihrer Zeitplanung, dass die Abfahrtszeit jeweils hinzugerechnet werden muss; diese ist jedoch individuell so verschieden, dass hierzu keine Angaben gemacht werden können.

## Befahrbarkeit

Nur für wenige der beschriebenen Strecken gelten offizielle Öffnungszeiten, während derer die Strecke von den Straßendiensten regelmäßig unterhalten und befahrbar gehalten wird. Auf allen anderen Strecken geschieht dies oft nur im notwendigsten Umfang und ohne feste zeitliche Bindung. Für die Befahrbarkeit mit dem Rad ist hier entscheidend,

wann die Strecke schneefrei ist. Zwar ist dies regional verschieden und auch von der jeweils im Winter gefallenen Schneemenge abhängig, doch gibt es Erfahrungs- und Anhaltswerte, ab wann mit größtmöglicher Sicherheit eine vollständige Befahrung der Strecke möglich ist:

Die Touren am Pasúbio und am Tremalzopass etwa können bereits Mitte Mai unternommen werden. Eventuell liegen dann im oberen Bereich noch kleinere Schneefelder, die jedoch das Rad tragend gefahrlos überwunden werden können. Die Touren zu den höchsten Gipfeln im Piemont – zum Mont Chaberton, Colle Sommeiller, Mont Jafferau – oder auf der Ligurische-Alpen-Grenzkamm-Höhenstraße können dagegen in aller Regel erst Ende Juni/Anfang Juli unternommen werden. Für eine Auffahrt über die Brenner-Grenzkamm-Höhenstraße oder die Pustertaler-Grenzkamm-Höhenstraße und die Strecke auf den Helm ist ebenfalls erst ab

**Telefonnummern der Straßen-Informationsdienste**

**Deutschland**
ADAC München
(01 80) 5 10 11 12

**Österreich**
ÖAMTC Wien
+43 17 11 99 0

**Italien**
ACI Rom
+39 06 49 98 1

**Schweiz**
ACS Bern
+41 31 32 83 11 1
TCS Vernier
+41 22 41 72 72 7

**Frankreich**
Laut ADAC gibt es für Frankreich keinen Straßeninformationsdienst.

Mitte Juni eine durchgehende Befahrung möglich. Wer ganz sichergehen will, sollte noch ein bis zwei Wochen zugeben.

Der Befahrbarkeitszeitraum endet mit dem Wetterumschwung im Herbst, meist Ende Oktober/Anfang November, ab dann bleibt der Schnee im Hochgebirge liegen.

Beachten Sie bitte, dass auch bei Straßen mit offiziellen Öffnungszeiten jederzeit mit witterungsbedingten Terminverschiebungen oder auch tagelangen Lawinen- beziehungsweise Schneesperren innerhalb dieses Zeitraums zu rechnen ist. Es empfiehlt sich deshalb, vor Tourenbeginn Auskunft über die Befahrbarkeit dieser Strecken bei den Informationsdiensten einzuholen (siehe linke Randspalte).

## Straßenzustand

Neben Lage und Länge der asphaltierten Streckenabschnitte wird der Zustand der unbefestigten Streckenteile angegeben (Erdstraße, steinig, kiesig, schottrig…). Am besten zu befahren sind neben den Asphaltabschnitten sicherlich feste Erdstraßen. Je steiniger eine Straße ist, desto unangenehmer wird die Befahrung, was sich verstärkt noch bei der Abfahrt auswirkt. Wird auf groben losen Schotter verwiesen, so ist bei der Auffahrt immer mit durchdrehendem Hinterrad zu rechnen. Selbst bei eher durchschnittlichen Steigungen um 10 % kann dann in manchen Fällen Schieben angesagt sein. Und vor allem bei der Abfahrt ist auf Schotterstrecken der schlechten Reifenhaftung wegen erhöhte Vorsicht geboten.

## Hütten/Unterkünfte

Auf Hütten oder Unterkünfte, die an der Auffahrtsstrecke liegen, wird mit Kilometerangabe vom Ausgangspunkt aus hingewiesen. Soweit dies in Erfahrung gebracht werden konnte, sind zudem der Öffnungs- beziehungsweise Bewirtungszeitraum genannt. Da hier kurzfristige Änderungen immer möglich sind, empfiehlt es sich, vor Antritt der Tour Auskunft bei den Alpinen Auskunftsstellen der Alpenvereine einzuholen (siehe rechte Randspalte).

## Karte

Grundsätzlich sollte mit den heraustrennbaren Routenkarten ein Auffinden des Streckenverlaufs problemlos möglich sein. Wer ganz sichergehen will, oder sich einen zusätzlichen Überblick über das jeweilige Gebiet verschaffen möchte, findet die jeweilige KOMPASS-Karte im Maßstab 1:50 000 für Deutschland, Österreich und Italien angegeben. Für Gebiete in Italien, vor allem im Piemont, die hiervon nicht abgedeckt werden, sind die Kartenblätter des Istituto Geografico Centrale, Torino, (1:50 000) genannt. Für die Schweiz wird auf die Landeskarte der Schweiz, Maßstab 1:100 000, und für Frankreich auf die Karte Topographique des Institut Geographique National (1:100 000) verwiesen.

Für das Auffinden des jeweiligen Startorts empfiehlt sich eine Straßenkarte mit kleinem Maßstab, etwa die Euro-Länderkarte Alpen 1:800 000 (RV-Verlag) oder die Shell Euro-Karte Alpen 1:750 000 (Mairs Geographischer Verlag).

---

**Telefonnummern der Alpinen Auskunftsstellen**

**Deutscher Alpenverein (DAV)**
Alpine Auskunftsstelle München
(0 89) 29 49 40

**Österreichischer Alpenverein (OeAV)**
+43 51 25 87 82 8

**Italienischer Alpenverein (AVS)**
+39 04 71 99 38 09

**Schweizer Alpen Club (SAC)**
+41 31 37 01 81 8

**Französischer Alpenverein (OHM)**
+33 45 05 32 20 8

# Touren in Deutschland

# Brünnstein-Bergstraße

**Höchster Punkt:** 1360 m  **Länge:** 10,0 km
**Höhendifferenz:** 878 Hm  **Zeit:** 1 1/4–2 Std.
**Schwierigkeitsgrad:** mittelschwer bis schwer

Wer das Steigverhalten seines Bikes an steilen Anstiegen testen möchte, braucht gar nicht tief in die Alpen hineinzufahren. Die Auffahrt über die Brünnstein-Bergstraße hinauf zum gleichnamigen Berggipfel über dem Kufsteiner Inntal, noch in den Bayerischen Voralpen gelegen, reicht völlig aus. Dort findet man nämlich Steigungen bis 28 %, die vom Untergrund her durchaus befahrbar sind. Wenn man die steilsten Abschnitte dann aber doch schiebend bewältigen muss, liegt es entweder am schlechten Steigverhalten des Bikes oder an der fehlenden Kondition – oder vielleicht an beidem.

**ANFAHRT** Autobahn München–Salzburg A 8, Ausfahrt Oberaudorf; weiter nach Oberaudorf

**STARTORT** Oberaudorf (805 m)

Durch den Ort Richtung Kiefersfelden/Kufstein und kurz vor dem Ortsende der zum Luegsteinsee rechts abzweigenden Straße folgen

Auch wenn Deutschlands Anteil an den Alpen relativ klein ist und die Berge nicht allzu hoch sind, so liegt hier doch ein schier unerschöpfliches Revier für Mountainbiker. Schwierig, unter der Vielzahl von Bergwegen und Sträßchen, die lohnendsten herauszufinden, aber das Bergsträßchen hinauf zum Brünnstein hat sicherlich das Zeug dazu, sich aus dieser Masse abzuheben.

Der Brünnstein ist mit seinen 1634 Metern nicht allzu hoch, kann aber doch mit dem Attribut aufwarten, einer der Berge mit der schönsten Aussicht auf das Gebirge des Wilden Kaisers über dem Kufsteiner Inntal zu sein. Den Brünnstein selbst finden wir allerdings im Mangfallgebirge, das sich vom Tegernsee im Westen entlang der bayerisch-österreichischen Grenze bis zum Inntal im Osten erstreckt und unter der Bezeichnung Tegernseer- und Schlierseer Berge vielleicht sogar bekannter ist.

Die Brünnstein-Bergstraße dient als Versorgungsstraße für das Brünnsteinhaus etwa 300 Meter unterhalb des Gipfels sowie für einige westlich gelegene Almen.

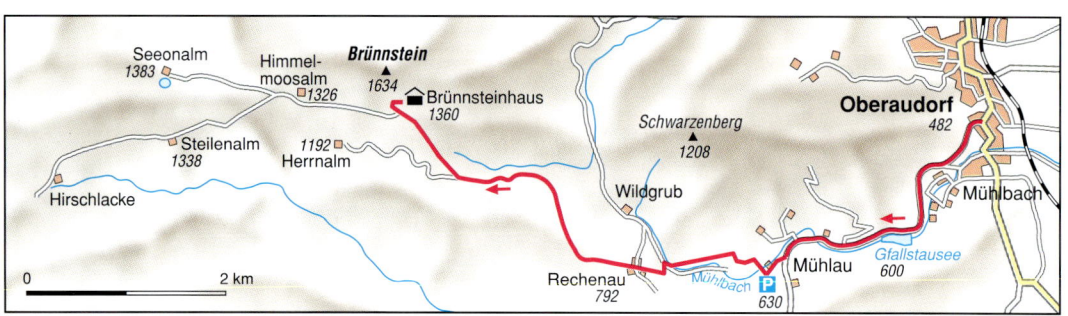

*Kurz unter dem Brünn-steinhaus hat man die Steigungsabschnitte mit 28 % glücklicherweise hinter sich.*

**SCHWIERIGKEITSGRAD**
Mittelschwere bis schwere Radtour mit 28 % Höchststeigung auf zwei Abschnitten über 700 und 400 m Länge; ein 700 m langer Abschnitt mit bis 26 % Steigung sowie mehrere Abschnitte mit Steigungen zwischen 14 und 18 %

**LÄNGE** 10,0 km

**HÖHENDIFFERENZ** 878 m

**ZEIT** 1 1/4–2 Stunden

**BEFAHRBARKEIT** Die Auffahrt ist in der Regel ab Anfang April schnee-frei; ab den Parkplätzen bei km 3,5 ist die Strecke für den öffentlichen Verkehr gesperrt.

**STRASSENZUSTAND** Auf den ersten 3,5 km bis zum Fahrverbot Asphalt; dann, von einem kurzen Asphaltabschnitt durch Rechenau abgesehen, feste Erdstraße mit leichter Kiesauflage

**HÜTTEN/UNTERKÜNFTE** Brünnsteinhaus (km 10,0; ganzjährig geöffnet außer wochen-tags im November und Dezember, am 24. und 25. Dezember sowie von 15. Januar–1. Februar)

**KARTE** KOMPASS-Wanderkarte 1:50 000, Blatt 8

*Bei den Höfen von Rechenau hat man einen schönen Ausblick auf das Inntal.*

im Sattel sitzend bewältigt, den kann keine andere Tour in diesem Führer mehr schrecken. Aber auch wer diesen Abschnitt ganz oder teilweise schiebt, sollte gute Kondition haben, denn außer diesem Steilstück finden wir auf der Strecke mehrere Steigungen um 14, 16 und 18 % vor, die einem das Leben als Biker schon schwer genug machen können.

Im unteren Teil der Auffahrt ist die Streckenführung aber noch als angenehm zu betrachten. Wenn man am Ortsende von Oberaudorf der zum Luegsteinsee abzweigenden Straße folgt, nimmt die Steigung zwar bald auf einer Länge von 300 Meter auf 16 % zu, aber auf Asphalt ist dies kein Problem und das folgende lange Flachstück lässt einen gleich wieder zu Kräften kommen. Diese braucht man dann auch, wenn bei den Höfen von Rechenau der Asphalt in Erdstraße übergeht und die Steigung von 14 über 18 bis 26 % zunimmt. Damit ist es aber noch lange nicht geschafft. Dem Kleinen Schinder, wie die Einheimischen diesen Abschnitt nennen, folgt nämlich auf fast 1,1 Kilometer Länge der Große Schinder mit 28 % Steigung. Beim Brünnsteinhaus ist die Schinderei dann zu Ende und ob der guten Brotzeit und der schönen Aussicht bald vergessen.

Was aber hebt die Brünnstein-Bergstraße von anderen Bergstraßen ab? Das ist recht leicht zu beantworten: Es ist die Schwierigkeit dieser Strecke, die im oberen Teil bis zu 28 % Steigung erreicht. Auf gut einen Kilometer Länge behält sie diese Steilheit bei, und wer diesen Abschnitt

## Alternative

Bei km 9,5 kann man von der Bergwachthütte der geradeaus führenden Trasse folgen, die sich bald gabelt und zur Seeonalm oder zu den Unterbergalmen führt.

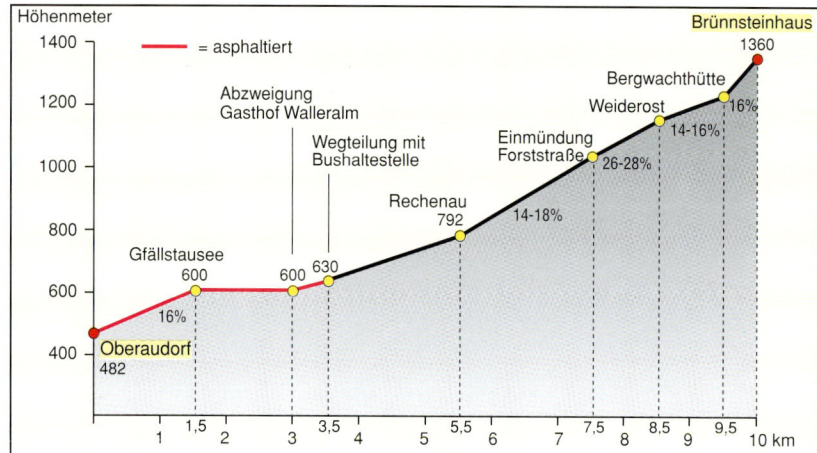

 **STRECKENBESCHREIBUNG**

| | |
|---|---|
| **km 0,0 (482 m)** | In Oberaudorf der Beschilderung »Kiefersfelden« nach, kurz vor dem Ortsende der zum Luegsteinsee abzweigenden Straße folgen. |
| **km 1,0** | Am See und dem Hotel Grafenburg vorbei, von einem 300 m langen Anstieg mit 16 % Steigung abgesehen unschwierig zum Gfallstausee. |
| **km 1,5 (600 m)** | Am See vorbei eben bis zu der zum Gasthof Wallerhof abzweigenden Straße. |
| **km 3,0** | An der zum Gasthof Wallerhof abzweigenden Straße, trotz des Hinweisschilds »Brünnstein«, vorbei, bis zur Wegteilung mit Bushaltestelle. |
| **km 3,5 (630 m)** | An der Wegteilung der nach rechts abzweigenden, ebenfalls mit »Brünnstein« ausgeschilderten Straße bis zu den Parkplätzen folgen. Über eine kleine Brücke den Mühlbach überqueren und nunmehr auf einer Erdstraße, bei Steigungen meist unter 10 %, zu den Höfen von Rechenau. |
| **km 5,5 (792 m)** | Der Beschilderung »Brünnstein« folgend auf der mit 14 bis 18 % ansteigenden Trasse weiter bis zur Einmündung in die Forststraße und dieser aufwärts folgen. |
| **km 7,5** | Nach der Einmündung in die Forststraße 700 Meter langer Anstieg mit 26 % Steigung bis zur Gabelung. Hier der geradeaus führenden Trasse folgen, die mit 28 % auf 700 Meter Länge ansteigt, bei einem Holzkreuz nur kurz flacher wird, um beim Weiderost nochmals auf 400 m Länge mit 28 % anzusteigen. |
| **km 8,5** | Nach dem Weiderost führen die beiden hier abzweigenden Straßen nach kurzer Fahrzeit wieder zusammen; weiter über Steigungen von 14 bis 16 % zur Bergwachthütte. |
| **km 9,5** | Ab der Bergwachthütte noch 300 Meter mit bis 16 % Steigung hinauf zum Brünnsteinhaus. |
| **km 10,0 (1360 m)** | Ende der Auffahrt beim Brünnsteinhaus. |

# 2 Obere-Firstalm-Straße

**Höchster Punkt:** 1375 m    **Länge:** 7,5 km

**Höhendifferenz:** 570 Hm    **Zeit:** 1–1 3/4 Std.

**Schwierigkeitsgrad: leicht**

**Schauen Sie sich auf dieser Tour die anderen Biker genau an. Vielleicht ist es ja der Doppelolympiasieger Markus Wasmeier, der im Schlierseer Ortsteil Neuhaus zu Hause ist und hier öfters mit dem Bike unterwegs ist. Allerdings muss man kein Olympiasieger sein, um diese Tour in der wunderschönen Landschaft der Bayerischen Alpen genießen zu können. Die Obere Firstalm, inmitten der wunderschönen Landschaft des Spitzings, wie die Bergwelt rund um den Spitzingsee in den Schlierseer Bergen genannt wird, ist eher leicht zu erreichen. Klar, dass wir uns den Anstieg mit vielen Bergwanderern teilen müssen, von denen die allermeisten allerdings mit dem Auto bis zum Spitzingsattel hochfahren. Wir benutzen diese Straße nur auf etwa einem Kilometer Länge, und wer will, kann sich auch diesen Abschnitt sparen. Dazu muss man allerdings den hinter der Stockeralm zum Sattel verlaufenden Trialpfad nehmen. Und wer diesen bewältigt, ohne zu schieben, hat fast schon eine olympische Leistung vollbracht.**

**ANFAHRT** Autobahn München–Salzburg A 8, Ausfahrt Weyarn; weiter auf der B 307 über Miesbach–Hausham nach Schliersee/Ortsteil Neuhaus

**STARTORT**
Schliersee/Ortsteil Neuhaus (805 m)

Auf der B 307 durch Neuhaus und entweder der in der Ortsmitte gegenüber der Gaststätte Sachs rechts abzweigenden Josefsthalstraße bis zu deren Ende folgen oder auf der B 307 durch den Ort und bei den Parkplätzen an der Auffahrt zur Spitzingstraße beginnen

Nach der schweren Tour auf den Brünnstein (Tour 1) nun eine leichte. Sie liegt gar nicht allzu weit entfernt, ebenfalls im Mangfallgebirge beziehungsweise in den Tegernseer- und Schlierseer Alpen, und führt uns in eines der beliebtesten Gebiete dieser Region, in die Bergwelt um den Spitzingsee, kurz Spitzing genannt. Der Spitzing ist eine vor allem unter Bergwanderern und Skifahrern beliebte Ferien- und Erholungsregion zu Füßen von so bekannten Bergen wie Brecherspitz, Stümpfling, Taubenstein und Rotwand.

Wir wollen hinauf zur Oberen Firstalm, einer der bekanntesten Hütten dieses Gebiets, die sich, zusammen mit der etwas unterhalb gelegenen Unteren Firstalm, vor allem durch das hier alljährlich am Faschingssonntag stattfindende Faschingstreiben einen Namen gemacht hat. Wagemutige junge Männer und Frauen rasen dabei auf skurrilen, selbst gebastelten Schlittengefährten einen Hang oberhalb der Unteren Firstalm hinunter, was vor allem zur Gaudi des Publikums beiträgt und nicht immer ganz ungefährlich ist.

Die Straße zur Oberen Firstalm zweigt vom 1128 Meter hohen Spitzingsattel ab und endet nur drei Kilometer weiter und 250 Meter höher, sie ist damit als eigenständige Mountainbiketour nicht unbedingt lohnend. Aber es gibt eine andere

Neben der Oberen Firstalm, die eigentlich eher ein Berghotel ist, findet man diese kleine urige Hütte.

Möglichkeit, nämlich die Tour bereits unten im Tal, in Neuhaus, einem Ortsteil von Schliersee, zu beginnen.

Wer nun glaubt, die viel befahrene und deshalb für uns völlig reizlose Spitzingstraße benutzen zu müssen, und die Tour somit gleich wieder aus seiner Planung streicht, der irrt. Denn es gibt noch die alte Spitzingstraße, eine wunderschöne und ruhig gelegene Alternative zur lauten neuen Straße, die uns diese herrliche Bergwelt erschließt. Sie beginnt in Neuhaus entweder am Ende der Josefsthalstraße oder bei den Parkplätzen am Beginn der neuen Spitzingstraße, wo man an den Tennisplätzen vorbei ebenfalls erst einmal Richtung Josefsthal radelt.

Auf der nur mäßig ansteigenden, guten Naturstraße, im Winter eine beliebte Schlittenabfahrt, geht es dann an einem Wasserreservoir vorbei nach oben, bis man etwa einen Kilometer unterhalb des Spitzingsattels wieder in die neue Straße einmündet. Man könnte auch dieses Reststück vermeiden, wenn man vorher dem zur Stockeralm abzweigenden Weg gefolgt wäre, müsste dann allerdings einen Pfad

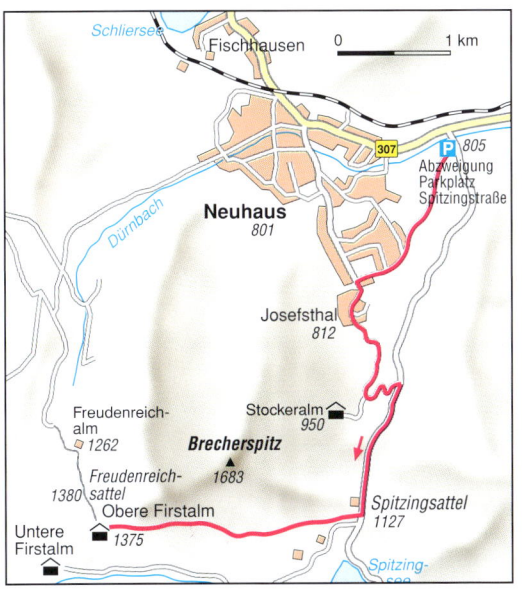

**SCHWIERIGKEITSGRAD**
Leichte Radtour mit 13 % Höchststeigung auf ca. 2 km Länge bei der Auffahrt vom Spitzingsattel zur Oberen Firstalm

**LÄNGE** 7,5 km

**HÖHENDIFFERENZ**
570 m

**ZEIT** 1–1 3/4 Stunden

**BEFAHRBARKEIT**
Die Auffahrt ist in der Regel ab Anfang April schneefrei; mit Ausnahme des kurzen Abschnitts auf der Spitzingstraße ist die Strecke ab dem Ortsende Neuhaus für den öffentlichen Verkehr gesperrt.

**STRASSENZUSTAND**
Ab Ortsende Neuhaus (km 2,0), abgesehen von der ca. 1 km langen asphaltierten Auffahrt über die Spitzingstraße, feste Erdstraße mit leichter Kiesauflage

**HÜTTEN/UNTERKÜNFTE**
Berggasthof Obere Firstalm (km 7,5; ganzjährig geöffnet)

**KARTE**
KOMPASS-Wanderkarte 1:50 000, Blatt 8

hochschieben, der bei Aufbietung höchster Konzentration und aller Kräfte sogar befahrbar wäre.

Die vom Sattel zur Oberen Firstalm hochführende Straße ist in jedem Fall befahrbar, auch wenn sie oben noch mit einem kurzen Steilstück mit bis zu 13 % Steigung aufwartet.

Wenn es an der Tour überhaupt etwas zu bemängeln gibt, dann vielleicht, dass das weite Rund um die Hütte zwischen Brecherspitz, Bodenschneid und Stümpfling keine allzu große Aussicht bietet.

## Alternative

Bei km 3,0 kann auch dem rechts abzweigenden Weg zur Stockeralm gefolgt werden (Beschilderung »Spitzingsee«), von wo man über einen Pfad ebenfalls zum Sattel gelangt.

*Die Auffahrt zur Oberen Firstalm ist als Genusstour einzuordnen, da bleibt genügend Zeit für eine Unterhaltung.*

## Tipp

Wer nicht auf der Auffahrtsstrecke zurückradeln will, kann dem Richtung Brecherspitz hochführenden Fahrweg folgen, der nach 300 Metern am Freudenreichsattel endet. Von dort auf steiler Lifttrasse etwa 100 Höhenmeter hinab zur Freudenreichalm schieben/tragen, dann auf der Forststraße bis zum Abzweig des Bodenschneidwegs durch das Dürnbachtal zurück nach Neuhaus fahren.

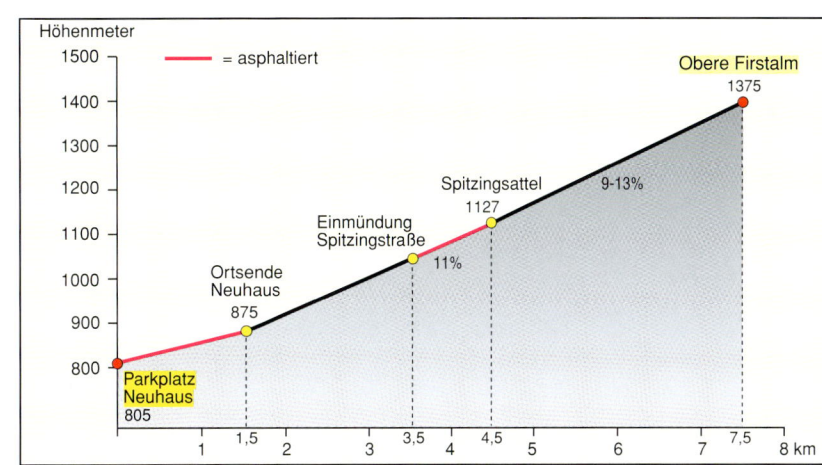

 **STRECKENBESCHREIBUNG**

**km 0,0 (805 m)** In Neuhaus entweder der Beschilderung »Josefsthal« folgen oder an den Parkplätzen am Anfang der Spitzingstraße beginnen. Von hier aus in westlicher Richtung an den Tennisplätzen vorbei bis zur Einmündung in die Josefsthalstraße bei der Bäckerei Gritscher.

**km 1,5 (875 m)** Bei der Einmündung links ab, weiter bis zum Gästehaus Josefsthal und der hier mit 9 % ansteigenden, geradeaus führenden unbefestigten Straße (Beschilderung »Alte Spitzingstraße«) bis zum Wasserreservoir folgen.

**km 2,5** Am Wasserreservoir vorbei mit etwas geringerer Steigung weiter bis zur Abzweigung.

**km 3,0** An der Abzweigung nach links weiter bis zur Einmündung in die Spitzingstraße bei einem kleinen Parkplatz.

**km 3,5** Nach der Einmündung in die Spitzingstraße auf der mit 11 % ansteigenden Straße bis zum Sattel.

**km 4,5 (1127 m)** Am Sattel der für Kfz gesperrten unbefestigten Trasse zum Berggasthof Obere Firstalm folgen, anfangs mit 9 %, dann mit bis auf 13 % zunehmender Steigung.

**km 7,5 (1375 m)** Ende der Auffahrt bei der Oberen Firstalm.

# Schachen-Bergstraße

**Höchster Punkt:** 1876 m **Länge:** 10,5 km
**Höhendifferenz:** 873 Hm **Zeit:** 2–2 1/2 Std.
**Schwierigkeitsgrad:** mittelschwer

**War König Ludwig II., der Märchenkönig, nun eigentlich geisteskrank oder nicht? Man weiß es nicht so genau, und man wird es auf dieser Tour auch nicht herausfinden. Vielleicht liegt die Wahrheit irgendwo in der Mitte, genau wie der Schwierigkeitsgrad dieser Tour, der als mittelschwer zu bezeichnen ist. Eines aber gewinnt man bei dieser Auffahrt zum Schachen, hoch über Garmisch-Partenkirchen gelegen, ganz bestimmt, nämlich Einblick in das Kunstschaffen des Monarchen, der sich mit seinem recht eigenwillig gestalteten Jagdschloss dort oben, neben anderen, weit bekannteren und vor allem leichter zu erreichenden Bauwerken, wie den Königsschlössern Neuschwanstein und Linderhof, ein weiteres Denkmal gesetzt hat. Wer allerdings glaubt, diese Tour sei nur für König-Ludwig-Fans geeignet, der irrt angesichts der hochalpinen Umgebung des Wettersteingebirges ganz gewaltig.**

Recht hoch hinaus geht es bei dieser Tour zum Schachen im Wettersteingebirge – auf über 1800 Meter. Zwar gäbe es in dieser Region, wo sich unsere deutschen Alpen mit der 2963 Meter hohen Zugspitze

am höchsten auftürmen, noch höhere und auch schwerere Touren, aber schönere oder interessantere wird man nur schwerlich finden. Der Schachen, in dieser hochalpinen Umgebung als eher leichter Wanderberg einzustufen, wartet nämlich mit einigen Besonderheiten auf.

Zum einen bietet er eine beeindruckende Aussicht auf die Felsszenerie des Wettersteingebirges, zum anderen finden wir dort oben einen Alpengarten, ein etwa ein Hektar großes Areal mit über 1600 Alpenpflanzen- und Baumarten. Wird dies vor allem die botanisch interessierten Biker unter uns interessieren, findet das Königshaus, wie das von König Ludwig II. dort 1870 errichtete Jagdschloss genannt wird, bestimmt bei einem größeren Publikum

**ANFAHRT** Autobahn München–Garmisch A 95 nach Garmisch-Partenkirchen; weiter auf der B 2 Richtung Mittenwald bis Klais; in Klais rechts ab nach Elmau

**STARTORT**
Elmau (1003 m)

Von den hintersten Parkplätzen von Elmau über eine Schranke in das Tal des Elmauer Bachs einwärts radeln

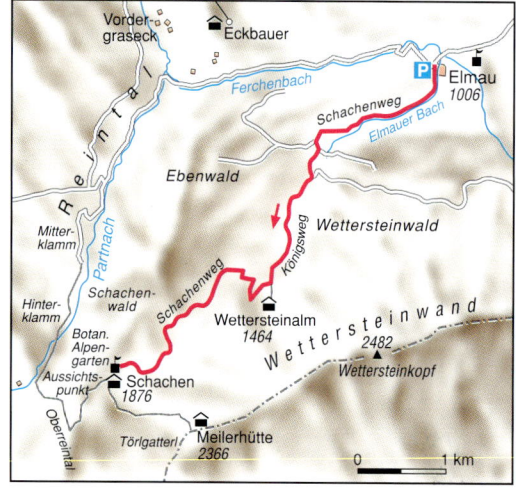

Schon deutlich alpin zeigt sich die Schachen-Bergstraße im oberen Teil der Auffahrt.

### SCHWIERIGKEITSGRAD
Mittelschwere Radtour mit 14 % Höchststeigung auf einem kurzen Abschnitt im oberen Streckenteil; sonst längere Abschnitte mit bis 11 % Steigung

### LÄNGE 10,5 km

### HÖHENDIFFERENZ
873 m

### ZEIT 2–2 1/2 Stunden

### BEFAHRBARKEIT
Die Auffahrt ist in der Regel ab Mitte Mai schneefrei; für den öffentlichen Verkehr ist die Strecke gesperrt.

### STRASSENZUSTAND
Bis zur Abzweigung vor der Wettersteinalm (km 5,0) feste Erdstraße mit leichter Kiesauflage; dann steiniger und felsiger werdender Fahrweg

### HÜTTEN/UNTERKÜNFTE
Wettersteinalm (km 5,5; ganzjährig geöffnet außer im November sowie zwischen Ostern und Pfingsten); Schachenhaus (km 10,5; Anfang Juni–Mitte Oktober geöffnet)

### KARTE
KOMPASS-Wanderkarte 1:50 000, Blatt 5

*Schöner Blick auf die Streckenführung zum Schachenhaus vor der Bergkulisse des Wettersteins.*

Anklang. Und das bewirtschaftete Schachenhaus schließlich wird sicherlich bei allen Radlern und Wanderern auf uneingeschränktes Interesse stoßen.

Die Auffahrt zum Schachenhaus ist zwar noch nicht als schwer einzustufen, gefordert wird man bei Steigungen bis 14 %

jedoch schon. Im unteren Teil spendet ein schöner, hochstämmiger Bergwald Schatten, verwehrt dafür aber leider jegliche Aussicht, während sich jenseits der Baumgrenze zwar die Sicht erweitert, dafür aber auch die Sonneneinstrahlung bei schönem Wetter zunimmt.

Verbrauchte Flüssigkeitsvorräte könnten wir bei den Wettersteinalmen, etwa auf halber Höhe der Auffahrt in einem grünen Talboden zu Füßen der Wettersteinwände gelegen, auffüllen, bevor es auf der felsiger werdenden Trasse weiter bergauf geht. Nach der Passage eines Viehgatters verlieren wir dann auf einer mit etwa 200 Meter Länge zwar kurzen, dafür aber umso steileren Abfahrt wieder einige Höhenmeter, aber weit vor uns sind bereits die dunkelbraunen Holzwände des Jagdschlosses

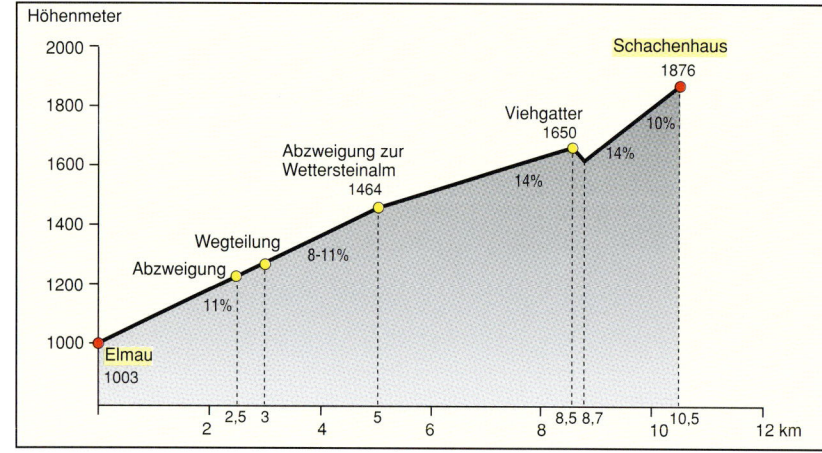

Schachen, unser Ziel, zu erkennen. Trotzdem zieht sich der Weg aufgrund der Steigungen zwischen 10 und 14 % am Alpengarten vorbei noch recht zäh nach oben. Etwas versteckt hinter dem Jagdschloss finden wir das Schachenhaus, von wo aus wir die weit reichende Aussicht auf das Häusermeer von Garmisch-Partenkirchen unter uns und die Gipfel des Wettersteingebirges rings um uns genießen können.

## STRECKENBESCHREIBUNG

**km 0,0 (1003 m)** An den hintersten Parkplätzen von Elmau über eine Schranke ins Tal des Elmauer Bachs und auf anfangs ebener, dann mit bis zu 11 % ansteigender guter Naturstraße bis zur Abzweigung.

**km 2,5** An der Abzweigung, dem links mit der Beschilderung »Schachen/Meilerhütte« abzweigenden, mit bis zu 11 % ansteigenden Weg bis zur Wegteilung folgen.

**km 3,0** An der Wegteilung rechts ab (Beschilderung »Schachen/Wettersteinalm«), mit Steigungen zwischen 8 und 11 % weiter bis zu einem Holzgatter.

**km 5,0 (1464 m)** Nach dem Holzgatter geradeaus, dem an der Abzweigung zur Wettersteinalm vorbeiführenden, steiniger werdenden und mit »Jagdschloss Schachen/Meilerhütte« ausgeschilderten Fahrweg folgen. Auf felsiger und steiniger werdender, bei der Kehrengruppe bis 14 % steiler Trasse bis zum Viehgatter.

**km 8,5 (1650 m)** Nach dem Viehgatter 200 m steil abwärts, weiter auf der, von einem kurzen 14%igen Anstieg abgesehen, nur leicht ansteigenden Trasse bis zur Materialseilbahn.

**km 10,0** An der Materialseilbahn vorbei, weiter auf der kurz bis 10 % ansteigenden Straße, am Alpengarten vorbei über Serpentinen hinauf zum Schachenhaus.

**km 10,5 (1876 m)** Ende der Auffahrt beim Schachenhaus.

# Touren in Österreich

# 4 Winkel-Hochtalstraße

**Höchster Punkt: 1886 m**     **Länge: 12,0 km**
**Höhendifferenz: 600 Hm**     **Zeit: 1 1/4–2 1/4 Std.**
**Schwierigkeitsgrad: leicht/mittelschwer**

Wenn diese Tour sich an ihrem steilsten Abschnitt auch bis auf 20 % Höchststeigung aufbäumt, so ist sie doch nur zwischen den Schwierigkeitsgraden leicht und mittelschwer einzuordnen. Was sie überhaupt an die Grenze zu einer Bewertung als mittelschwer führt, sind neben dem erwähnten steilsten Stück zwei weitere Steigungen von 18 % beziehungsweise 14 %. Diese sind allerdings unschwer zu bewältigen, da wir es mit einem guten Untergrund zu tun haben. Und so tritt dann auch die Steilheit der Strecke im Vergleich zu der als sehr harmonisch und fast schon lieblich zu bezeichnenden landschaftlichen Umgebung eher in den Hintergrund. Die Tour ist deshalb für all diejenigen geeignet, die mehr Wert auf genussvolles Biken in einer landschaftlich ruhigen Umgebung legen als darauf, nach einer Tour völlig ausgepowert zum Ausgangspunkt zurückzukehren.

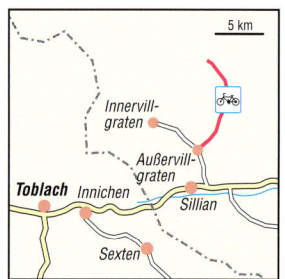

Die Deferegger Alpen sind eines der noch unberührteren Berggebiete Österreichs geblieben. Wir finden diesen Gebirgsstock an der Grenze zu Italien, über dem nördlichen Drautal, besser als Pustertal bekannt. Mit seinen nördlichen und südlichen Nachbarn, etwa den Hohen Tauern und den Dolomiten, kann das Gebiet landschaftlich gesehen nicht mithalten, auch erreicht kein Gipfel die von Bergwanderern so beliebte Marke von 3000 Metern. Und dennoch hat diese Tour hinein in das Winkeltal zur Völkzeiner Hütte am Ende des Tals durchaus ihren Reiz, der vor allem darin liegt, auch einmal die stilleren, unspektakulären Alpenregionen mit dem Bike zu erkunden.

Wer es also eher gemächlich will, sollte diese Tour ins Auge fassen. Und wem dies allein als Grund nicht ausreicht, der sollte überlegen, ob er sie nicht im Anschluss an

**ANFAHRT** Brennerautobahn A 22, Ausfahrt Brixen/Bressanone; weiter auf der S S. 49 über Bruneck–Toblach–Sillian bis Panzendorf; in Panzendorf links ab, ca. 4,5 km das Villgratental hinein bis Außervillgraten

**STARTORT** Außervillgraten (1286 m)

Im Ort der Beschilderung »Winkeltal« folgen

*Das Winkeltal ist eine fast unverbaute Naturlandschaft geblieben, in der vor allem Genussbiker auf ihre Kosten kommen.*

**SCHWIERIGKEITSGRAD**
Leichte bis mittelschwere Radtour mit 20 % Höchststeigung auf 200 m Länge; außerdem eine Steigung von 18 % auf ca. 500 m Länge, eine weitere mit 14 % auf ca. 400 m Länge

**LÄNGE** 12,0 km

**HÖHENDIFFERENZ**
600 m

**ZEIT** 1 1/4–2 1/4 Stunden

**BEFAHRBARKEIT**
Die Auffahrt ist in der Regel ab Mitte Mai schneefrei; offiziell ist die Strecke vom 1. Juni bis 31. Oktober geöffnet.

**STRASSENZUSTAND**
Auf den ersten 5,5 km bis zur Mautstelle Asphalt; dann überwiegend feste, streckenweise leicht steinige und etwas kiesige Erdstraße

**HÜTTEN/UNTERKÜNFTE**
Völkzeiner Hütte (km 12,0; Mitte Juni–Mitte September geöffnet)

**KARTE**
KOMPASS-Wanderkarte 1:50 000, Blatt 58

oder vor der Tour über die Pustertaler-Grenzkamm-Höhenstraße (Tour 12) oder auf den Helm (Tour 13) unternimmt. Von Außervillgraten radelt man an uralten, mit Holzschindeln gedeckten Bauernhäusern vorbei am Villgratenbach entlang das Winkeltal einwärts. Nach Überquerung des Winkelbachs über eine Holzbrücke geht die Asphaltstraße in eine Erdstraße über, und man radelt in ein naturbelassenes, von den wenigen Almen abgesehen unbesiedeltes Wald- und Wiesental.

Der Weg hält sich am Talboden, Almweiden wechseln mit Wiesenflächen ab, und absteigen müssen wir nur, um hin und wieder ein Viehgatter zu öffnen. Allerdings endet diese recht angenehme Art

des Vorwärtskommens am Beginn einer kleinen Talstufe. Dort steigt die Trasse nämlich jäh auf 18 % an und nimmt dann auf einer Länge von fast 200 Metern sogar auf 20 % Steigung zu.

Der schwierigste Teil, soweit man auf dieser Strecke von Schwierigkeit sprechen kann, liegt nun hinter uns. Wir können bald sogar auch einmal das große Kettenblatt auflegen, denn kurz fällt die Trasse noch etwas ab, bevor sie wieder leicht ansteigt und ein kleineres Kettenblatt oder größeres Ritzel verlangt. Dann endet die Trasse an einem Wendeplatz vor einer kleinen Holzbrücke über den Winkeltalbach in Sichtweite der Völkzeiner Hütte, kaum einen Steinwurf von uns entfernt.

*Ganz so gemächlich wie auf diesem Bild rollt es im Winkeltal nicht immer. Es gibt auch kürzere Steigungen bis 20 %.*

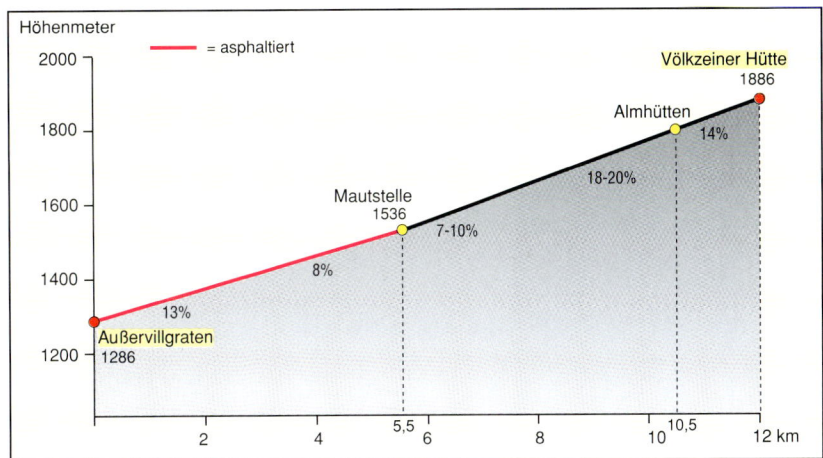

Die Hütte liegt inmitten einer Ansammlung dunkelbrauner Holzhäuser in den Wiesen am gegenüberliegenden Bachufer unterhalb der Marcheggenspitze, zu der eine Materialseilbahn hochführt. Wenn wir auf den Tacho schauen, können wir dort für die bereits bewältigten Streckenkilometer die Zahl 12 ablesen, und nach der Abfahrt werden es genau doppelt so viele Kilometer sein, da wir auf demselben Weg zurückmüssen. Wir können das Bike noch über die Brü-cke zur Hütte schieben, dort werden wir dann unsere Tour definitiv beenden müssen. Zwar sind hier noch einige recht interessant erscheinende Wege, die in den Talschluss hineinführen, zu erkennen, diese enden allerdings allesamt leider bereits nach wenigen hundert Metern.

 **STRECKENBESCHREIBUNG**

| | |
|---|---|
| **km 0,0 (1286 m)** | In Außervillgraten der Beschilderung »Winkeltal« folgend auf leicht ansteigender asphaltierter Trasse am Bach entlang taleinwärts. |
| **km 2,0** | Nach einem 300 Meter langen Anstieg mit bis zu 13 % Steigung weiter auf leicht steigender Trasse bis zur Mautstelle. |
| **km 5,5 (1536 m)** | Nach der Mautstelle über den Winkeltalbach; ab hier Erdstraße mit Steigungen meist um 7 %, kurz auch 10 %, weiter bis zur Talstufe. |
| **km 9,5** | Über der Talstufe mit bis 18 % Steigung, einmal auf ca. 200 Meter Länge auf 20 % zunehmend, weiter bis zu den Almhütten. |
| **km 10,5** | An den Almhütten vorbei ca. 500 Meter in die Talweitung abwärts, dann mit Steigung bis 14 % auf 400 Meter Länge bis zum Wendeplatz am Winkeltalbach. |
| **km 12,0 (1886 m)** | Ende der Straße am Wendeplatz am Winkeltalbach nahe der Völkzeiner Hütte. |

# Venetalm-Bergstraße

**5**

**Höchster Punkt:** 1994 m      **Länge:** 9,0 km
**Höhendifferenz:** 1115 Hm      **Zeit:** 1 1/2–2 1/2 Std.
**Schwierigkeitsgrad:** mittelschwer bis schwer

**Mit der Höchststeigung dieser Tour von 24 % müssen wir zwar nur auf 300 Metern Länge kämpfen, doch erwarten uns hier zusätzlich noch kilometerlange Steigungsabschnitte zwischen 14 und 18 %. Und wie jeder Biker weiß, haben auch solche Steigungsprozente weniger mit genussvollem Fahren, sondern eher mit hartem Bergaufquälen zu tun. Die Tour ist deshalb von ihren konditionellen Anforderungen für all diejenigen geeignet, die sich auf dem Bike gerne an obere Leistungsbereiche heranwagen. Wer diese Tour dann tatsächlich auch im Sattel sitzend von unten bis oben bewältigt und nicht etwa absteigen oder gar schieben muss, hat zwar noch keine der schwersten Unternehmungen im Alpenbereich geschafft, ist aber schon ganz nahe dran. Und wenn man dann tatsächlich einmal kurz schieben müsste, wäre dies auch keine Schande.**

Knapp 2000 Meter hoch über dem Nordtiroler Inntal bei Imsterberg, südwestlich von Imst am rechten Innufer, liegt die Venetalm. Eine feste Erdstraße führt dort hinauf, und zwar in einer recht beeindruckenden Art und Weise. Sehr deutlich wird dies, wenn man weiß, dass diese Straße auf neun Kilometer Länge mehr als 1100 Höhenmeter überwindet. Rein rechnerisch ergibt das eine durchschnittliche Steigung von über 10 %, was an und für sich schon steil genug wäre. Darüber hinaus werden aber im Streckenverlauf immer wieder Steigungen von 14, 18 und sogar 20 % erreicht – einmal auf einer Länge von 300 Metern sogar satte 24 %! Des guten Untergrunds wegen müsste dieses Steilstück zumindest von konditionsstarken Bikern fahrend bewältigt werden können. Und solche sind es dann wohl auch in erster Linie, die diese Tour anzieht. Aber auch weniger gut Trainierte sollten sich nicht abschrecken lassen, sie können ja einige Schiebepassagen einlegen.

**ANFAHRT** Inntalautobahn Kufstein–Innsbruck–Bludenz A 12, Ausfahrt Mils/Schönwies; weiter über Schönwies nach Imsterberg alternativ über Garmisch–Fernpass–Imst–Mils nach Imsterberg

**STARTORT** Imsterberg (879 m)

In der Ortsmitte, bei der von Schönwies einmündenden Straße, den Holzschildern mit der Aufschrift »Venet/Höfle/Spadegg« folgen

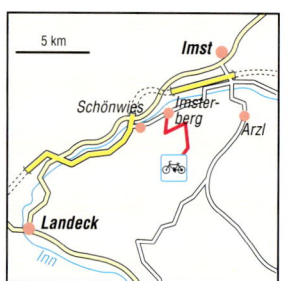

*Auf der Venetalm-Berg-
straße bildet die Samnaun-
gruppe den landschaft-
lichen Hintergrund.*

**SCHWIERIGKEITSGRAD**
Mittelschwere bis
schwere Radtour mit
24 % Höchststeigung auf
ca. 300 m Länge im unte-
ren Streckenteil; sonst
längere Abschnitte mit
Steigungen zwischen
14 und 18 %

**LÄNGE** 19,0 km

**HÖHENDIFFERENZ**
1115 m

**ZEIT** 1 1/2–2 1/2 Stunden

**BEFAHRBARKEIT**
Die Auffahrt ist in der
Regel ab Mitte Mai
schneefrei.

**STRASSENZUSTAND**
Auf den ersten 2,5 km
Asphalt; dann feste, im
oberen Bereich etwas
steiniger werdende
Erdstraße

**HÜTTEN/UNTERKÜNFTE**
Gamssteinhütte (km 8,0;
Ende Juni–15. September
geöffnet); Venetalm-
hütte (km 9,0)

**KARTE**
KOMPASS-Wanderkarte
1:50 000, Blatt 42

*Hier kann man sich auf der Venetalm-Bergstraße gerade etwas erholen, ansonsten muss man bei Steigungsstücken bis 24 % schon kräftiger in die Pedale treten.*

Schon bald nach dem Ortsende von Imsterberg wartet der erste Prüfstein, ein Steilstück mit 20 % Steigung, hier noch auf Asphalt. Und auch der härteste Teil der Strecke lässt nicht lange auf sich warten, denn schon wenig später nimmt die Steigung auf einer Länge von 300 Metern auf 24 % zu, und auf der dortigen Erdstraße sieht die Sache schon anders aus. Dann bieten sich zwei Möglichkeiten zur Weiterfahrt: Wer dem Hinweis »Plattenrain« folgt, wird auf den nächsten 2,5 Kilometern keinen Abschnitt unter 14 % Steigung, auf mehrere 100 Meter Länge sogar satte 18 %, unter den Reifen haben. Manche werden deshalb vielleicht doch besser die zweite Alternative wählen, wo die Steigung nicht über 10 % hinausgeht.

Wer nun allerdings glaubt, dass er die Schwierigkeiten hinter sich hat, wird enttäuscht feststellen müssen, dass die folgenden Kehren bis zur Gamssteinhütte öfter bei 16 % als bei 14 % Steigung liegen und auf 300 Meter Länge sogar 18 % erreichen. Dann allerdings hat man es geschafft, es wird weniger steil, wir lassen

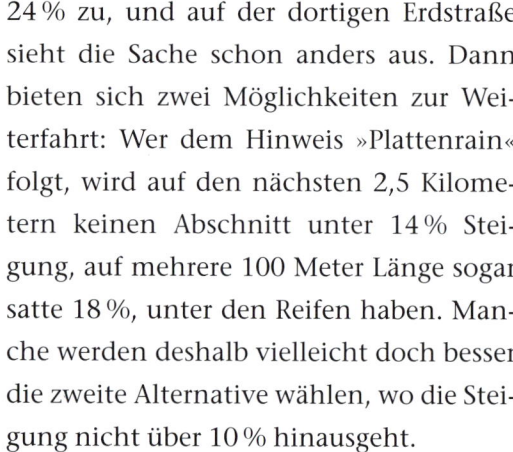

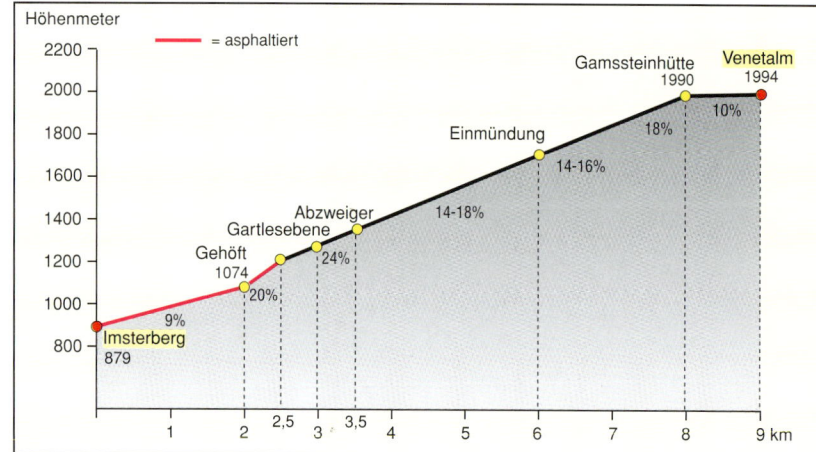

den Wald hinter uns, und eine unerwartet prächtige Aussicht tut sich auf. Diese können wir dann bei der Venetalm, inmitten baumfreier Almwiesen, zu Füßen des 2513 Meter hohen Venetbergs so richtig genießen. Imponierend erheben sich im Osten die Ötztaler Alpen als lang gezogene Bergkette, mit unzähligen schneebedeckten Gipfeln, durch tiefe Scharten voneinander getrennt, im Osten.

## STRECKENBESCHREIBUNG

**km 0,0 (879 m)** — In der Ortsmitte von Imsterberg an der Einmündung der von Schönwies heraufführenden Straße den Hinweisen »Venet/Höfle/Spadegg« folgen. Weiter auf sechs Kehren mit 9 % Steigung über einen Wiesenhang, alle abzweigenden Wege ignorierend, bis zum Gehöft.

**km 2,0 (1074 m)** — Beim Gehöft zwischen Stallungen und Wohngebäuden hindurch, nunmehr auf knapp einspurigem Fahrweg auf mit bis zu 20 % ansteigender Trasse zur Gartlesebene.

**km 3,0** — Am Spielplatz Gartlesebene vorbei, nunmehr auf fester Erdstraße der geradeaus mit »Venet/Plattenrain« ausgeschilderten Straße folgen und über ein 300 Meter langes Stück mit bis zu 24 % Steigung weiter bis zur Abzweigung.

**km 3,5** — An der Abzweigung entweder der nach links über eine Kehre abgehenden, mit »Plattenrain« beschilderten Trasse mit Steigungen zwischen 14 und 18 % folgen und dabei alle abzweigenden Wege, auch den bei km 5,5 nach Plattenrain, außer Acht lassen. Oder einfacher der über den Weiderost geradeaus führenden Straße folgen, die mit nicht über 10 % Steigung bis zu einer Lichtung führt.

**km 6,0 (1629 m)** — Bei der Lichtung kommen beide Wege wieder zusammen, weiter mit Steigungen zwischen 14 und 16 %, auf 300 Meter Länge bis 18 %, zur Gamssteinhütte.

**km 8,0 (1990 m)** — An der Gamssteinhütte geradlinig vorbei und auf 10 % und weiter zurückgehender Steigung bis zur Venetalm.

**km 9,0 (1994 m)** — Ende der Straße bei der Venetalm.

# 6

# Fimber-Hochtalstraße

**Höchster Punkt:** 2264 m    **Länge:** 14,0 km
**Höhendifferenz:** 888 Hm    **Zeit:** 1 1/2–2 1/2 Std.
**Schwierigkeitsgrad:** mittelschwer

**Daran, dass es sich hier einstmals um eine abgelegene Gegend gehandelt hat, die vor allem von Schmugglern zwischen Österreich und der Schweiz bevorzugt wurde, erinnert eigentlich nichts mehr. Der Ausgangsort Ischgl ist für sein lebhaftes Treiben auf dem Unterhaltungs- und Vergnügungssektor schon fast weltberühmt. Und auf dem Weg zur Heidelberger Hütte wird man keinen einzigen Schmuggler, dafür eine Vielzahl von Bergwanderern antreffen. Aber keine Sorge, der Weg ist breit genug, dass man sich nicht ins Gehege kommt. Die Landschaft ist schön, aber nicht unbedingt spektakulär, und dasselbe gilt für den Schwierigkeitsgrad. Damit ist diese Tour genau richtig für diejenigen, die sich noch etwas Energie für einen Diskobesuch in Ischgl nach der Tour aufsparen wollen.**

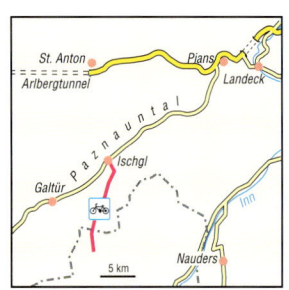

**ANFAHRT** Inntalautobahn Kufstein–Innsbruck–Bludenz A 12, Ausfahrt Zams/Landeck Ost; weiter auf der Staatsstraße 188 über Pians nach Ischgl

**STARTORT** Ischgl (1357 m)

Am Gemeindehaus nahe der Dorfkirche der Beschilderung zur Heidelberger Hütte folgen

*Bei der Auffahrt über die Fimber-Hochtalstraße rückt die Ferwallgruppe ins Blickfeld.*

Ischgl ist vor allem als Skiort bekannt. Die Gemeinde liegt im Paznauntal, also auf der östlichen Seite der Silvretta-Hochalpenstraße, die sich von Pians bei Landeck zur Bieler Höhe in der Silvrettagruppe hochzieht. Mit ihrer kompakten Masse und starken Vergletscherung bildet die Silvrettagruppe eine natürliche Grenze zwischen Österreich und der Schweiz. Richtige Pässe, Straßen, welche dieses Grenzgebirge überwinden, gibt es nicht, eher schon Pfade, die in früheren Zeiten von Schmugglern benutzt wurden. Die Schmuggler brachten z. B nach dem Zweiten Weltkrieg vor allem Saccharinzucker aus der Schweiz illegal nach Österreich. Heute werden die Wege hauptsächlich von Bergwanderern begangen.

Mit dem Mountainbike können wir nicht ganz in die Gipfelhöhen der Silvretta vorstoßen, aber es gibt einige Täler, durch die sich Straßen bis weit zu den Kämmen hinaufziehen und uns so den Zugang in diese Bergregion eröffnen. Eine davon ist die

*Die Heidelberger Hütte bietet mehr als 160 Übernachtungsgästen Platz.*

Fimber-Hochtalstraße, die von Ischgl zu einer der bekanntesten Hütten im Silvrettagebiet führt, zur Heidelberger Hütte.

In Ischgl sind die Hinweisschilder dort hinauf nicht zu übersehen, und über eine kurze Steigung mit 15 % verlassen wir den Ort. Erst nach der Mittelstation der Silvrettaseilbahn wird die Trasse deutlich weniger steil, und wir radeln an einer schön gelegenen Kapelle vorbei in das Fimbertal hinein. Durch lichten Bergwald und Wiesen geht es unschwierig weiter zum Berghaus Bodenalpe, wo der Asphalt in Erdstraße wechselt. Wir radeln in eine lang gestreckte Talweitung zu Füßen des Bergler Horns, und kaum an der Talstation der Gampenbahn vorbei, nimmt die Steigung wieder zu. Bei den anfangs nur etwa 8 % müssen wir noch nicht allzu fest in die Pedale treten, erst auf Höhe des Fimberbachs

nimmt die Steigung dann auf einer Länge von 200 Metern auf 14 % zu. Immer wieder wechseln dann kürzere, bis 14 % steile Anstiege mit flachen Abschnitten und sogar kurzen Abfahrten ab, und unbemerkt wechseln wir dabei auf Schweizer Gebiet. Über eine letzte 300 Meter lange, bis 14 % steile Steigung wird noch eine Steilstufe überwunden, dann liegt die Heidelberger

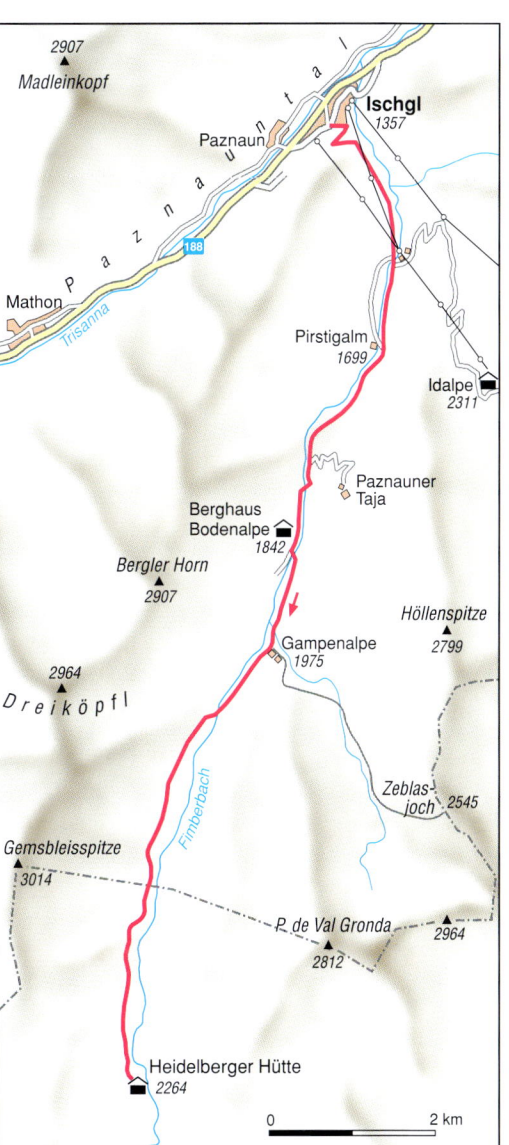

**SCHWIERIGKEITSGRAD**
Mittelschwere Radtour mit 15 % Höchststeigung auf den ersten 1,5 km; im oberen Streckenbereich 14 % Steigung auf 300 m Länge

**LÄNGE**  14,0 km

**HÖHENDIFFERENZ**
888 m

**ZEIT**  1 1/2–2 1/2 Stunden

**BEFAHRBARKEIT**
Die Auffahrt ist in der Regel ab Anfang Juni schneefrei; bis zum Fahrverbot beim Berghaus Bodenalpe (km 6,5) ist die Strecke offiziell vom 1. Juni–31. Oktober geöffnet; ab Ortsende Ischgl ist die Auffahrt zum Berghaus Bodenalpe für den öffentlichen Verkehr zwischen 9 und 17 Uhr gesperrt.

**STRASSENZUSTAND**
Auf den ersten 2,5 km bis zur Mittelstation der Silvrettaseilbahn Wechsel zwischen Asphalt und Erdstraße; dann bis zum Berghaus Bodenalpe (km 6,5) durchgehend Asphalt; ab Berghaus Bodenalpe leicht steinige Erdstraße

**HÜTTEN/UNTERKÜNFTE**
Berghaus Bodenalpe (km 6,5; 20. Dezember– 15. Mai sowie 15. Juni– 15. Oktober geöffnet); Heidelberger Hütte (km 14,0; 20. Februar– 20. Mai, 1. Juli–30. September geöffnet)

**KARTE**
KOMPASS-Wanderkarte 1:50 000, Blatt 41

*Über die Bergzüge des Fimbertals verliefen früher einmal berüchtigte Schmugglerpfade.*

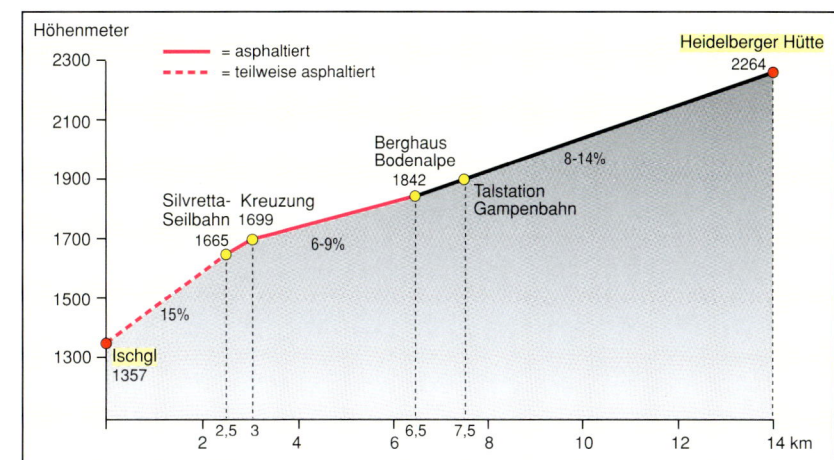

Hütte vor uns, ein riesiger Steinbau für mehr als 160 Übernachtungsgäste.

Wer die Rückfahrt erst am späten Nachmittag antritt, wird vielleicht auf das eine oder andere Auto treffen. Die Strecke ist nämlich im österreichischen Teil, bis zum Berghaus Bodenalpe, für die Befahrung mit Kfz geöffnet – bergauf allerdings nur bis 9 Uhr vormittags und bergab erst wieder ab 17 Uhr. Ansonsten besteht hier ein Fahrverbot.

 ## STRECKENBESCHREIBUNG

**km 0,0 (1357 m)** In Ischgl am Gemeindehaus nahe der Dorfkirche vorbei, den Hinweisschildern zur Heidelberger Hütte folgend auf der bis zu 15 % steilen Straße über eine Kehre aus dem Ort heraus zur Mittelstation der Silvrettaseilbahn.

**km 2,5 (1665 m)** An der Seilbahnstation vorbei, die kurz danach rechts abzweigende Trasse bleibt trotz der Beschilderung »Heidelberger Hütte/Bodenalpe« unbeachtet, geradeaus weiter zur Kreuzung.

**km 3,0 (1699 m)** An der Kreuzung geradeaus, nicht der Abzweigung zur Idalpe folgen, an der Kapelle vorbei, bei anfangs 6%iger, dann auf 9 % zunehmender Steigung, weiter ins Fimbertal zum Berghaus Bodenalpe.

**km 6,5 (1842 m)** Kurz nach dem Berghaus Bodenalpe Übergang von Asphalt- in Erdstraße, an der folgenden Abzweigung links halten, zur Talstation der Gampenbahn.

**km 7,5** An der Talstation der Gampenbahn vorbei, auf mit 8 % ansteigender Trasse höher, weiter auf der taleinwärts führenden Straße mit Steigungen bis 14 %, von flacheren Abschnitten und kurzen Abfahrten abgelöst, bis zur Heidelberger Hütte.

**km 14,0 (2264 m)** Ende der Straße bei der Heidelberger Hütte.

# 7

# Vergiel-Bergstraße

**Höchster Punkt:  2330 m**　　　　**Länge:  7,5 km**
**Höhendifferenz:  760 Hm**　　　　**Zeit:  1 1/4–2 Std.**
**Schwierigkeitsgrad:  leicht bis mittelschwer**

**Man ist zwar nicht einmal sieben Kilometer vom lebhaften Ischgl entfernt, und trotzdem glaubt man sich in einer ganz anderen Region. Diese Tour sollte wählen, wer es eher ruhig mag. Schon der Ausgangspunkt, der Weiler Tschafein, unterscheidet sich von Ischgl wie eine Berghütte von einem modernen Grandhotel. Womit allerdings nicht bewertet sein soll, wo eine Nächtigung schöner sein kann. Auf dieser Tour bleibt man von Wanderern fast völlig unbehelligt, vielleicht trifft man nicht einmal einen einzigen. Die Wahrscheinlichkeit, von einem Auto überholt zu werden, welches einen riesigen Drachen auf dem Dach transportiert, ist da schon höher, denn die Hänge unterhalb des Predigbergs sind ein beliebtes Drachen- und Gleitschirmfliegerrevier. Die Anforderungen, die dabei an die Piloten gestellt werden, sind die gleichen wie an die Biker: leicht bis mittelschwer.**

**ANFAHRT** Inntalautobahn Kufstein–Innsbruck–Bludenz A 12, Ausfahrt Zams/Landeck Ost; weiter auf der Staatsstraße 188 über Pians–Ischgl nach Tschafein (ca. 7 km nach Ischgl)

**STARTORT** Tschafein (1570 m), ca. 1,5 km östlich von Galtür

Im Ort gegenüber dem Gasthof Edelweiß, beim Haus Trisanna, den Fluss überqueren und ca. 100 m weiter zu einem kleinen Parkplatz; dort der nach rechts abzweigenden, mit »Höhenweg Laraintal/Stafaliweiher« beschilderten Trasse folgen

Wer jetzt nach der Fimber-Hochtalstraße (Tour 6) noch eine weitere Tour in der Silvretta unternehmen möchte, muss von Ischgl nur knapp sieben Kilometer aufwärts

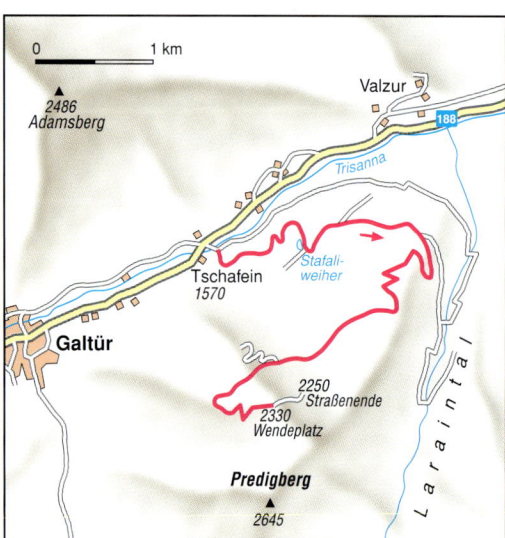

Richtung Passhöhe fahren und Acht geben, dass er den kleinen Weiler Tschafein (zwischen Mathon und Galtür) auf der linken Talseite nicht übersieht. Von hier nimmt eine Tour ihren Ausgang, die zwar in unmittelbarer Nähe zur Fimber-Hochtalstraße gelegen ist, sich aber doch deutlich von dieser unterscheidet.

Die von Tschafein hinauf in Richtung Predigberg führende Bergstraße überwindet auf einer Strecke von 7,5 Kilometern einen Höhenunterschied von 760 Metern. Das heißt, auf einer Strecke, die nur etwa halb so lang ist wie die durch das Fimbertal zur Heidelberger Hütte, sind nur unwesentlich weniger Höhenmeter als bei der Fimbertal-Tour zu bewältigen. Damit ist klar, dass die Durchschnittsneigung der

*Die Ortschaft Galtür zu Füßen des Zeinisjochs aus der Vogelperspektive gesehen.*

**SCHWIERIGKEITSGRAD**
Leichte bis mittelschwere Radtour mit 12 % Höchststeigung an kurzen Abschnitten im obersten Streckenbereich; außerdem lange Steigungsabschnitte zwischen 9 und 11 %

**LÄNGE** 7,5 km

**HÖHENDIFFERENZ**
760 m

**ZEIT** 1 1/4–2 Stunden

**BEFAHRBARKEIT**
Die Auffahrt ist in der Regel ab Anfang Juni schneefrei; ab dem Stafaliweiher (km 1,5) ist die Strecke für den öffentlichen Verkehr zwischen 9 und 18 Uhr gesperrt.

**STRASSENZUSTAND**
Anfangs feste, dann etwas steiniger werdende Erdstraße

**HÜTTEN/UNTERKÜNFTE**
Keine

**KARTE**
KOMPASS-Wanderkarte 1:50 000, Blatt 41

47

Strecke wesentlich steiler und der Kraftaufwand damit höher ist. Eine Hütte finden wir oben, an den Hängen des Predigbergs, ebenfalls nicht, was bedeutet, dass
wir unsere Verpflegung selbst mit hinauf-
schleppen müssen. Allzu viel muss es aber
nicht sein, denn insgesamt gesehen ist diese Tour, vor allem auch wegen ihrer Kürze,
nicht allzu schwierig und der Kalorienver-
brauch daher nicht übermäßig hoch.

Einen Hinweis auf unser Ziel werden wir
im Weiler Tschafein nicht finden, dafür
aber den Gasthof Edelweiß und gegenüber
das Haus Trisanna. Wenn wir dort den
gleichnamigen Fluss überqueren, sind wir
nach nur 100 Metern an einem kleinen
Parkplatz angelangt, unserem Ausgangspunkt. Hier finden wir dann auch eine
brauchbare Beschilderung, die uns erst
einmal zum Stafaliweiher führt. Wer eine

Badehose dabei hat und kaltes Wasser
nicht scheut, kann hier noch ein Bad nehmen, bevor es durch leichten Bergwald bei
Steigungen zwischen 9 und 11 % rasch
nach oben geht.

Nach Überfahren der Waldgrenze zieht
sich die Straße an kahlen Berghängen weiter bergan, und weit vor uns eröffnet eine
breite Senke die Sicht auf die graue Fels-
kette des Rätikons im Westen, während
auf der uns gegenüberliegenden Seite des
Paznauntals die Gipfel der Verwallgruppe
auftauchen. Die stählernen Lawinenverbauungen, die wir bald darauf erreichen,
machen deutlich, dass diese im Sommer
so friedlich erscheinende Bergwelt im
Winter erhebliche Gefahren für Leib und
Leben der Talbewohner in sich birgt.

Während unser Freizeitvergnügen dann
am Wendeplatz in gut 2300 Meter Höhe

*Fotostop in der Silvretta-
gruppe im unteren Teil
der Vergiel-Bergstraße.*

beendet ist, beginnt es hier für eine andere Gruppe von Sportlern erst: Es sind die Drachen- und Gleitschirmflieger, die sich die freien, sanft geneigten Hänge hier oben als Startplatz für ihr faszinierendes, aber leider auch mit vielen Risiken behaftetes Hobby ausgesucht haben. Übrigens, sollten Sie mit einem dieser wagemutigen Piloten ins Gespräch kommen, fragen Sie ihn doch, ob er vielleicht weiß, wieso diese Strecke ausgerechnet »Vergiel-Bergstraße« heißt. Aus den Karten der Umgebung ist nämlich keine geografische Bezeichnung, etwa für einen Berg, eine Alm oder einen Fluss zu erkennen, die einen Bezug zu diesem Namen erkennen lässt.

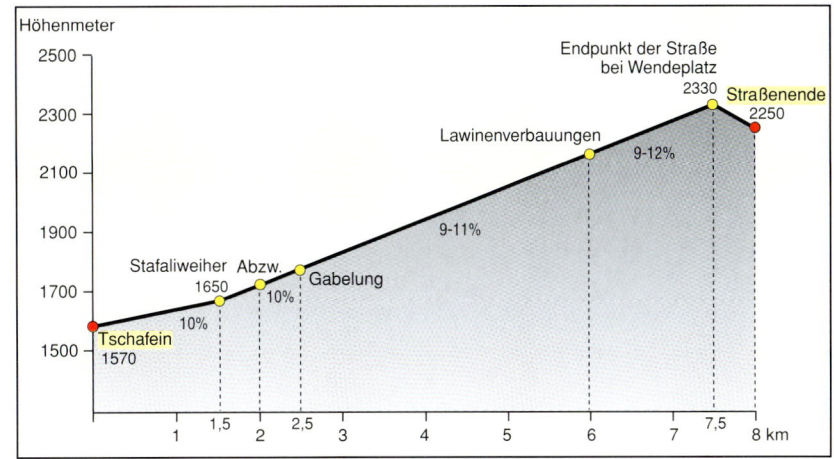

## Hinweis

Das bei km 7,5 vom Wendeplatz weiterführende Sträßchen fällt etwa 80 Höhenmeter ab und endet nach 400 Metern.

 ## STRECKENBESCHREIBUNG

**km 0,0 (1570 m)** — Vom Parkplatz der nach rechts abzweigenden, mit »Höhenweg Laraintal/Stafaliweiher« ausgeschilderten Trasse mit 10 % Steigung zu den Parkplätzen am Stafaliweiher folgen.

**km 1,5 (1650 m)** — Am Stafaliweiher vorbei und weiter bis zu einer unbeschilderten Abzweigung.

**km 2,0** — An der unbeschilderten Abzweigung vorbei, mit 10 % Steigung weiter bis zur Gabelung.

**km 2,5** — An der Gabelung dem rechts abzweigenden Sträßchen mit der Beschilderung »Laraintal/Predigberg« folgen und über Kehren mit Steigungen zwischen 9 und 11 % nach oben.

**km 6,0** — An stählernen Lawinenverbauungen vorbei über Kehren mit meist bei 9 %, kurz auch bei 12 % liegender Steigung bis zum kleinen Wendeplatz.

**km 7,5 (2330 m)** — Ende der Auffahrt am Wendeplatz.

# Rellseck- und Monteneu-Straße

**Höchster Punkt: 1850 m**  **Länge: 9,0 km**
**Höhendifferenz: 763 Hm**  **Zeit: 1 1/4–2 Std.**
**Schwierigkeitsgrad: mittelschwer**

Was den beiden vorangegangenen Touren im Silvrettagebiet vielleicht etwas gefehlt hat, war eine weit reichende Aussicht. Wer darauf Wert legt, sollte sich mit dieser Tour auf der westlichen, der Montafoner Seite der Silvretta-Hochalpenstraße näher befassen. Dabei liegt der Endpunkt dieser Tour nicht etwa höher, sondern um einiges niedriger als bei den beiden anderen Touren in der Silvretta. Dass sie dabei aber nicht etwa leichter ist, sondern der Schwierigkeitsgrad ebenfalls als mittelschwer einzustufen ist, liegt daran, dass hier von einem niedrigeren Ausgangspunkt gestartet wird. Ein weiterer Pluspunkt dieser Tour ist, dass das Montafon allgemein als sonniger gilt als die gegenüberliegende Seite, das Paznauntal. Dies wusste im Übrigen bereits Ernest Hemingway zu schätzen, der hier im Winter 1925/26 im renommierten Hotel Traube in Schruns, dem Hauptort des Montafons, seinen Urlaub verbrachte und Skitouren unternahm.

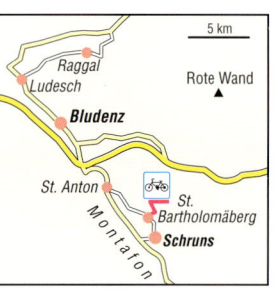

**ANFAHRT** Inntalautobahn Kufstein–Innsbruck– Bludenz A 12, Ausfahrt Bludenz/Montafon; weiter auf der Straße 188 bis St. Anton im Montafon; von dort direkt nach St. Bartholomäberg (5 km) oder auf der Straße 188 weiter nach Schruns und von dort nach St. Bartholomäberg (4 km)

**STARTORT** St. Bartholomäberg (1087 m)

Im Ort der direkt gegenüber der Kirche abzweigenden Mautstraße folgen

Wer nach den beiden Touren im Paznauntal (Tour 6 und 7) nun auch die Bergwelt über der westlichen, also der Montafoner Seite der Silvretta-Hochalpenstraße kennen lernen möchte, sollte die hier vorgestellte Tour wählen. Die Rellseck- und Monteneu-Straße führt hoch zum Itonskopf, und ihr höchster Punkt – obwohl ungefähr noch etwa 200 Meter unterhalb des Gipfels – stellt den vermutlich schönsten Aussichtspunkt über

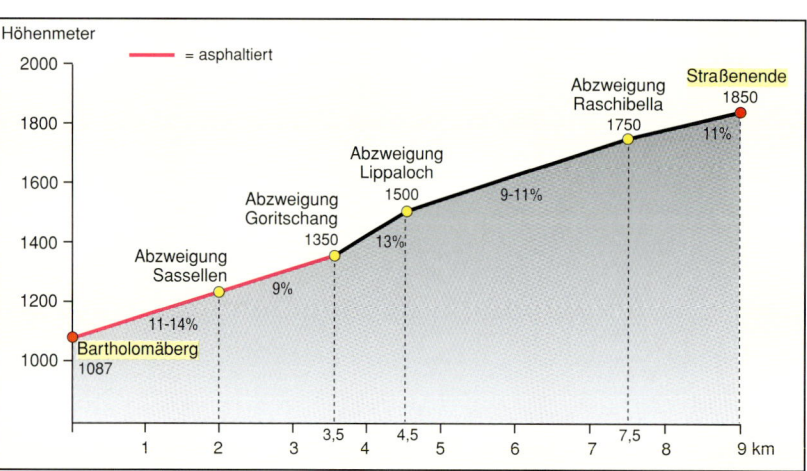

*Hin und wieder stellt der Untergrund Anforderungen an das Gleichgewichtsgefühl des Bikers.*

das Montafon dar, der mit dem Mountainbike zu erreichen ist.

Ganz einfach wird einem der Weg dorthin allerdings nicht gemacht, und zwar aus zweierlei Gründen. Zum einen machen Steigungsmaxima bis 14 % die Auffahrt durchaus anspruchsvoll, zum anderen werden die beliebten sonnenseitigen Berghänge hier von einem ganzen Netz von Straßen und Wegen durchzogen, so dass unser Vorwärtsdrang wohl immer wieder von Karten- und Führerstudium unterbrochen werden wird.

St. Bartholomäberg, unser Ausgangspunkt, ist noch relativ einfach zu erreichen – von St. Anton im Montafon oder vom etwas oberhalb gelegenen Schruns führen gut beschilderte Straßen von fünf beziehungsweise vier Kilometer Länge

dort hinauf. St. Bartholomäberg wird übrigens nicht nur als die älteste Siedlung des Montafons, sondern auch als der sonnigste Ort des ganzen Tals bezeichnet.

Von hier radeln wir auf einer asphaltierten Mautstraße höher, wobei die Steigung am Anfang gleich auf 14 % zunimmt. Die abzweigenden Sträßchen können wir alle ignorieren, sind sie doch durch Schilder mit weißen Balken auf blauem Grund als Sackstraßen gekennzeichnet. An einem Goritschang genannten Kreuzungspunkt wird aus der Asphalt- eine Erdstraße, und an den nun folgenden Kreuzungen und Abzweigungen wird es uns schon nicht mehr so leicht gemacht: Immer wieder müssen wir die Hinweisschilder genau lesen und mit den Angaben in unserer Karte vergleichen. Erst wenn wir ein Schild mit der Aufschrift »Monteneu über Raschibella/ Schwarzensee/Obere Wies« sichten und diesem folgen, wird es leichter. Dann kann

**SCHWIERIGKEITSGRAD**
Mittelschwere Radtour mit 14 % Höchststeigung auf 500 m Länge auf den ersten 500 m; sonst kurzer Anstieg mit bis zu 13 % sowie längere Abschnitte zwischen 9 und 11 % Steigung

**LÄNGE** 9,0 km

**HÖHENDIFFERENZ** 763 m

**ZEIT** 1 1/4–2 Stunden

**BEFAHRBARKEIT** Die Auffahrt ist in der Regel ab Ende Mai schneefrei.

**STRASSENZUSTAND** Auf den ersten 3,5 km bis zum Kreuzungspunkt Goritschang Asphalt; dann leicht steinige Erdstraße

**HÜTTEN/UNTERKÜNFTE** keine

**KARTE** KOMPASS-Wanderkarte 1:50 000, Blatt 32

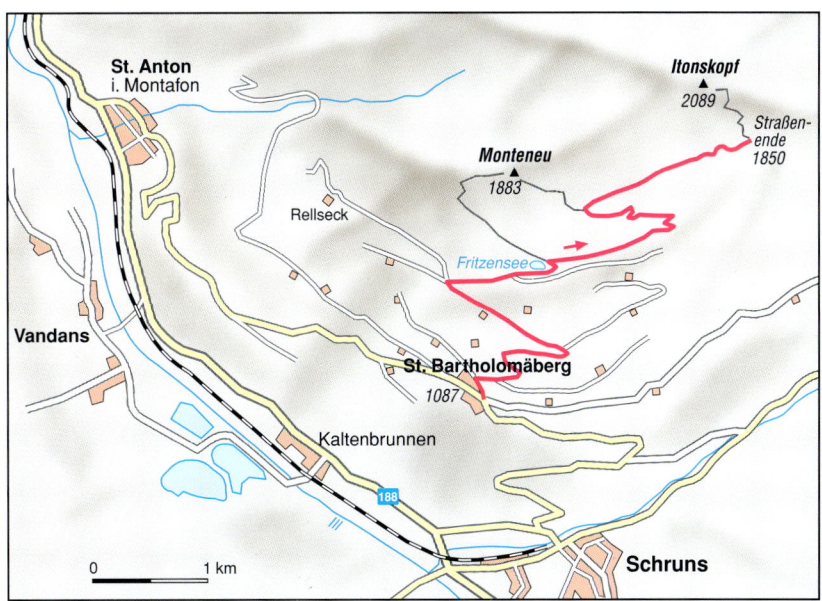

*Die Kirche St. Bartholomäus in St. Bartholomäberg ist ein nicht zu übersehender Ausgangspunkt für diese Tour. Das reizvolle Gotteshaus wurde nach einem Brand im Jahre 1772 wieder aufgebaut.*

man sich eigentlich nicht mehr verfahren. Die Mühen lohnen sich allerdings, dies sei hier vorweggenommen. Auch wenn die Trasse unvermittelt irgendwo in den Latschenfeldern etwa 200 Höhenmeter unterhalb des Gipfels des Itonkopfs endet, so ist die Aussicht von hier aus dennoch überragend: Tief unter uns liegt das Silbertal, darüber erhebt sich die Verwallgruppe, im Südosten über dem Montafon zeigt sich die Gipfelkette des Rätikon, und etwas weiter entfernt, im Süden, schließen die vergletscherten Spitzen der Silvretta den Rundblick ab.

## STRECKENBESCHREIBUNG

**km 0,0 (1087 m)** — In St. Bartholomäberg der direkt gegenüber der Kirche abzweigenden, anfangs mit 14 %, dann über Kehren mit 11 % ansteigenden Mautstraße bis zur Abzweigung nach Sassellen folgen. Die immer wieder abzweigenden Straßen, beschildert mit einem weißen Balken auf blauem Grund, werden ignoriert.

**km 2,0** — An der Abzweigung nach Sassellen vorbei auf mit 9 % ansteigender Straße durch ein Viehgatter und über einen Weiderost zum Kreuzungspunkt Goritschang.

**km 3,5 (1350 m)** — Am Kreuzungspunkt Goritschang der rechts Richtung »Monteneu/Itonskopf oder Kristberg« ausgeschilderten Trasse mit kurz 13 % Steigung bis zur Kreuzung beim Fritzensee folgen.

**km 4,0** — An dem kleinen See links vorbei zur Abzweigung Lippaloch.

**km 4,5 (1500 m)** — An der Abzweigung Lippaloch nicht dem links zum Itonskopf abzweigenden Weg folgen, sondern geradeaus der Beschilderung »Monteneu über Raschibella/Schwarzensee/Obere Wies« nach und über Kehren mit 9 %, kurz auch 11 % Steigung weiter zum Kreuzungspunkt Raschibella.

**km 7,5 (1750 m)** — Am Kreuzungspunkt Raschibella nicht dem links abzweigenden Bergpfad folgen, sondern geradeaus, auf anfangs leicht, dann bis auf 11 % ansteigender Trasse bis zum Ende der Straße.

**km 9,0 (1850 m)** — Ende der Straße in den Latschenhängen ca. 200 Höhenmeter unterhalb des Itonskopfs.

# Laguzalpe-Straße

**Höchster Punkt: 1600 m**
**Höhendifferenz: 624 Hm**
**Schwierigkeitsgrad: leicht**

**Länge: 9,5 km**
**Zeit: 1–2 Std.**

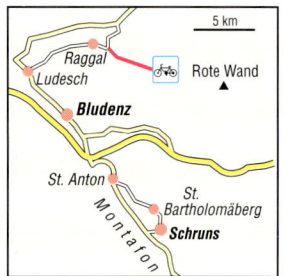

**Eine leichte Biketour in landschaftlich schöner, harmonischer Umgebung erwartet all diejenigen, die sich auf dem Weg ins Große Walsertal nach Marul machen. Dazu ein uraltes Walserdorf, in dem die Zeit zwar nicht unbedingt stehen geblieben ist, aber doch deutlich langsamer zu verlaufen scheint. Und außerdem die Tatsache, dass man sich hier genau in der geografischen Mitte des Landes Vorarlberg befindet. Dies sieht man nicht, man muss es halt wissen. Einfacher ist da schon herauszufinden, dass das Lechquellengebirge, in welchem wir uns hier befinden, seinen Namen dem Umstand verdankt, dass der Lech hier seine Quellen hat. Wem die Tour dann doch gar zu leicht erscheint, der kann am Ende noch eine 18%ige Auffahrt anhängen, wodurch sie allerdings auch nicht viel schwieriger wird.**

Wer zur Abwechslung also eine leichte Tour sucht, findet sie mit der Auffahrt zur Laguzalpe inmitten der herrlichen Bergwelt des Lechquellengebirges nordöstlich von Bludenz. Das Lechquellengebirge ist eigentlich eine Art Vorgebirge der weit bekannteren Lechtaler Alpen, die sich vom Flexenpass im Westen bis zum Fernpass im Osten erstrecken. Was vielleicht weniger bekannt ist, ist die Tatsache, dass es sich hier um eine der bedeutendsten Bergketten der Nördlichen Kalkalpen handelt. Das Lechquellengebirge wird von gewaltigen Felsburgen aus hartem Wettersteinkalk, die sich mit Gipfelketten aus weicherem Hauptdolomit abwechseln, gebildet. Die Härte und Strenge des Lechquellengebirges wird aber durch sanfte Wald- und Wiesenlandschaften aufgelockert.

**ANFAHRT** Inntalautobahn Kufstein–Innsbruck–Bludenz–Feldkirch A 12, Ausfahrt Bludenz-Nüziders; weiter über Nüziders ins Große Walsertal und über Ludesch nach Raggal; in Raggal rechts ab nach Marul (ca. 1 km)

**STARTORT** Marul (976 m)

Im Ort an der Dorfkirche vorbei geradeaus zur Mautstraße

*Breithorn und Kellaspitze von der Hüggenalpe im Großen Walsertal gesehen.*

**SCHWIERIGKEITSGRAD**
Leichte Radtour mit 10 % Höchststeigung auf ca. 1,5 km nach der Mautstelle; sonst meist um 6 %, auf 2 km Länge zwischen 7 und 9 % liegende Steigung

**LÄNGE** 9,5 km

**HÖHENDIFFERENZ** 624 m

**ZEIT** 1–2 Stunden

**BEFAHRBARKEIT**
Die Auffahrt ist in der Regel ab Ende Mai schneefrei; offiziell ist die Strecke vom 15. Mai–15. Oktober geöffnet; ab den Parkplätzen vor der Laguzalpe (km 9,0) ist die Strecke für den öffentlichen Verkehr gesperrt.

**STRASSENZUSTAND**
Auf den ersten 1,5 km Asphalt; dann, von einem 1 km langen Abschnitt zwischen km 5 und 6 abgesehen, feste Erdstraße mit leichter Kiesauflage; asphaltierte Auffahrt zum Garmillsattel, durch losen Kies und Splittauflage aber kaum von einer Erdstraße zu unterscheiden

**HÜTTEN/UNTERKÜNFTE**
Laguzalpe (km 9,5)

**KARTE**
KOMPASS-Wanderkarte 1:50 000, Blatt 32

Das Lechquellengebirge, unterscheidet sich dabei weder landschaftlich noch geografisch von den Lechtaler Alpen, sondern verdankt seinen eigenständigen Namen in erster Linie dem Umstand, dass der Lech hier seine Quellen hat.

Unsere Biketour eröffnet uns Einblicke in diese herrliche Bergwelt, die irgendwie den Eindruck erweckt, dass diese hier noch heiler geblieben ist als in anderen Teilen der Alpen. Diesen Eindruck mag bereits das alte Walserdorf Marul bestätigen, das sich behäbig und ruhig am südlichen Rand des Großen Walsertals ausbreitet und sich der Besonderheit sehr

wohl bewusst zu sein scheint, dass es den geografischen Mittelpunkt des Landes Vorarlberg bildet.

Wenn wir an der Dorfkirche vorbei das Marultal einwärts radeln, zeigt uns ein Schild den Beginn der Mautstraße nach drei Kilometern an. Tatsächlich werden wir gut 4,5 Kilometer auf dem Tacho haben, wenn wir am Mauthäuschen angelangt sind. Auch wenn die Steigung nun bis auf 18 % zunimmt, liegt dennoch ein eher gemächlicher Streckenverlauf vor uns, der sich ganz der harmonischen Landschaft anpasst. Bald ist der höchste Punkt der Auffahrt erreicht. Wir finden

*Die Härte und Strenge des alpineren Teils des Lechquellengebirges wird immer wieder von freundlichen Wald- und Wiesenlandschaften aufgelockert, wie hier bei Marul im Großen Walsertal. Im Hintergrund das Novamassiv.*

uns inmitten eines Talkessels zu Füßen des Madratsch und der Jungfernspitze wieder, unter deren steilen Grasflanken sich die Laguzalpe inmitten einer Gruppe von Holzhütten durch ihre Bewirtschaftung ausnimmt. Wir sollten uns nicht scheuen, hier dem zum Garmillsattel hochziehenden Weg zu folgen, auch wenn dieser Steigungen bis 18 % aufweist, die Aussicht erweitert sich dort doch um ein Vielfaches.

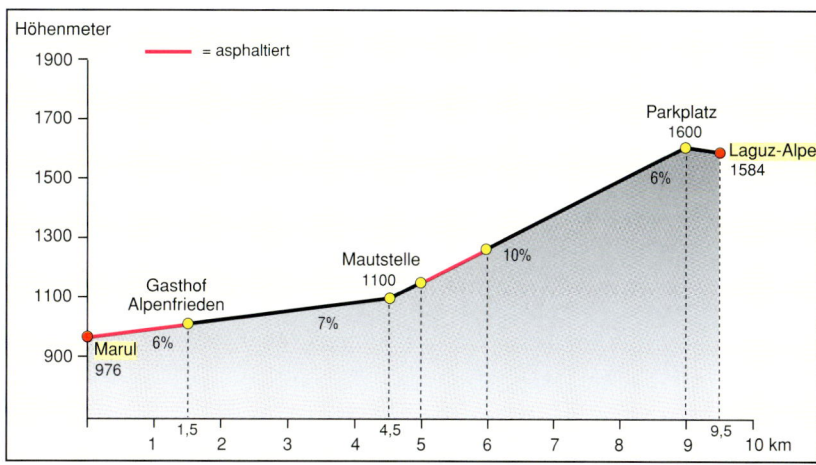

## Tipp

Für den Rückweg empfiehlt es sich, der von den Parkplätzen links Richtung »Partnom/Steris« abzweigenden Straße zu folgen. Über Steigungen von 10 %, zweimal kurz 14 % und einmal auf einer Länge von 300 Metern auch 18 %, wird nach 1,5 Kilometern der Garmilsattel erreicht. Wer will, kann von dort über die Oberen und Unteren Partnomalpen nach Sonntag im Großen Walsertal abfahren und von dort über die etwa sechs Kilometer lange und nochmals knapp 100 Höhenmeter hinaufführende Strecke zurück zum Ausgangspunkt radeln.

 **STRECKENBESCHREIBUNG**

**km 0,0 (976 m)** In Marul, an der Kirche vorbei der Beschilderung zur Mautstraße folgen, auf der mit bis zu 6 % ansteigenden Asphaltstraße hinauf zum Gasthof Alpenfrieden.

**km 1,5** Am Gasthof Alpenfrieden vorbei, nach einem kurzen Aufschwung mit bis zu 7 % Steigung fast eben bis zur Mautstelle.

**km 4,5 (1100 m)** Der links an der Mautstelle vorbeiführenden Trasse folgen, über Kehren mit bis zu 10 % Steigung nach oben, dann bei nachlassender Steigung weiter bis zum höchsten Punkt der Straße bei den Parkplätzen.

**km 9,0 (1600 m)** Von den Parkplätzen leicht abwärts zur Laguzalpe.

**km 9,5 (1584 m)** Ende der Straße bei der Laguzalpe.

# Touren
# in Italien

# 10 Brenner-Grenzkamm-Höhenstraße

**Höchster Punkt:** 2196 m **Länge:** 15,5 km

**Höhendifferenz:** 888 Hm **Zeit:** 2 1/2–3 1/2 Stunden

**Schwierigkeitsgrad:** mittelschwer

**So bekannt der Brennerpass ist, so unbekannt ist wohl die Brenner-Grenzkamm-Höhenstraße. Und umso überraschter dürfte man von der landschaftlichen Schönheit und den sportlichen Herausforderungen sein, die uns diese Tour bietet. Sie als traumhaft zu bezeichnen wäre dann doch etwas übertrieben, aber mit einer solch schönen und abwechslungsreichen Tour hätte man hier oben nie und nimmer gerechnet. Und noch einen weiteren Grund gibt es, hierher zu fahren: Am Brennerpass gibt es zwei Geschäfte, die sich auf den Handel mit Radbekleidung spezialisiert haben und nicht nur mit einer außergewöhnlich großen Auswahl, sondern auch noch mit recht günstigen Preisen aufwarten.**

**ANFAHRT** Brennerautobahn Innsbruck–Brenner A 12 und A 13, Ausfahrt Brennersee; auf der Brenner Staatsstraße (S.S. 12) abwärts Richtung Sterzing bis Brennerbad (ca. 3 km)

**STARTORT** Brennerbad (1308 m)

Auf der linken Straßenseite sind die beiden Gasthäuser Vetter und Silbergasser zu erkennen. Ausgangspunkt ist die direkt gegenüber den beiden Gasthäusern abzweigende Straße.

*Tief bleibt die Brennerautobahn unter uns zurück, aber der Verkehrslärm ist bis hier herauf zu hören.*

Der Brennerpass ist dem Mountainbiker vor allem als schnellstmögliche Verbindung aus dem süddeutschen Raum in sonnigere südliche Mountainbikegefilde bekannt. Für die Berghänge, die sich westlich der Passhöhe entlangziehen, wird der Durchreisende dabei kaum einen Blick übrig haben. Doch verbirgt sich dort eine geradezu ideale Mountainbiketour – wobei verbergen eigentlich nicht das richtige Wort ist, denn wer von Süden, etwa von Sterzing kommend von der Brennerautobahn aus dort hinauf blickt, wird an den im oberen Bereich kahlen Hängen neben einigen Lawinenverbauungen auch Teilstücke der hier beschriebenen Straße erkennen können. Diese Straße entpuppt sich bald als altes Wehrsträßchen, das von

*Diese letzten Schnee-
reste waren sogar noch
Mitte Juni im obersten
Bereich beim Grabjoch
anzutreffen.*

Brennerbad aus gut 15 Kilometer weit hinauf zu einem verfallenen Bunker unterhalb des Sandjochs führt. Mit einer durch-
schnittlich bei 10 % liegenden Steigung ist
es ohne allzu großen Kraftaufwand zu befahren, der Straßenverlauf ist recht klar
vorgezeichnet, zudem ist die Strecke mit
den immer wieder auftauchenden alten
Wehranlagen und den im oberen Bereich
liegenden Aussichtspunkten ausgesprochen abwechslungsreich. Nicht zuletzt
wird das Sträßchen zum Erhalt der Lawinenverbauungen auch recht ordentlich
instand gehalten, womit alle Voraussetzungen für eine lohnende Mountainbiketour gegeben sind.

Wer also über den Brenner nach Süden
will oder gerade von dort kommt und

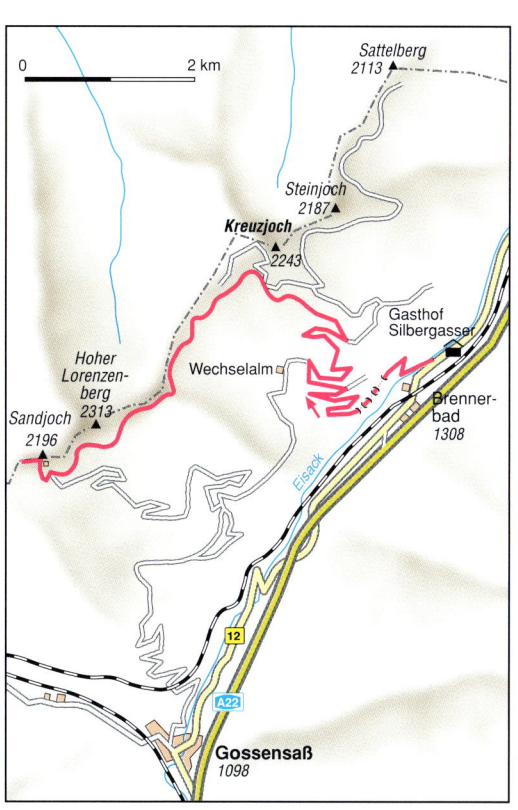

**SCHWIERIGKEITSGRAD**
Mittelschwere Biketour
mit 11 % Höchststeigung
auf ca. 1 km Länge im
oberen Bereich; zudem
lange Abschnitte mit
10 % Steigung

**LÄNGE** 15,5 km

**HÖHENDIFFERENZ**
888 m

**ZEIT** 2 1/2–3 1/2 Stunden

**BEFAHRBARKEIT**
Die Auffahrt ist in der
Regel ab Mitte Juni
schneefrei.

**STRASSENZUSTAND**
Auf den ersten 9 km
Wechsel von schadhaf-
tem Asphalt und steini-
ger, grobschottriger Erd-
straße; im Kammbereich
abgesehen von einem
ca. 1 km langen asphal-
tierten Abschnitt durch-
gehend Erdstraße

**HÜTTEN/UNTERKÜNFTE**
Keine

**KARTE**
KOMPASS-Wanderkarte
1: 50 000, Blatt 44

*Hier ist man schon im obersten Teilstück unterhalb des Sandjoches mit dem Geierskragen unterwegs.*

noch etwas Zeit übrig hat, sollte auf keinen Fall versäumen, diese Tour zu unternehmen. Was jedoch nicht heißt, dass sie lediglich als Lückenfüller, als willkommene Unterbrechung der langen An- oder Rückreise über den Brenner gedacht ist. Im Gegenteil, viel schöner und lohnender

ist es, wenn man sie ohne Zeitdruck als eigenständige Tour unternimmt.

## Alternative

Bei km 9,0 der an der Straßenkreuzung nach rechts abzweigenden Straße folgen, die nach etwa 4 Kilometern auf unschwieriger, teilweise fallender Trasse zu einem verfallenen Fort unterhalb der Kuppe des Sattelbergs führt.

## Tipp

Wer vom Endpunkt der Tour aus wieder zum vorherigen Bunker bei km 15,0 zurückradelt und dort dem etwa 100 Meter vorher, leicht zu übersehenden, nach links abzweigenden Sträßchen folgt, kann noch die etwa 2,5 Kilometer auf ebener Trasse zum Portjoch radeln (2110 m).

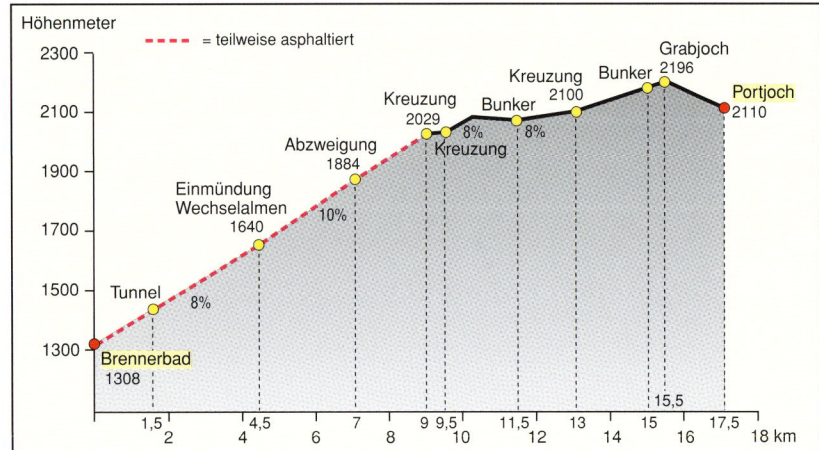

 **STRECKENBESCHREIBUNG**

**km 0,0 (1308 m)** Vom Ausgangspunkt dem teilweise asphaltierten, teilweise grobschottrigen Sträßchen über Kehren mit 8 % Steigung nach oben folgen.

**km 1,5** Beginn eines 500 Meter langen, immer wieder unterbrochenen Tunnels, durch diesen hindurch.

**km 4,5 (1640 m)** An der Einmündung der von den Wechselalmen heraufführenden Straße geradeaus und über Kehren mit bis zu 10 % Steigung weiter nach oben.

**km 7,0 (1884 m)** An der Straßenkreuzung der geradeaus hochführenden Straße folgen und an Lawinenverbauungen vorbei zu einer Kehre mit Wendeplatz.

**km 8,0** Nach der Kehre vorbei an im Berghang eingemauerten Unterkünften, weiter bis zur Straßenkreuzung.

**km 9,0 (2029 m)** An der Straßenkreuzung nach links abbiegen und an einem größeren verfallen Fort vorbei, abwärts zu einer Straßenkreuzung mit einer kleinen Holzhütte.

**km 9,5** An der Straßenkreuzung bei der Holzhütte der links leicht ansteigenden Straße folgen, die mit 8 % Steigung zu einem kleinen Bunker führt.

**km 11,5** Am Bunker vorbei, auf der kurz auf 8 % ansteigenden, dann abfallenden Straße weiter bis zur Straßenkreuzung.

**km 13,0 (2100 m)** An der Straßenkreuzung weiter geradeaus, unterhalb des Sandjochs kurz etwas abfahrend, dann auf der wieder mit 11 % ansteigenden Straße um den Bergrücken herum zu einem weiteren Bunker.

**km 15,0** Auch an diesem Bunker vorbei und weiter bis zum nächsten Bunker am Grabjoch.

**km 15,5 (2196 m)** Ende der Straße bei der Bunkeranlage unterhalb des Grabjochs.

# 11 Schlüsseljoch-Straße

**Höchster Punkt:** 2209 m  **Länge:** 9,0 km
**Höhendifferenz:** 1009 Hm  **Zeit:** 1 1/2–2 1/2 Std.
**Schwierigkeitsgrad:** mittelschwer

**Diese Tour in die Rubrik Abenteuer einzureihen, wäre schon etwas hoch gegriffen. Auf der zweiten Tour über dem Brennerpass erwartet uns einfach eine landschaftlich schöne Biketour ohne allzu große Anforderungen und ohne herausragende Eigenschaften – bis auf eine Besonderheit, die manche als Schönheitsfehler, andere wiederum als absolute Herausforderung ansehen würden: Ein etwa zwei Kilometer langer Abschnitt im oberen Bereich ist in sehr schlechtem Zustand, hier ist die verfallene Erdstraße mit Geröll und teilweise auch Felsbrocken durchsetzt. Bei der Auffahrt hat man keinerlei Chance, dieses Stück fahrend zu bewältigen. Bei der Abfahrt werden hier dann allerdings die Trialspezialisten ein anspruchsvolles Betätigungsfeld vorfinden. Aber Vorsicht, wer sein Bike nicht absolut sicher beherrscht, sollte diese Tour vielleicht besser meiden oder sich gleich auf mehrere Kilometer Schieben beziehungsweise Tragen sowohl bei der Auffahrt als auch bei der Abfahrt einstellen.**

**ANFAHRT** Brennerautobahn Innsbruck–Brenner A 12 und A 13, Ausfahrt Brennersee; auf der Brenner-Staatsstraße (S. S. 12) abwärts Richtung Sterzing nach Brennerbad (ca. 3 km); noch ca. 1,5 km weiter bis zu einer Abzweigung

**STARTORT** Abzweigung an der Brenner-Staatsstraße (1200 m)

Ca. 1,5 km nach dem Ortsende von Brennerbad zweigt links eine kleine Straße unter der Autobahn hindurch ab, im Berichtsjahr mit »Enzianhütte/Zirog« beschildert.

Der Brennerpass hält neben der Brenner-Grenzkamm-Höhenstraße (Tour 10) mit der Schlüsseljoch-Straße eine weitere Tour für uns bereit. Diese Biketour liegt fast direkt gegenüber der Brenner-Grenzkamm-

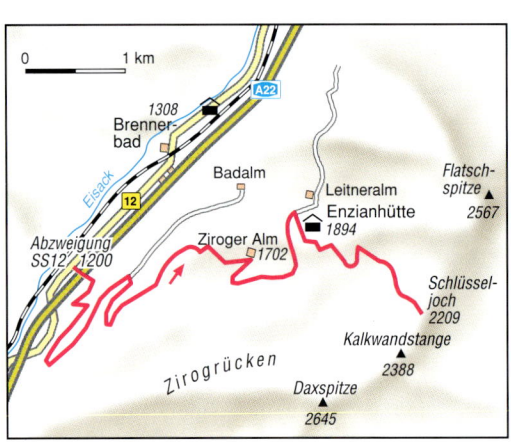

Höhenstraße, an den Hängen der östlichen Talseite, und die Ausgangspunkte sind nur etwa 1,5 Kilometer voneinander entfernt. Damit haben sich die Gemeinsamkeiten der beiden Strecken aber auch schon erschöpft, denn von ihrem Anforderungsprofil her unterscheiden sie sich doch ganz deutlich.

Die Tour zum Schlüsseljoch ist als erheblich alpiner einzuschätzen, was sich weniger in Höhenmetern und Steigungsprozenten ausdrückt als vielmehr in einem sehr schlechten Straßenzustand. Denn die Trasse gleicht teilweise eher einem gerölldurchsetzten Bachbett als einem Fahrweg. Etwa zwei Kilometer lang ist dieser

*Der untere Teil der Auffahrt über die Schlüsseljoch-Straße ist völlig unproblematisch. Erst im oberen Teil wird sie dann absolut unbefahrbar.*

### SCHWIERIGKEITSGRAD
Mittelschwere Radtour mit 15 % Höchststeigung auf ca. 2,5 km Länge; sonst längere Abschnitte zwischen 9 und 11 %, auf mehrere 100 m Länge auch mit 12 % Steigung

### LÄNGE  9,0 km

### HÖHENDIFFERENZ
1009 m

### ZEIT  1 1/2–2 1/2 Stunden

### BEFAHRBARKEIT
Die Auffahrt ist in der Regel ab Mitte Juni schneefrei; bis zum Gasthof Ziroger Alm ist die Strecke offiziell vom 15. Mai–31. Oktober geöffnet.

### STRASSENZUSTAND
Auf den ersten 4 km bis zur Ziroger Alm leicht steinige Erdstraße; ab Ziroger Alm bis km 5,0 Asphaltstraße in äußerst schlechtem Zustand; ab der Enzianhütte (km 6,0) im Verfall befindliche Erdstraße, teilweise mit Geröll und Felsbrocken durchsetzt

### HÜTTEN/UNTERKÜNFTE
Ziroger Alm (km 4,0; ganzjährig geöffnet); Enzianhütte (km 6,0; ganzjährig geöffnet)

### KARTE
KOMPASS-Wanderkarte 1:50 000, Blatt 44

*Bei der Ziroger Alm hat man etwa vier Kilometer der Auffahrt hinter, aber noch etwa fünf Kilometer vor sich, von denen man das Bike mindestens zwei Kilometer tragen muss.*

Abschnitt, den man wahrscheinlich größtenteils schiebend bewältigen muss. Das ist bei der Auffahrt sicherlich das geringere Problem, aber bei der Abfahrt muss man hier schon gut aufpassen. Deshalb sollte man diese Tour auch nur bei sicheren Wetterverhältnissen unternehmen, anderenfalls kann es vor allem auf diesem Abschnitt bei Nässe oder schlechter Sicht

aus Unachtsamkeit und mangelnder Konzentration, etwa wegen fehlender Kondition, leicht zu Stürzen kommen.

Wenn Wetter und Kondition stimmen, sollten Sie sich allerdings nicht abhalten lassen, diese Tour zu unternehmen. Sie ist, von dem erwähnten Abschnitt abgesehen, gut zu befahren, das Gebiet um die Ziroger Alm und die Enzianhütte ist landschaftlich sehr reizvoll, und am Endpunkt steht man urplötzlich in einer hochalpinen Umgebung: Die Trasse bricht unvermittelt vor einem ab, links und rechts erheben sich die steilen Felswände der Flatschspitze und der Kalkwandstange, die ausschließlich von erfahrenen Kletterern bewältigt werden können.

## Hinweis

Es sei hier nochmals ausdrücklich darauf hingewiesen, diese Tour nur bei sicheren

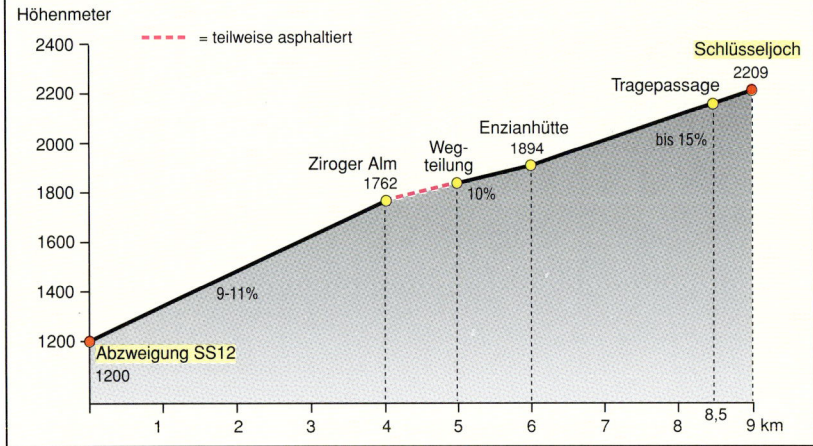

66

Wetterverhältnissen zu unternehmen. Im Gegensatz zu der in Tour 10 beschriebenen Brenner-Grenzkamm-Höhenstraße wird diese Strecke – zumindest ab der Enzianhütte – nicht instand gehalten. Daher sind auf dem im Verfall befindlichen oberen Streckenteil bei Nässe und schlechten Sichtverhältnissen vor allem bei der Abfahrt Stürze fast vorprogrammiert. Auch die Trasse, die auf der Ostseite zum Schlüsseljoch hinaufführt, befindet sich im Verfall und wird deshalb nicht beschrieben. Von einer Befahrung wird abgeraten.

*Diese Gruppe ist zwar guter Dinge, hat den schwierigsten Teil der Auffahrt zum Schlüsseljoch aber noch vor sich.*

## STRECKENBESCHREIBUNG

**km 0,0 (1200 m)** Unter der Unterführung hindurch dem mit ca. 9 %, kurz auch mit 11 % ansteigenden Erdsträßchen über Kehren zum Gasthof Ziroger Alm folgen.

**km 4,0 (1762 m)** Am Gasthof Ziroger Alm vorbei, auf nun mehr schlechter Asphaltstraße mit 10 % Steigung weiter bis zur Weggabelung.

**km 5,0** An Weggabelung dem links abzweigenden, anfangs leicht fallenden, dann auf 10 % ansteigenden Fahrweg zur Enzianhütte folgen.

**km 6,0 (1894 m)** Am Abzweig zur Enzianhütte nicht vorbeifahren, sondern dem Weg hinter der etwas oberhalb des Fahrwegs gelegenen Hütte folgen. Über Kehren, mehrmals eine Skilifttrasse kreuzend, auf schlechtem, teils einem gerölldurchsetzten Bachbett gleichenden Weg, teils schiebend und tragend, ca. 2,5 Kilometer nach oben.

**km 8,5** Bei einer kleinen Steinabstützung auf nunmehr wieder befahrbarem Weg weiter und über einige Biegungen hinauf bis zum Joch.

**km 9,0 (2209 m)** Ende der Straße bei einem kleinem Holzkreuz am Schlüsseljoch, einer Einsattelung zwischen Flatschspitze und Kalkwandstange.

# 12 Strickberg-, Markinkele- und Pustertaler-Grenzkamm-Höhenstraße

**Höchster Punkt: 2546 m**  **Länge: 20,5 km**
**Höhendifferenz: 1459 Hm**  **Zeit: 2 1/2–4 Std.**
**Schwierigkeitsgrad: mittelschwer bis schwer**

Diese Tour geht vom Schwierigkeitsgrad her gesehen bereits in obere Bereiche, und auch von der landschaftlichen Schönheit her gesehen ist sie sehr beeindruckend. Die Tour ist schon deutlich alpin, doch bewegen wir uns auf recht guten Wegen, so dass uns zumindest von dieser Seite keine größeren Probleme erwarten. Ihre eigentliche Schwierigkeit liegt vielmehr in der Länge und im zu bewältigenden Höhenunterschied, so dass für diese Unternehmung schon etwas Kondition erforderlich ist. Was diese Tour so reizvoll macht, ist weniger die unmittelbare Umgebung – wir bewegen uns hier in einer eher einsamen, auf manche vielleicht sogar etwas öde oder unwirtlich wirkenden Region –, sondern vor allem die herrliche Aussicht auf die nahen Sextener Dolomiten, die uns oben erwartet.

**ANFAHRT** Brenner-autobahn A 22, Ausfahrt Brixen/Bressanone; weiter auf der S. S. 49 über Bruneck–Toblach–Innichen nach (Ober-) Vierschach (ca. 3 km nach dem Ortsende von Innichen)

**STARTORT** Vierschach (1132 m)

Im Ort durch eine kleine Unterführung unmittelbar gegenüber der Bahnstation unter der Staatsstraße hindurch

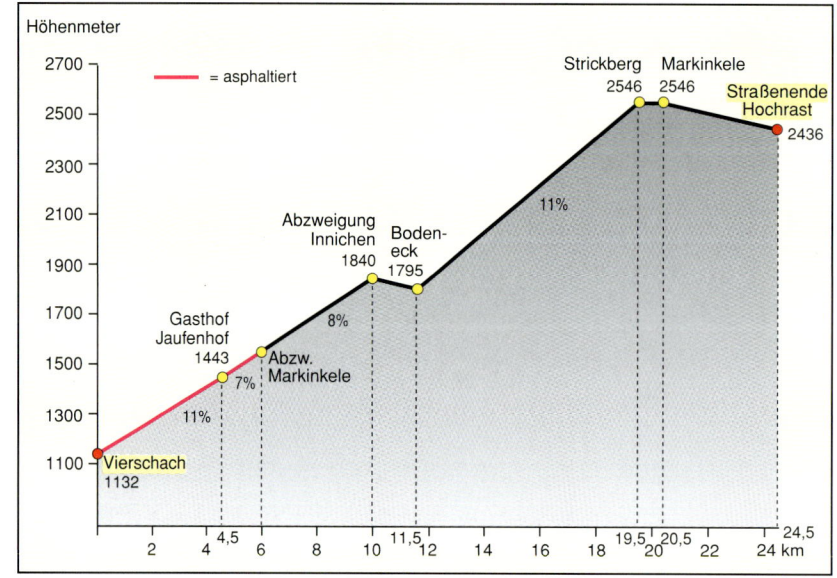

Bei solch bekannten Nachbarn, wie es die Sextener Dolomiten sind – einer Gruppe von wirklich einmalig schönen und kühn nach oben strebenden Felsgiganten mit so namhaften Gipfeln wie der Dreischusterspitze,

unschwer erkennen kann, handelt es sich bei unserer Straße um eine alte Militärstraße, die aber recht gut instand gehalten wird und die vom Steigungsverlauf her relativ angenehm für das Befahren mit dem Mountainbike geeignet ist. Nur »relativ« deshalb, da auf den gut 20 Streckenkilometern immerhin fast 1500 Höhenmeter zu bewältigen sind. Dafür handelt es sich bei dieser Tour aber auch um eine der schönsten Mountainbikestrecken in diesem Gebiet, denn man wird am Gipfel angekommen mit einer prächtigen Aussicht auf die Bergwelt der Sextener Dolomiten belohnt. Auch dass die Straße wenig frequentiert ist und man ab der Wegteilung beim Bodeneck meist allein ist, ist ganz sicher kein Nachteil.

Je höher man auf dieser Tour kommt, desto ruppiger wird allerdings der Untergrund. Das liegt zum einem daran, dass hier Wasserablaufrinnen gänzlich fehlen,

*Am Gipfel des Markinkele findet sich neben diesem Kreuz noch ein Holzkästchen mit Tourenstempel.*

der Elfer- und der Zwölferkofel – haben es Berge wie der Strickberg oder das Markinkele nicht leicht, sich zu behaupten.

Diese Gipfel reihen sich ein in einen Bergzug nördlich von Toblach, zwischen dem noch auf italienischen Gebiet liegenden Gsiesertal und dem österreichischen Villgratental. Und Strickberg und Markinkele würden sicherlich ein weitgehend anonymes Dasein fristen, wäre da nicht eine Straße, die fast unmittelbar bis unter ihre Gipfel hochführt und an die sich außerdem auf etwa vier Kilometer Länge die Pustertaler-Grenzkamm-Höhenstraße anschließt, bevor diese unterhalb des Hochrastgipfels in einer ansehnlichen Höhe von fast 2550 Metern endet.

Wie man an den verfallenen Militärunterkünften unterhalb des Markinkelegipfels

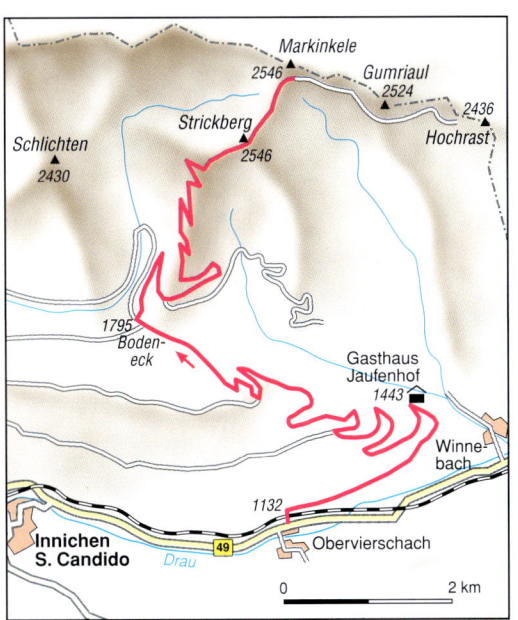

**SCHWIERIGKEITSGRAD**
Mittelschwere bis schwere Radtour mit 11 % Höchststeigung auf einem kürzeren Abschnitt im unteren und einem längeren im oberen Streckenbereich; sonst längere Steigungsabschnitte zwischen 7 und 9 %

**LÄNGE** 20,5 km

**HÖHENDIFFERENZ**
1459 m

**ZEIT** 2 1/2–4 Stunden

**BEFAHRBARKEIT**
Die Auffahrt ist in der Regel ab Mitte Juni schneefrei; offiziell ist die Strecke vom 15. Juli bis 15. Oktober geöffnet.

**STRASSENZUSTAND**
Auf den ersten 6 km Asphalt; dann feste, ab Bodeneck (km 11,5) steiniger werdende Erdstraße

**HÜTTEN/UNTERKÜNFTE**
Gasthof Jaufen (km 4,5; ganzjährig geöffnet)

**KARTE**
KOMPASS-Wanderkarte 1:50 000, Blatt 58

69

*Nicht immer sind die Kehren am Strickberg so weit ausladend wie in diesem Teil der Strecke.*

wodurch der Unterbau der Trasse nach starken Regenfällen freigespült wird, zum anderen an den Traktoren der Waldarbeiter, die für das eine oder andere Schlagloch sorgen.

Am Ende der Auffahrtsstrecke unterhalb des Markinkelegipfels angelangt, sollten Sie nicht versäumen, die letzten Meter zum Gipfel hochzugehen. Dort finden Sie in einem kleinen Holzkästchen einen Stempel, der eigentlich für die Begeher des Tiroler Jubiläumswegs aufliegt, sich aber sicherlich auch in Ihrem Tourenbuch gut macht.

## STRECKENBESCHREIBUNG

**km 0,0 (1132 m)**    Unmittelbar gegenüber der Bahnstation durch eine kleine Unterführung unter der Staatsstraße 49 hindurch und auf der meist bei 8 % Steigung liegenden, kurz auch 11 % steilen asphaltierten Jaufenstraße hinauf zum Gasthaus Jaufenhof.

**km 4,5 (1443 m)**    Vom Gasthaus Jaufenhof aus weiter auf guter Asphaltstraße mit 7 % Steigung.

**km 6,0**    Hier das nach rechts abzweigende Erdsträßchen mit den Hinweisschildern »Markinkele Corneto/Silvester Kap./S. Silvestro« nicht übersehen und darauf über Kehren mit 8 % Steigung weiter nach oben bis zur Abzweigung des nach Innichen führenden Fußwegs.

**km 10,0 (1840 m)**    An der Abzweigung vorbei und leicht abwärts bis zur Wegteilung am Bodeneck.

**km 11,5 (1795 m)**    Bei der Wegteilung am Bodeneck an einer Hausruine vorbei, weiter leicht abwärts und dem geradeaus führenden, nun steiniger und schlechter werdenden, anfangs mit 9 %, dann in einer Kehrengruppe auf 11 % ansteigenden Weg folgen.

**km 19,5 (2546 m)**    Wenig unterhalb des Strickberggipfels entlang leicht abwärts bis zu einem kleinen Wendeplatz bei verfallenen Militäranlagen unterhalb des Markinkelegipfels.

**km 20,5 (2546 m)**    Vom Wendeplatz aus kann der leicht fallenden Pustertaler-Grenzkamm-Höhenstraße gefolgt werden, die nach ca. vier Kilometer bei der verfallenen Zollhütte unterhalb der Hochrast endet.

# 13 Helm-Bergstraße

**Höchster Punkt:** 2438 m  **Länge:** 12,0 km
**Höhendifferenz:** 1122 Hm  **Zeit:** 2–3 Std.
**Schwierigkeitsgrad:** mittelschwer

**Hoch hinauf geht es am Helm, diesem bekannten Aussichtsberg ganz im Westen der Karnischen Alpen. Erst in 2438 Meter Höhe ist Schluss, und nur die allerletzten Meter muss man sein Bike schieben. Die gesamte übrige Strecke ist gut fahrbar und liegt auch »nur« im mittelschweren Bereich. Trotzdem hat man oben einiges geleistet – in jedem Fall mehr als die Touristen, die sich mit der Seilbahn hochbringen lassen und im noch etwa vier Kilometer vom Gipfel entfernten Restaurant einkehren. Wir können uns unsere Raststätte aussuchen, denn an Restaurants und Einkehrmöglichkeiten mangelt es auf dieser Strecke wirklich nicht, genauso wenig wie an einer herrlichen Aussicht. Rundum also eine Tour, die keinerlei Wünsche offen lassen sollte.**

Die Karnischen Alpen sind ein Bergzug, der sich entlang der österreichisch-italienischen Grenze in West-Ost-Richtung gesehen von Toblach bis fast nach Tarvisio erstreckt, also fast bis hinüber zum Dreiländereck Österreich/Italien/Slowenien. Der ganz im Westen der Karnischen Alpen

liegende 2438 Meter hohe Helm ist nicht nur der höchste Gipfel dieser Gruppe, sondern gilt allgemein als Aussichtsberg allererster Güte.

Nun gibt es zwar viele Aussichtsberge in diesem Gebiet, aber nur wenige, auf die man mit dem Mountainbike fast bis zum Gipfel hinauffahren kann, und daher kann man diese Tour nur wärmstens empfehlen.

Von der ganz in der Nähe gelegenen anspruchsvollen Tour auf der Strickberg-, Markinkele- und

**ANFAHRT** Brennerautobahn A 22, Ausfahrt Brixen/Bressanone; weiter auf der S. S. 49 über Bruneck–Toblach bis Innichen; in Innichen rechts ab auf die S. S. 52 und das Sextental ca. 5,5 km einwärts bis Sexten

**STARTORT** Sexten (1316 m)

Im Ort beim Verkehrsamt, direkt gegenüber dem Café Post, den St.-Veit-Weg aufwärts

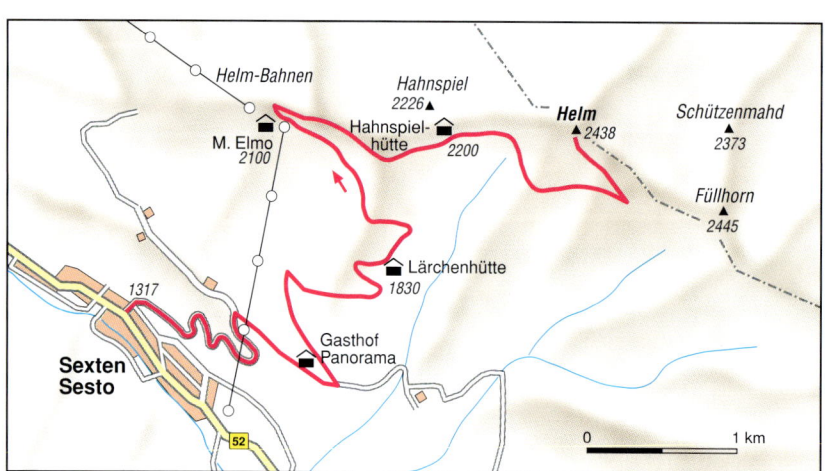

*Die Hahnspielhütte im oberen Teil der Auffahrt bietet schöne Ausblicke auf die Sextener Dolomiten.*

der Pustertaler-Grenzkamm-Höhenstraße (Tour 12) unterscheidet sich die Helm-Bergstraße im Wesentlichen dadurch, dass man hier nicht ganz so ungestört unterwegs sein dürfte. Dies liegt vor allem daran, dass der Helm als Aussichtsberg sehr bekannt ist und er zudem in einer fremdenverkehrsmäßig ausgesprochen gut erschlossenen Gegend liegt. Das bedeutet auch, dass auf diesen Berg eine Seilbahn hinaufführt, was natürlich entsprechend viele Ausflügler anzieht.

Dennoch sollte man sich keinesfalls davon abhalten lassen, diese Tour zu unternehmen, denn die Aussicht, die sich vom Helm aus bietet, ist grandios: Sie reicht von den nahen Sextener Dolomiten im Südosten in einem weiten Bogen bis zu den Gletschern des Alpenhauptkamms im Norden mit dem Großglockner und dem Großvenediger.

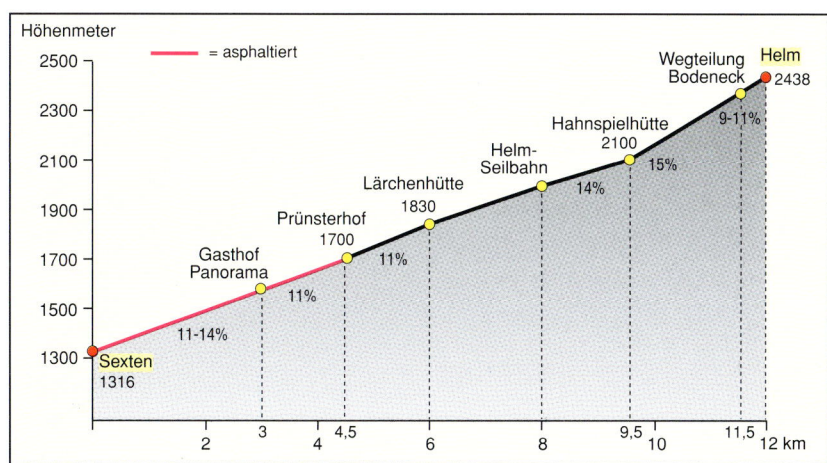

Höhenmeter

— = asphaltiert

- Sexten 1316
- Gasthof Panorama
- Prünsterhof 1700
- Lärchenhütte 1830
- Helm-Seilbahn
- Hahnspielhütte 2100
- Wegteilung Bodeneck
- Helm 2438

11–14%  11%  11%  14%  15%  9–11%

**SCHWIERIGKEITSGRAD**
Mittelschwere Radtour mit 15 % Höchststeigung auf längeren Abschnitten; sonst längere Abschnitte mit Steigungen zwischen 11 und 14 %

**LÄNGE** 12,0 km

**HÖHENDIFFERENZ** 1122 m

**ZEIT** 2–3 Stunden

**BEFAHRBARKEIT**
Die Auffahrt ist in der Regel ab Mitte Juni schneefrei; bis zum Fahrverbot beim Prünsterhof (km 4,5) ist die Strecke offiziell vom 1. Juni – 31. Oktober geöffnet.

**STRASSENZUSTAND**
Auf den ersten 4,5 km bis zum Prünsterhof Asphalt; dann überwiegend feste, streckenweise leicht steinige Erdstraße

**HÜTTEN/UNTERKÜNFTE**
Lärchenhütte (km 6,0); Helm-Restaurant (km 8,0; Weihnachten–Ostern und Juni–Anfang Oktober keine Nächtigung); Hahnspielhütte (km 9,5; Juni–Oktober sowie 20. Dezember–Ostern geöffnet)

**KARTE**
KOMPASS–Wanderkarte 1:50 000, Blatt 58

*Die untergehende Sonne zaubert bei der Abfahrt vom Helm eine ganz besondere Stimmung.*

 **STRECKENBESCHREIBUNG**

**km 0,0 (1316 m)** In Sexten beim Verkehrsamt dem direkt gegenüber dem Café Post abzweigenden St.-Veit-Weg folgen. An der Kirche vorbei und weiter auf einer einspurigen Asphaltstraße mit 11 % Steigung, kurz auch auf 14 % zunehmend, hinauf zum Gasthof Panorama.

**km 3,0** An der verfallenen Festung Mitterberg vorbei der nach links abzweigenden Straße folgen, die mit 11 % Steigung zum Prünsterhof hinaufführt.

**km 4,5 (1700 m)** Vom Prünsterhof aus weiter auf der nun für den öffentlichen Verkehr gesperrten, bald in eine Erdstraße übergehenden Straße, über Kehren mit 11 % Steigung bis zur Lärchenhütte.

**km 6,0** An der etwas im Wald versteckten Hütte vorbei und über die Skitrasse hinauf zum Helmrestaurant bei der Bergstation der Helmseilbahn.

**km 8,0 (2100 m)** An der Bergstation der Helmseilbahn vorbei auf der mit bis zu 14 % ansteigenden Trasse zur Hahnspielhütte.

**km 9,5 (2200 m)** An der Hahnspielhütte vorbei und mit nunmehr bis 15%iger Steigung dem schmäler werdenden Weg an den baumfreien Hängen unterhalb des Hahnspiels bis zu einem Aussichtspunkt mit Rastbank folgen.

**km 10,5** Am Aussichtspunkt vorbei auf einer Trasse mit Steigungen bis 15 %, auf dem Kammrücken links haltend und weiter in Richtung Gipfelkreuz.

**km 12,0 (2438 m)** Ende der Straße ca. 150 Meter unterhalb des Helmgipfels bei der verfallenen alten Helmhütte.

# 14 Limojoch-Straße, Nordseite

**Höchster Punkt:** 2172 m **Länge:** 7,0 km
**Höhendifferenz:** 624 Hm **Zeit:** 1 1/2–2 Std.
**Schwierigkeitsgrad:** leicht bis mittelschwer

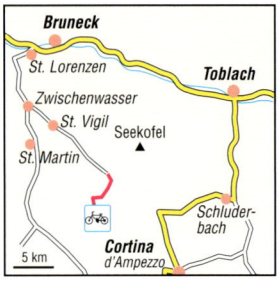

**Leicht mit einer kleinen Tendenz zu mittelschwer wird dieser Tour bewertet, die damit unter die Rubrik »Genussradeln« einzuordnen ist. Und nicht nur das Fahren ist hier Genuss, sondern auch die Landschaft, die zum Feinsten gehört, was die Dolomiten zu bieten haben. Aber auch wer es lieber etwas anstrengender mag, ist in dieser Gegend nicht verkehrt, der sollte einfach der vom Gasthaus Pederù gut sichtbaren Abzweigung zum Rifugio Sennes folgen. Denn was von unten gar nicht so schwierig aussieht, entpuppt sich dann doch als ziemlicher »Wadlbeißer«.**

**ANFAHRT** Brennerautobahn A 22, Ausfahrt Brixen/Bressanone; weiter auf der S. S. 49 Richtung Bruneck bis St. Lorenzen; in St. Lorenzen (kurz vor Bruneck) rechts ab, das Gadertal/Val Badia einwärts bis Zwischenwasser; dort links ab, in das St.-Vigil-Tal/Val di S. Vigilio und über St. Vigil bis zum Gasthaus Pederù

**STARTORT** Gasthaus Pederù (1548 m)

Der geradeaus zur Faneshütte hochführenden Trasse folgen

Mitten hinein in die wunderschöne Bergwelt der Pragser Dolomiten, die hier im Naturpark Fanes–Sennes–Prags besonderen Schutz genießt, führt uns diese Tour, hinauf zum nicht allzu bekannten Limojoch. Es befindet sich zwischen der im Westen

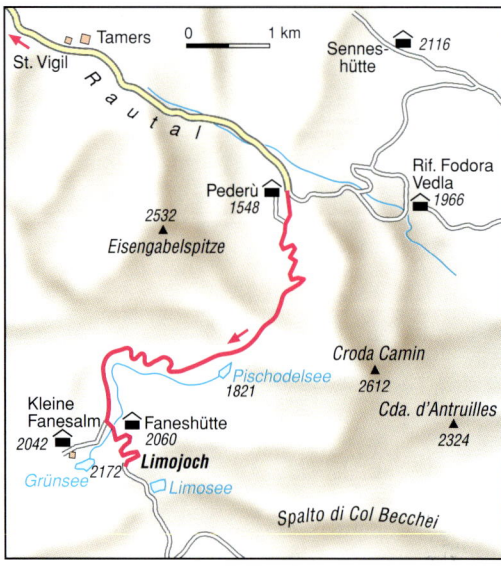

gelegenen Kreuzkofelgruppe und der nahen italienischen Grenze im Osten, die hier ein Stück weit fast in Nord-Süd-Richtung verläuft.

Auch wenn wir uns den Weg hinauf zum Joch über Steigungen von 14 bis 16 %, ganz oben sogar kurz 18 %, erarbeiten müssen, ist die Tour insgesamt gesehen doch eher als leicht einzustufen. Sehr angenehm, dass die Straße für den öffentlichen Verkehr gesperrt ist. Wir müssen sie lediglich mit den Jeeps der Taxiunternehmen teilen, die Touristen zu den Fanesalmen hochbefördern. Das tut der Ruhe dieser herrlichen Landschaft aber absolut keinen Abbruch.

Ausgesprochen malerisch ist es beispielsweise am Pischodelsee, in dessen grünem Wasser sich die glatten Felswände des Col Becchei spiegeln, doch fast noch schöner

*Recht ausgeglichen sind die Steigungsverhältnisse auf der Limojoch-Nordseite, hier etwas oberhalb des Pischodelsees.*

### SCHWIERIGKEITSGRAD
Leichte bis mittelschwere Radtour mit 18 % Höchststeigung auf ca. 300 m Länge im obersten Streckenbereich; außerdem mehrere kurze Abschnitte mit Steigungen zwischen 14 und 16 %

### LÄNGE  7,0 km

### HÖHENDIFFERENZ
624 m

### ZEIT  1 1/2–2 Stunden

### BEFAHRBARKEIT
Die Auffahrt ist in der Regel ab Anfang Juni schneefrei; für den öffentlichen Verkehr ist die Strecke ab dem Gasthaus Pederù gesperrt.

### STRASSENZUSTAND
Von St. Vigil bis Gasthaus Pederù Asphalt; von Pederù bis zur Faneshütte (km 6,0) feste, danach steinige bis felsige Erdstraße, teilweise mit grobem losen Schotter

### HÜTTEN/UNTERKÜNFTE
Faneshütte (km 6,0; 1. Dezember–30. April und 30. Juni–30. September geöffnet)

### KARTE
KOMPASS-Wanderkarte 1:50 000, Blatt 55

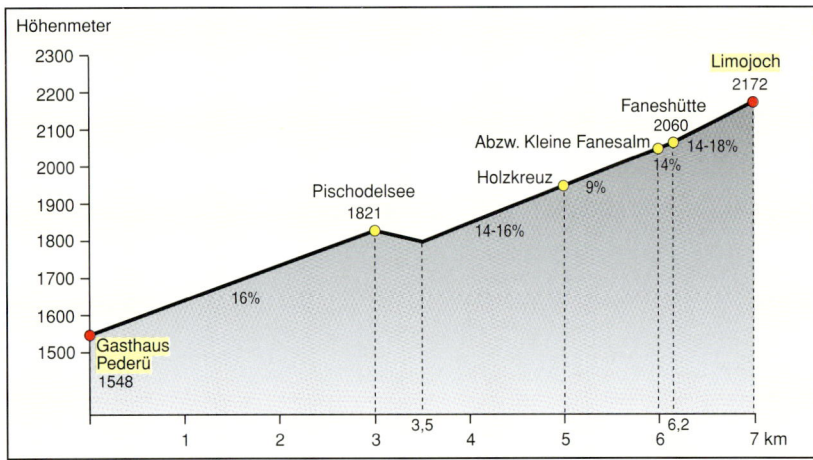

Höhenmeter

ist die Faneshütte, inmitten von Almmatten, Felsbrocken und vereinzelten Zirbenbeständen gelegen, wo eine Brotzeit gleich noch viel besser als anderswo schmeckt.

Von dort aus müssen wir uns die letzten Kilometer zum Joch allerdings über ein 200 bis 300 Meter langes Steilstück mit 18 % Steigung eher erschieben als erradeln, bevor wir eine beeindruckende Aussicht genießen können, die vom Monte Vallon Bianco im Süden, dahinter Monte

Cristallo, Furcia-Rossa-Spitzen und die Gipfel der Tofana, über Kreuzkofel, Zehner- und Neunerspitze im Westen bis zur Eisengabelspitze im Norden reicht.

## Variante

Alternativ kann man das Auto bereits in St. Vigil (1193 m) stehen lassen und die 13 Kilometer und gut 350 Höhenmeter von dort bis zum Gasthaus Pederù auf Asphaltstraße mit einer Höchststeigung von 7 % mit dem Rad zurücklegen. Sehr flotte Biker schaffen dies in einer halben Stunde, aber wer sich länger Zeit lässt, kann die Naturschönheiten um die Alpe Tamers oder den Kleinen Kreidesee, der etwas versteckt im Lärchenwald liegt, umso länger und unbeschwerter genießen.

## Tipp

Wer eine Übernachtung plant, kann dies im Gasthaus Pederù, einer ehemaligen Offiziersmesse aus dem Ersten Weltkrieg

*Eine beeindruckende Landschaft zeigt uns das Limojoch hier mit der Fanesalm und der Faneshütte.*

tun. Es ist der Rest der einst stattlichen Anzahl von gut 160 ehemals österreichischen Militärgebäuden, die den Talgrund hier ausfüllten. Geöffnet ist das Gasthaus mit etwa 20 Betten vom 15. Dezember bis Ostern und vom 1. Juli bis 10. Oktober. Landschaftlich reizvoller ist aber wohl eine Übernachtung in der gut 2000 Meter hoch gelegenen Faneshütte. Sie ist vom 1. Dezember bis 30. April und vom 30. Juli bis 30. September geöffnet.

*Die glatten Felswände des Col Becchei bilden den Hintergrund für diese Aufnahme.*

 **STRECKENBESCHREIBUNG**

**km 0,0 (1548 m)**    Vom Gasthaus Pederù nicht der links steil zur Sennesalpe hochführenden, sondern der geradeaus führenden Erdstraße folgen, die bald ansteigt und über Kehren auf 16 % Steigung zunehmend nach oben führt; weiter bis zum Pischodelsee.

**km 3,0 (1821 m)**    Am Pischodelsee vorbei auf 500 Meter Länge leicht abwärts rollend, dann wieder über Kehren mit Steigungen zwischen 14 und 16 % durch Zirbenwald nach oben. Verzweigungen des Wegs führen jeweils nach kurzer Fahrzeit wieder zusammen.

**km 5,0**    An einem kleinen Holzkreuz vorbei, bei auf 9 % zurückgehender Steigung an Holzhütten vorbei, weiter bis zum Abzweig zur Kleinen Fanesalm.

**km 6,0 (2060 m)**    An der Abzweigung zur Kleinen Fanesalm vorbei und über kurzen Aufschwung mit bis zu 14 % Steigung weiter zur Faneshütte.

**km 6,2**    Hinter der Faneshütte den zunehmend schlechter werdenden, grobschottrigen, in der Steigung von 14 auf 18 % zunehmenden Weg hochfahren bzw. -schieben.

**km 7,0 (2172 m)**    Scheitelpunkt des Wegs am Limojoch. Hier Rückfahrt oder Abfahrt über die Südostseite des Limojochs (siehe Tour 15).

# 15

# Limojoch-Straße, Südostseite

**Höchster Punkt: 2172 m**
**Höhendifferenz: 922 Hm**
**Schwierigkeitsgrad: mittelschwer**

**Länge: 15,0 km**
**Zeit: 2–3 Std.**

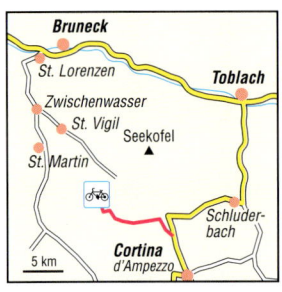

**24 % Steigung erwarten uns auf dieser Tour, aber die sind nicht das Problem, denn an diesen kurzen Abschnitten ist die Strecke asphaltiert. Schwieriger wird es da schon an den darunter liegenden Steigungsabschnitten zwischen 14 und 20 %, wo wir auf grobem losen Schotter fahren, der das Hinterrad schneller zum Durchdrehen bringt, als man es für möglich halten möchte. Dennoch wird man mehr als 90 % der Auffahrt im Sattel sitzen bleiben können, akrobatisch veranlagte Biker vielleicht sogar die ganze Strecke. Unabhängig davon gilt das Gleiche wie für die nördliche Auffahrtsstrecke: Es handelt sich hier um eine Tour vom Feinsten, vor allem, was den landschaftlichen Aspekt betrifft.**

**ANFAHRT** Brennerautobahn A 22, Ausfahrt Brixen/Bressanone; weiter auf der S. S. 49 über Bruneck bis Toblach; in Toblach rechts ab, das Höhlensteintal einwärts bis Schluderbach (S. S. 51); dort rechts auf derselben Staatsstraße weiter und über den Gemärkpass/Passo Cimabanche Richtung Cortina d'Ampezzo

**STARTORT** Mit »Val di Fanes« ausgeschilderte Abzweigung vor Cortina d'Ampezzo (1520 m)

Von der S. S. 51 zweigt ca. 11 km nach Schluderbach bzw. ca. 3,5 km vor dem Ortsanfang von Cortina d'Ampezzo eine asphaltierte Straße mit der Beschilderung »Val di Fanes« ab.

Die Auffahrt von Südosten, durch das Fanestal zum Limojoch ist deutlich länger und schwieriger als die Auffahrt über die Nordseite. Neben der fast doppelten Streckenlänge sind gut die Hälfte mehr an Höhenmetern zu bezwingen, wobei die

Steigung bis zu recht ansehnlichen 24 % zunimmt – allerdings nur einmal und auch nur auf einem kurzen Stück, das zudem asphaltiert ist. Wer genügend Kraft hat, kann dort am eigenen Leib erfahren, welche starken Steigungen auf gutem Untergrund noch zu befahren sind.

Problematischer sind dagegen die restlichen Abschnitte, wo die Steigungen mit meist um 14 %, hin und wieder aber auch mit 18 bis 20 % zwar deutlich geringer

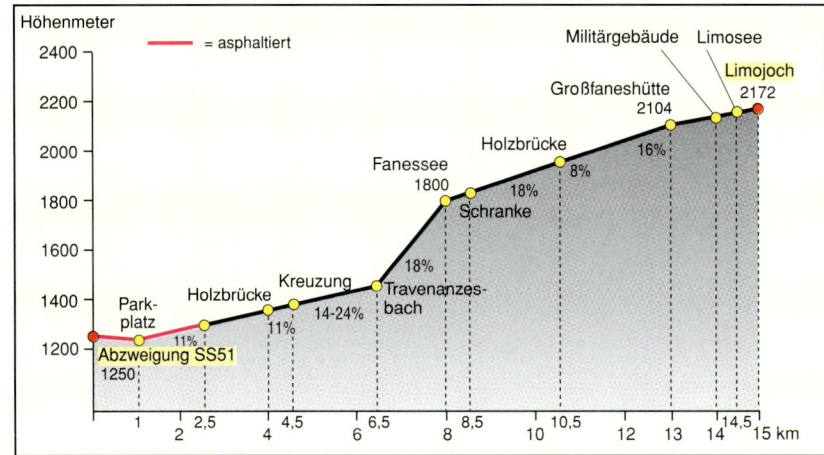

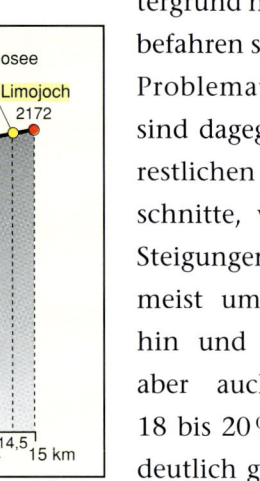

80

**SCHWIERIGKEITSGRAD**
Mittelschwere Radtour mit 24 % Höchststeigung an zwei kurzen Abschnitten; außerdem mehrere kurze Abschnitte mit Steigungen zwischen 14 und 20 %

**LÄNGE** 15,0 km

**HÖHENDIFFERENZ** 922 m

**ZEIT** 2–3 Stunden

**BEFAHRBARKEIT** Die Auffahrt ist in der Regel ab Anfang Juni schneefrei; für den öffentlichen Verkehr ist die Strecke gesperrt.

**STRASSENZUSTAND**
Auf den ersten 2,5 km Asphalt; dann sehr steinige Erdstraße, streckenweise mit losem Kies und grobem losen Schotter

**HÜTTEN/UNTERKÜNFTE**
Große Faneshütte (km 13,0; unbewirtschaftet)

**KARTE**
KOMPASS-Wanderkarte 1:50 000, Blatt 55

sind, man aber wegen des losen schottrigen Untergrunds doch immer wieder absteigen muss. Nur wer sein Bike wirklich ausgezeichnet beherrscht und sein Gleichgewicht gut halten kann, wird hier im Sattel bleiben – wenn er zudem noch über genügend Muskelkraft verfügt.

Eindeutig ist also, welche Auffahrtsseite die schwerere ist. Bleibt noch die Frage danach, welche die landschaftlich schönere ist. Sofern das in dieser in ihrer Gesamtheit ohnehin sehr schönen Natur überhaupt zu bewerten ist, dürfte wohl auch hier die Südostseite die Nase vorne haben: Der Weg durch das Fanestal hinauf ist noch etwas urwüchsiger, wilder und einsamer als der von Norden her. Doch das Naturerlebnis steigert sich noch, denn ab der Großen Faneshütte verdient die

Landschaft zu Füßen der Kreuzkofelgruppe das Attribut »großartig«.

Wer sich nun nicht so recht zwischen beiden Auffahrtsseiten entscheiden kann, sollte einfach beide Strecken fahren. Gute Kondition vorausgesetzt, ist dies ohne weiteres an einem Tag machbar – und man hat dann wirklich die Gewissheit, in dieser herrlichen Bergwelt nichts versäumt zu haben.

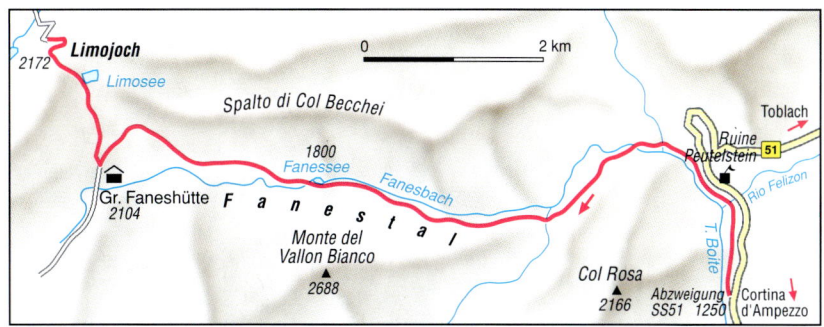

*Auf den letzten Metern der Auffahrt über die Südostseite.*

## STRECKENBESCHREIBUNG

**km 0,0 (1520 m)**    Von der Abzweigung auf guter Asphaltstraße bis zu einem kleinen Parkplatz leicht abwärts.

**km 1,0**    Nach der Schranke weiter auf abwechselnd leicht ansteigender und leicht fallender Asphaltstraße.

**km 2,5**    Nach der zweiten Holzbrücke geht der Asphalt in eine Erdstraße mit losem Kies und grobem Schotter über, die mit bis zu 12 % ansteigt.

**km 4,0**    Nach einer weiteren Holzbrücke auf besserem Untergrund mit Steigungen von bis zu 11 % und dazwischen flacheren Abschnitten weiter bis zur Kreuzung.

**km 4,5**    An der Kreuzung links abbiegen und über steile Rampen mit Steigungen zwischen 14 und 20 %, zwei kurze Asphaltabschnitte auch mit 24 %, nach oben.

**km 6,5**    Auf der Höhe des Travenanzesbachs bei, von zwei kurzen Abschnitten mit 18 % Steigung abgesehen, zurückgehender Steigung weiter zum Fanessee.

**km 8,0 (1800 m)**    Auf einem kleinen Betonwehr über den See zu Schranke.

**km 8,5**    Nach der Schranke noch ca. 500 Meter eben, dann erneut über Steigungen von bis zu 18 % weiter bis zur Holzbrücke.

**km 10,5**    Nach der Holzbrücke an der Abzweigung zur Kleinen Fanesalm vorbei und bei auf 8 % zurückgehender Steigung weiter zur Großen Faneshütte.

**km 13,0 (2104 m)**    Unmittelbar vor der Hütte dem schwarfwinkelig nach rechts abzweigenden, kurz mit bis zu 16 % ansteigenden Weg bis zum Militärgebäude folgen.

**km 14,0**    Nach dem Militärgebäude zurückgehende Steigung, weiter zum Limosee.

**km 14,5**    Am Limosee vorbei zum Limojoch.

**km 15,0 (2172 m)**    Ende der Auffahrt am Limojoch bei einem Holzkreuz mit Bank.

# 16 Plätzwiesesattel-Straße

**Höchster Punkt:** 1997 m
**Höhendifferenz:** 560 Hm
**Schwierigkeitsgrad:** leicht

**Länge:** 9,0 km
**Zeit:** 1 1/2–2 Std.

**Auch dies ist eine Genusstour, sowohl wegen der geradezu großartigen landschaftlichen Eindrücke als auch wegen der im Gegensatz dazu nur geringen fahrerischen Ansprüche. Dass jedoch alle Wertungsbegriffe immer nur relativ sind, wurde mir allerdings deutlich vor Augen geführt, als ich diese Tour mit einem gänzlich untrainierten Begleiter unternahm. Er kam angesichts der »äußerst schwierigen« Strecke gehörig ins Schnaufen und musste immer wieder Erholungspausen einlegen. Oben angelangt war aber auch er dann von der Landschaft restlos begeistert und zu Recht stolz auf seine Leistung.**

**ANFAHRT** Brennerautobahn A 22, Ausfahrt Brixen/Bressanone; weiter auf der S. S. 49 über Bruneck bis Toblach; in Toblach rechts ab, das Höhlensteintal einwärts bis Schluderbach (S. S. 51); dort rechts auf derselben Staatsstraße noch kurz weiter, Richtung Gemärkpass/Passo Cimabanche, Cortina d'Ampezzo

**STARTORT** Mit »Dürrensteinhütte/Plätzwiese« beschilderte Abzweigung (1437 m)

Von der S. S. 51 zweigt wenige 100 m nach dem Ortsende von Schluderbach bei einer kleinen Parkbucht eine asphaltierte Straße mit der Beschilderung »Dürrensteinhütte/Plätzwiese« nach rechts ab.

Inmitten der Pragser Dolomiten, die sich südlich des Pustertals zwischen dem Ennebergtal und dem Höhlensteintal erstrecken, liegt mit der Plätzwiese zweifellos ein landschaftlicher Glanzpunkt des gesamten Dolomitenraums. Zwischen den brüchigen gelben Steinmassen der Hohen Gaisl im Westen, dem Dürrenstein

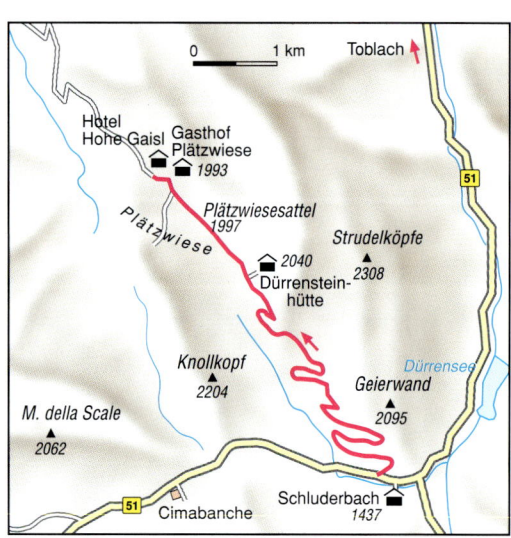

und der lang gezogenen Mauer der Helltaler Schlechten im Osten erstreckt sich auf einem Hochplateau eine mit Zirben und Lärchen bestandene Wiese, deren landschaftlicher Reiz vor allem in ihrem Kontrast zu der kargen hochalpinen Umgebung besteht.

Neben einem Hotel und einem Gasthof finden wir dort oben noch die Ruine eines alten österreichischen Sperrforts, und wir können eine weit reichende Aussicht genießen, die von der nahen Cristallogruppe im Süden bis zu den Gletschern der Zillertaler Alpen weit im Nordwesten reicht.

Fast logisch ist es, dass in den Dolomiten ein solches Schaustück nicht unerschlossen geblieben ist, und so führt auch eine gut ausgebaute asphaltierte Straße aus dem Pustertal mit dem entsprechenden Verkehrsaufkommen dort hinauf. Für uns

*Bei der Auffahrt zur Plätz-wiese sind nirgends mehr als 9 % Steigung zu über-winden.*

**SCHWIERIGKEITSGRAD**
Leichte Radtour mit 9 % Höchststeigung auf lan-gen Abschnitten

**LÄNGE** 9,0 km

**HÖHENDIFFERENZ**
560 m

**ZEIT** 1 1/2–2 Stunden

**BEFAHRBARKEIT**
Die Auffahrt ist in der Regel ab Ende Mai schneefrei; für den öffentlichen Verkehr ist die Strecke gesperrt.

**STRASSENZUSTAND**
Im unteren Teil auf 300 m und 1,8 km Länge Asphalt; sonst feste, im oberen Bereich leicht steinige Erdstraße

**HÜTTEN/UNTERKÜNFTE**
Dürrensteinhaus (km 8,0; ganzjährig geöffnet); Hotel Hohe Gaisl und Berggasthof Plätzwiese (km 9,0; ganzjährig außer im November geöffnet)

**KARTE**
KOMPASS-Wanderkarte 1:50 000, Blatt 55

hat diese freilich keinerlei Reiz, aber es gibt eine Alternative: Von Süden her, aus dem Ampezzaner Tal, gibt es nämlich ebenfalls eine Auffahrtsstrecke, die für den öffentlichen Verkehr gesperrt und so-mit fast unbekannt ist. Und dabei weist diese feste, gut zu befahrende Erdstraße mit einer maximal bei 9 % liegenden Steigung alle Vorzüge auf, die wir uns als Mountainbiker wünschen.

Wahrscheinlich wird man auf dieser Strecke ganz allein unterwegs sein, und oben beim Berggasthof ist dann wahrlich Platz genug, um sich den Höhengenuss mit den von Norden heraufgefahrenen Touristen teilen zu können. Höher hinauf

geht es mit dem Bike nun nicht mehr, aber wer gute Wanderschuhe dabei hat und ein geübter Bergwanderer ist, kann von hier aus den 2840 Meter hohen Dür-renstein zu Fuß bezwingen. Für Geübte ist der Dürrenstein unschwer zu besteigen, der Weg ist sehr gut bezeichnet, und zu-dem hat man den Gipfel beim Anstieg ständig im Blickfeld. 2 1/2 Stunden für den Aufstieg und nochmals 1 1/2 für den Abstieg sind für die knapp 850 Höhen-meter aber dennoch einzuplanen.

Der Weg nimmt seinen Ausgangspunkt beim Gasthaus Plätzwiese, ital. Prato Piaz-zo, und führt zuerst in östlicher Richtung über Wiesen, um sich dann nach Norden

*Die berühmteste Berggruppe in der Umgebung der Plätzwiesesattel-Straße sind ohne Zweifel die Drei Zinnen.*

zu wenden und über Schrofen und Geröll zum Vorgipfel anzusteigen. Wem es dabei zu heiß wird, der kann unterwegs seine Wasservorräte an einem Brunnen auffüllen. Eine kleine Felsstufe wird einige Meter abwärts kletternd überwunden, dann ist der Weg zum Hauptgipfel mit seinem 14 Meter hohen Kreuz frei.

Das Panorama hier oben zählt mit Fug und Recht zu den schönsten im gesamten Dolomitenraum. In einer langen Kette reihen sich die Gipfel der Zentralalpen von den Zillertaler Alpen über Teile der Stubaier und Ötztaler Alpen aneinander. Gar nicht aufzuzählen sind die zahlreichen Dolomitengipfel, die wir fast aus der

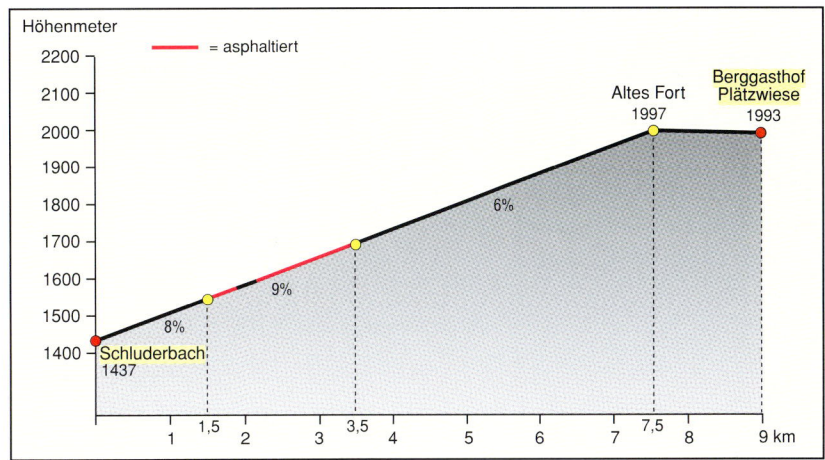

Vogelperspektive vor uns sehen, und Schwindelfreie werden sich an der prächtigen Aussicht auf das Pustertal und das Höhlensteintal weit unter uns erfreuen.

 ## STRECKENBESCHREIBUNG

**km 0,0 (1437 m)**   Von der Parkbucht aus den Beschilderungen »Dürrensteinhütte/Plätzwiese« folgen, an einer Schranke vorbei, mit 8 % Steigung weiter nach oben.

**km 1,5**   Über einen 300 Meter und knapp zwei Kilometer langen Asphaltabschnitt mit 9 % Steigung bis zum Gatter.

**km 3,5**   Nach dem Gatter nunmehr auf einer Erdstraße bei gleich bleibender Steigung weiter bis zur Steinböschung.

**km 5,5**   Nach der Steinböschung über Kehren mit teilweise auf 6 % zurückgehender Steigung bis zur Schranke.

**km 7,5 (1997 m)**   Nach der Schranke Ende der Steigungsstrecke, weiter auf ebener Trasse unterhalb des verfallenen Forts vorbei zum Hotel Hohe Gaisl und Berggasthof Plätzwiese.

**km 9,0 (1993 m)**   Ende der Straße beim Berggasthof Plätzwiese.

# 17 Tremalzo-Passstraße

**Höchster Punkt:** 1800 m      **Länge:** 17,5 km (26,0 km)
**Höhendifferenz:** 1172 Hm (1722 Hm)    **Zeit:** 2 1/2–3 1/2 Std. (3–4 Std.)
**Schwierigkeitsgrad:** mittelschwer, ab Limone schwer

**Nachfolgend wird die wohl bekannteste Mountainbiketour im gesamten Alpenraum präsentiert. Es wird kaum einen Biker geben, der noch nicht vom Tremalzopass gehört hat, und wohl auch kaum einen, der nicht den Wunsch verspürt, diese legendäre Kehrenstrecke über dem Westufer des Gardasees einmal zu bezwingen. Aber Vorsicht: Machen Sie dies keineswegs unvorbereitet, denn die Tour gestaltet sich alpiner, als es die mediterrane Umgebung an den Ufern des Sees vermuten lässt. Und die Tour ist auch deutlich schwerer, als es die nackten Zahlen über den Streckenverlauf ausdrücken. Dies wird jeder gerne bestätigen, der sie schon einmal ab dem unteren Startort in Limone gefahren ist.**

**ANFAHRT** Brennerautobahn A 22, Ausfahrt Rovereto Süd/Lago di Garda Nord; auf der S. S. 240 bis Riva, auf der S. S. 45 weiter bis Limone sul Garda, wahlweise noch weiter nach Vesio (in Limone sul Garda rechts ab)

**STARTORT** Entweder Limone sul Garda (78 m): Auf der 8,5 km langen Asphaltstraße mit längeren Abschnitten mit Steigungen von bis zu 14 % nach Vesio (628 m).

Oder Vesio (628 m): Beim Parkplatz vor dem Albergo Sole in Blickrichtung zum Albergo gesehen der rechts aus dem Ort führenden Straße folgen.

Der Tremalzopass ist wahrscheinlich die bekannteste Passstraße für Mountainbiker im gesamten Alpenraum. Obwohl er zum einen eine Modetour ist, hat er zum anderen aber auch durchaus sportlichen und alpinen Charakter. 1722 Höhenmeter auf 26 Streckenkilometern sprechen da schon eine deutliche Sprache, dieses Pensum muss bewältigt werden, wenn man die Tour von Limone am Ufer des Gardasees aus beginnt.

Limone sul Garda – damit wäre vielleicht auch schon einer der Gründe genannt, warum sich gerade diese Tour solch großer Bekanntheit und Beliebtheit erfreut. Ihre Nähe zu einem der bekanntesten und wohl auch schönsten Alpenseen überhaupt spielt hier bestimmt eine große Rolle. Ein weiterer Grund dürfte sein, dass der Tremalzopass sich äußerst fotogen präsentiert: Kein Bikemagazin, das ohne Bilder von dem, zugegebenermaßen attraktiven, Kehrenverlauf auskommen kann, wodurch natürlich sehr viel Werbung für die Strecke gemacht wird.

Bestimmt trägt zur Beliebtheit der Tour auch das (meist) gute Wetter in der Region bei, außerdem die gute Infrastruktur. Wer die Hauptreisezeiten meidet, ist über Autobahnen und Staatsstraßen rasch am Ziel, und einmal am Gardasee angekommen, bieten sich dem Mountainbiker noch vielfältige andere Möglichkeiten der sportlichen Freizeitgestaltung.

Bestechend an der Tour ist nicht zuletzt auch für viele die Tatsache, dass man hier mit einer ganzen Reihe Gleichgesinnter unterwegs ist.

Wer mitreden will in der Szene, muss den Tremalzo eigentlich mindestens einmal gefahren sein, und dazu gibt es zwei Möglichkeiten: Ganz sportliche Biker begin-nen unten in Limone und bewältigen die 550 Höhenmeter bis Vesio auf der 8,5 Kilometer langen Asphaltstraße mit Steigungen bis 14 %. Die anderen fahren mit dem Auto dort hinauf und

begnügen sich mit 1172 Höhenmetern und 17,5 Kilometern – wegen der Steigungen von bis zu 17 % ist auch dies noch ein reichliches Pensum.

Noch ein Hinweis zum Schluss: Seien Sie vorsichtig bei der Abfahrt, der Belag ist ruppiger und in den Kurven weniger griffig, als man es bei der Auffahrt eigentlich vermuten möchte.

*Diese Kehrengruppe verdeutlicht, warum der Tremalzopass bei Bikern so beliebt ist.*

**SCHWIERIGKEITSGRAD**
Ab Vesio mittelschwere, ab Limone schwere Radtour mit 17 % Höchststeigung auf ca. 200 m Länge; sonst längere Abschnitte mit Steigungen zwischen 10 und 12 %, einmal kurz 14 %

**LÄNGE** 17,5 km ab Vesio; 26,0 km ab Limone

**HÖHENDIFFERENZ** 1172 m ab Vesio; 1722 m ab Limone

**ZEIT** 2 1/2–3 1/2 Stunden ab Vesio; 3–4 Stunden ab Limone

**BEFAHRBARKEIT**
Die Auffahrt ist in der Regel ab Anfang Mai schneefrei; offiziell ist die Strecke vom 15. Mai–31. Oktober geöffnet. Ab Vesio ist die Strecke für Motorradfahrer gesperrt.

**STRASSENZUSTAND**
Von Limone bis Vesio (km 8,5) Asphalt; ab Vesio steinige, streckenweise mit grobem Schotter und leichter Kiesauflage bedeckte Erdstraße

**HÜTTEN/UNTERKÜNFTE**
Rifugio Garda auf der Nordseite des Passes, vom Tremalzotunnel (Endpunkt der Tour) noch ca. 2 km abfahrend (ganzjährig geöffnet)

**KARTE**
KOMPASS-Wanderkarte 1:50 000, Blatt 102

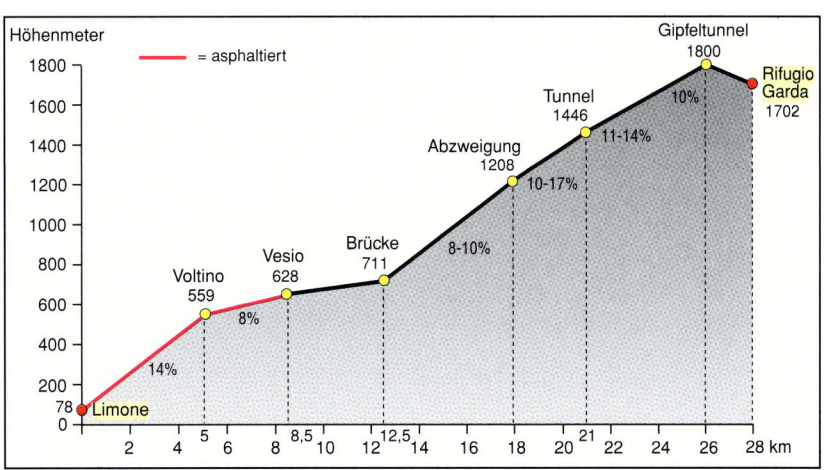

*Auch mehrere kurze Tunnels sind am Tre-malzopass anzutreffen, der Gipfeltunnel ist aller-dings 120 Meter lang.*

 ## STRECKENBESCHREIBUNG

| | |
|---|---|
| **km 0,0 (78 m)** | In Limone, der Beschilderung »Tremosine« folgend, auf der mit bis zu 14 % ansteigenden Asphaltstraße bis Voltino. |
| **km 5,0 (559 m)** | In Voltino geradeaus an der Grundschule vorbei, bis zum Restaurant leicht abwärts, dann bei auf 7 % ansteigender Trasse bis zur Einmündung in die von Salo heraufführende Straße nach Vesio, weiter nach Vesio. |
| **km 7,5** | Nach dem Ortsschild von Vesio über zwei Kehren mit 8 % Steigung in den Ort. |
| **km 8,5** | Im Ort der scharf rechts abzweigenden Straße, Beschilderung »Tremalzo/Pso. Nota«, folgen. |

## STRECKENBESCHREIBUNG

**km 8,5/0,0 (628 m)**  Beginnt man in Vesio beim Parkplatz vor dem Albergo Sole, folgt man der in Blickrichtung zum Gasthaus stehenden, rechts aus dem Ort herausführenden Straße.

**km 9,0/0,5**  Am Ortsende geht die geradeaus weiterführende Trasse in eine Erdstraße über, weiter auf leicht fallender Trasse bis zu einer unbeschilderten Straßengabelung.

**km 10,5/2,0**  An der Straßengabelung der geradeaus, fast eben am Waldrand der rechten Talseite entlangführenden Straße bis zu einer kleinen Brücke folgen.

**km 12,5/4,0 (711 m)**  Nach der Brücke über Kurven und Kehren mit Steigungen zwischen 8 und 10 % weiter bis zur Lichtung.

**km 18,0/9,5 (1208 m)**  An der Lichtung dem spitzwinklig nach links abzweigenden, an einer gemauerten Feuerstelle vorbeiführenden und mit »Pso. Pra della Rosa« beschilderten Sträßchen folgen, auf der mit bis zu 10 % ansteigenden Trasse weiter zu einem kurzen Felstunnel und durch diesen hindurch.

**km 20,0/11,5**  Nach dem Tunnel zunächst 200 Meter mit 17 % Steigung hinauf, dann über Kehren mit 12 % Steigung weiter, an der Abzweigung zum Passo Pra della Rosa vorbei und durch zwei weitere kurze Felstunnel.

**km 21,0/12,5 (1446 m)**  Nach den beiden Tunneln um eine Felsnase herum und unterhalb des Bergkamms eben zu einem weiteren Felstunnel.

**km 22,0/13,5**  Nach dem Felstunnel über eine Kehrenstrecke mit 11 % Steigung, kurz auf 14 % ansteigend, zu einem 100 Meter langen Tunnel und durch diesen hindurch.

**km 24,5/16,0**  Nach dem Tunnel über eine Kehrenstrecke mit 10 % Steigung bis zum 120 Meter langen Gipfeltunnel.

**km 26,0/17,5 (1800 m)**  Ende der Auffahrt am Gipfeltunnel, alternativ ab hier ca. zwei Kilometer abwärts zum Rifugio Garda.

# 18 Pasúbio-Bergstraße, Westseite

**Höchster Punkt:** 1928 m  **Länge:** 10,5 km
**Höhendifferenz:** 766 Hm  **Zeit:** 1 1/2–3 Std.
**Schwierigkeitsgrad:** mittelschwer

Obwohl diese Tour uns »nur« auf 1928 Meter hinaufführt, ist sie außergewöhnlich. Denn selbst bei den in diesem Führer beschriebenen höchsten Zielen wird man keinen Streckenverlauf antreffen, der als spektakulärer anzusehen wäre. Dies ist es dann auch, was den Reiz dieser Tour auf den Pasúbio ausmacht. Übermäßig schwierig ist sie nicht und kann deshalb allen gut trainierten und vor allem schwindelfreien Bikern guten Gewissens empfohlen werden. Weniger empfehlenswert ist es allerdings, die Strecke mit einem normalen Pkw zu befahren, und hätte ich nicht mit eigenen Augen gesehen, wie ein Mercedes 190 zum Rifugio auf der Passhöhe hochgerüttelt ist, ich hätte es nicht für möglich gehalten.

**ANFAHRT** Brennerautobahn A 22, Ausfahrt Rovereto Nord; weiter zur Fugazzopasshöhe

**STARTORT** Abzweigung kurz nach der Fugazzopasshöhe (1162 m)

Von der Fugazzopasshöhe Richtung Schio fahrend, zweigt ca. 300 m nach den Hotels auf der Passhöhe auf der linken Straßenseite eine mit »Strade degli Eroi Rif. Papa/Rifugio Papa/Val di Fieno« beschilderte unbefestigte Straße ab.

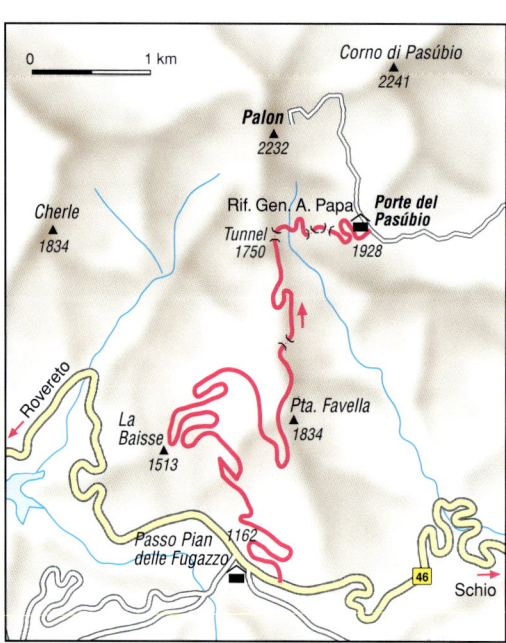

Wenn es eine Passstrecke in der näheren Umgebung des Gardasees gibt, die mit dem Tremalzopass vergleichbar ist, dann die Pasúbio-Bergstraße. Von der sportlichen Seite her gesehen werden etwa die gleichen Anforderungen wie am Tremalzo gestellt, aber bei dieser Tour ist alles um mindestens eine Stufe alpiner, ausgesetzter und damit, wenn man so will, abenteuerlicher.

Der Pasúbio ist ein ausgedehnter Gebirgszug östlich des Etschtals, zwischen dem nordöstlich gelegenen Asticotal in den Sette Communi und den Lessinischen Bergen im Süden gelegen. Seine höchste Erhebung ist der 2232 Meter hohe Cima Palon. Vom Gardasee in Luftlinie vielleicht nur etwa 25 Kilometer entfernt, ist dieses Gebiet vom Fremdenverkehr weitgehend unbehelligt geblieben und meist

*Oben: Bei den letzten Start-
vorbereitungen am Beginn
der Tour ist die Bar am
Fugazzopass noch in Sichtweite.*

*Unten: Hochalpin und
nichts für ängstliche Ge-
müter ist die teilweise in
den Fels gesprengte Trasse
am Pasúbio.*

### SCHWIERIGKEITSGRAD
Mittelschwere Radtour
mit 14 % Höchststeigung
auf ca. 2 km Länge; sonst
längere Abschnitte mit
Steigungen zwischen
7 und 9 %

### LÄNGE  10,5 km

### HÖHENDIFFERENZ
766 m

### ZEIT  1 1/2–3 Stunden

### BEFAHRBARKEIT
Die Auffahrt ist in der
Regel ab Mitte Juni
schneefrei; für den
öffentlichen Verkehr ist
die Strecke gesperrt.

### STRASSENZUSTAND
Erdstraße mit grobem
losen Schotter, im oberen
Bereich sehr steinig, in
den Kehren asphaltiert

### HÜTTEN/UNTERKÜNFTE
Rifugio Generale A. Papa
auf der Passhöhe (1. Juli
bis 20. September geöff-
net)

### KARTE
KOMPASS-Wanderkarte
1:50 000, Blatt 101

nur Einheimischen oder wirklich gut informierten Bergwanderern bekannt.

Im Ersten Weltkrieg war dies allerdings anders, da war der Pasúbio eine Schlüsselstelle zwischen der italienischen und der österreichisch-ungarischen Front und gelangte dadurch zu trauriger Berühmtheit. Eine sehr friedliche Renaissance erfährt er nunmehr aber zunehmend durch die Mountainbiker.

Dass viele Mountainbiker die Pasúbio-Bergstraße so reizvoll finden, liegt vor allem an dem kühn in den Berg gesprengten Trassenverlauf im oberen Teil. Hier liegt der Weg über einem Schwindel erregenden Abgrund so stark ausgesetzt, dass eine Befahrung zu einem ausgesprochen abenteuerlichen Erlebnis wird. Einige kurze Felstunnel schützen uns zwar vor den gefährlichsten Stellen, der letzte liegt kurz vor dem Endpunkt dieser Tour, dem Rifugio Generale A. Papa, das nur wenige Meter vom Abgrund entfernt errichtet wurde. Aber vor allem bei der Abfahrt sollte man hier ganz besonders vorsichtig sein, denn am Pasúbio geht es an vielen Stellen steiler und tiefer hinab als anderswo.

## Tipp

Bei km 10,5, beim Rifugio Generale A. Papa, kann man noch dem zum Gipfelplateau führenden Sträßchen folgen, das nach etwa drei Kilometern auf 2200 Meter Höhe in den Geröllfeldern der Cima Palon endet.

Und wer, so wie ich, rätselt, wofür die Abkürzung »A.« im Hüttennamen steht, ein freundlicher italienischer Biker hat es mir verraten: Achille war der Vorname des Generals.

*Im unteren Teil der Auffahrt zeigt sich im Süden der dicht bewaldete Monte Cornetto in den Lessinischen Bergen.*

## Hinweis

Noch bis vor wenigen Jahren zählte es für wagemutige Autogipfelstürmer zu ihren größten Erlebnissen, die Bergstraßen hinauf auf den Pasúbio mit dem Kfz zu erobern. Angst um Stoßdämpfer, Unterboden oder Ölwanne durften diese Gipfelstürmer aber nicht haben. Heute sind beide Auffahrtsstrecken durch Schranken, welche auch nicht mehr umfahren werden können, fest versperrt. Für uns Mountainbiker bilden diese Schranken bei der Abfahrt allerdings ein zusätzliches Gefahrenpotenzial, weshalb nur nochmals angeraten werden kann, die Abfahrt vorsichtig anzugehen.

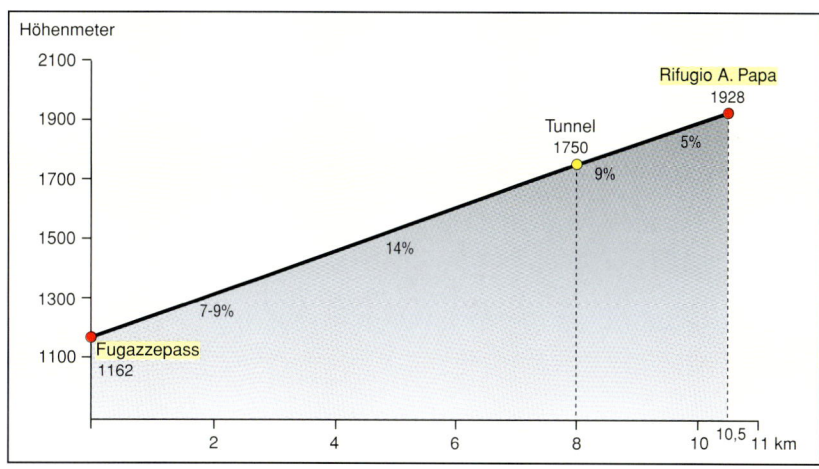

## STRECKENBESCHREIBUNG

| | |
|---|---|
| **km 0,0 (1162 m)** | Von der Abzweigung über neun enge Kehren mit Steigungen zwischen 7 und 9 % auf grobem losen Schotter nach oben. |
| **km 5,0** | Nach Kehrenstrecke geht der Laubwald zurück, die Steigung nimmt bis zu einer weiteren Kehre bis 14 % zu. |
| **km 7,0** | Nach der Kehre bei nur geringfügig zurückgehender Steigung weiter und durch einen 100 Meter langen Tunnel. |
| **km 8,0 (1750 m)** | Über eine Kehrengruppe mit 9 % Steigung an einer Felswand ca. 500 Meter nach oben. Bei zurückgehender Steigung durch mehrere aufeinander folgende Tunnel abwärts zu einer Felsnadel. |
| **km 9,5** | Nach der Felsnadel auf ausgesetzter, leicht ansteigender Trasse weiter, durch einen kurzen Felstunnel, an einer weiteren Felsnadel vorbei und durch den letzten Felstunnel auf der Auffahrtsstrecke. |
| **km 10,0** | Nach dem Tunnel über zwei Kehren mit 5 % Steigung zum Rifugio Generale A. Papa. |
| **km 10,5 (1928 m)** | Ende der Tour beim Rifugio Generale A. Papa. |

# 19

# Pasúbio-Bergstraße, Ostseite

**Höchster Punkt: 1928 m**
**Höhendifferenz: 870 Hm**
**Schwierigkeitsgrad: mittelschwer**

**Länge: 11,0 km**
**Zeit: 2–3 Std.**

**Was die konditionellen Anforderungen betrifft, unterscheidet sich die Ostseite der Pasúbio-Bergstraße kaum von der Westseite. Vom Straßenverlauf her ist sie aber nicht zu vergleichen: Als spektakulär kann diese Seite beim besten Willen nicht bezeichnet werden. Dies muss allerdings kein Nachteil sein, denn so kann diese Tour auch von Bikern, die sich von Schwindel erregenden Abbrüchen neben der Straße nicht gerade angezogen fühlen, unternommen werden. Empfehlenswert ist sie zudem noch für Biker, die eine Veranlagung zum Höhlenforscher in sich verspüren. Allerdings müssen diese dann das Bike mit den Bergschuhen vertauschen, denn die »Strada delle 52 Galerie« ist nach einigen Unfällen inzwischen für Biker verboten.**

**ANFAHRT** Brennerautobahn A 22, Ausfahrt Rovereto Nord; weiter zur Fugazzopasshöhe; von der Passhöhe abwärts Richtung Schio; nach ca. 3 km nach links in ein asphaltiertes Sträßchen zum Xomopass abzweigen; auf dem dann in Erdstraße übergehenden Sträßchen ca. 5 km bis zur Xomopasshöhe

**STARTORT** Xomopasshöhe (1058 m)

An der Trattoria bei der Straßenkreuzung der Beschilderung »Pasúbio« folgen

Die Ostseite der Pasúbio-Bergstraße ist zwar nicht ganz so alpin und abenteuerlich wie die westliche Auffahrtsstrecke, steht dieser allerdings nicht sehr viel nach und ist, wie die Zahlen zur Streckenlänge und den Höhenangaben belegen, sogar noch ein klein bisschen anstrengender. Das größere Problem dürfte allerdings die Anfahrt zum Ausgangspunkt auf dem

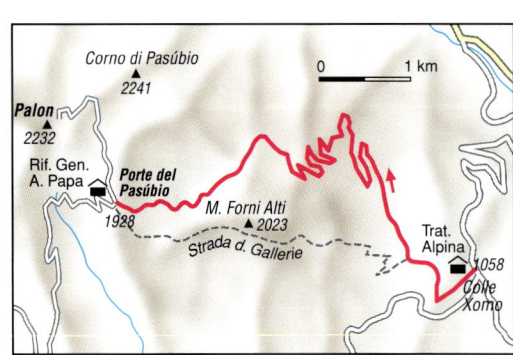

*Die Strecke auf der Ostseite des Pasúbio verläuft gemäßigter als über die Westseite.*

96

doch recht abgelegenen Xomopass dar-stellen. Es bedarf schon einiger Kurbelei über verwinkelte Bergsträßchen und im-mer wieder auch genauer Blicke auf die Karte, um ihn überhaupt zu finden.

Wer sich diese mühselige Anfahrt sparen möchte, kann auch die recht gut zugäng-liche Westseite der Pasúbio-Bergstraße (siehe Tour 18) anfahren, die Westtour wie beschrieben fahren und über die »Strada degli Scarubbi« genannte Ostseite abfah-ren, um dann am Xomopass in entgegen-gesetzter Richtung wieder aufzufahren. Das ist mit guter Kondition an einem Tag durchaus machbar und hat zum einen den Vorteil, dass auch konditionsstarke

Biker dann ausgelastet sein werden, zum anderen kann man so mit dem geringsten Anfahrtsaufwand beide Passseiten für sich entdecken. Die Brotzeit oben am Rifugio auf der Passhöhe hat man sich dann jedenfalls redlich verdient.

Noch ein Hinweis: An der Ostseite zweigt bald nach dem Beginn vor der eigentli-chen Passstraße die »Strada delle 52 Galerie« ab, eine absolut abenteuerliche Tunnelstrecke, die ebenfalls zur Passhöhe hochführt. Diese ist allerdings für Biker absolut verboten, und dieses Verbot sollte auch unbedingt eingehalten werden, denn die italienischen Carabinieri verste-hen hier bei Verstößen keinerlei Spaß.

**SCHWIERIGKEITSGRAD**
Mittelschwere Radtour mit 15 % Höchststeigung auf ca. 1,5 km Länge; außerdem längere Ab-schnitte mit Steigungen zwischen 10 und 12 %, einmal kurz 14 %

**LÄNGE** 11,0 km

**HÖHENDIFFERENZ**
870 m

**ZEIT** 2–3 Stunden

**BEFAHRBARKEIT**
Die Auffahrt ist in der Regel ab Ende Mai schneefrei.

**STRASSENZUSTAND**
Erdstraße mit grobem losen Schotter, in den Kehren teilweise asphal-tiert

**HÜTTEN/UNTERKÜNFTE**
Rifugio Generale A. Papa auf der Passhöhe (1. Juli bis 20. September geöff-net)

**KARTE**
KOMPASS-Wanderkarte 1:50 000, Blatt 101

*Diese Trialeinlage wurde etwas abseits aufgenommen. So schmal und ausgesetzt ist die Auffahrtsroute auf der Ostseite des Pasúbio nirgends.*

Wer gar nicht auf dieses Abenteuer verzichten will, sollte zusätzlich noch Bergschuhe und eine Taschenlampe mitnehmen und diese Tunnelstrecke im Rahmen einer eigenständigen Bergtour erkunden.

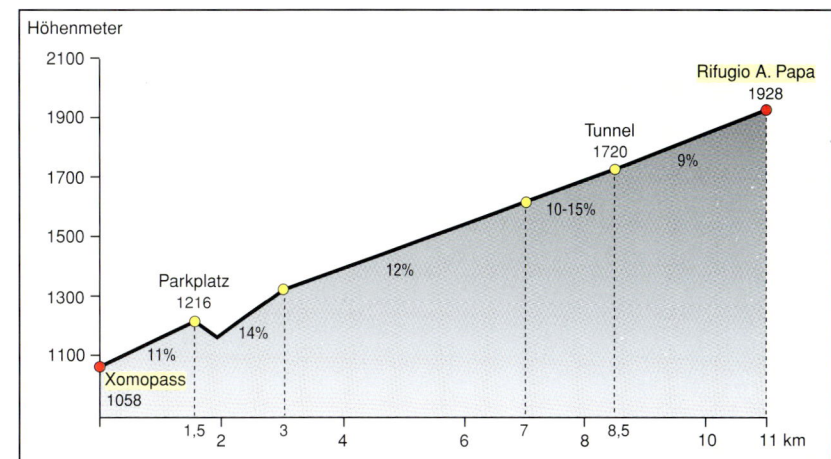

## Tipp

Beim Rifugio Generale A. Papa kann man der zum Gipfelplateau führenden Straße folgen, die nach etwa drei Kilometern in den Geröllfeldern der Cima Palon endet.

 ## STRECKENBESCHREIBUNG

**km 0,0 (1058 m)**    Von der Xomopasshöhe auf steiniger, ausgewaschener Erdstraße mit 11 % Steigung bis zu einem kleinen Parkplatz.

**km 1,5 (1216 m)**    Nach dem Parkplatz auf der geradeaus führenden Straße leicht abwärts, dann an Almwiesen vorbei und auf der kurz bis zu 14 % ansteigenden Straße zu einer Kehrengruppe.

**km 3,0**    Über die Kehrengruppe mit 12 % Steigung auf losem, grob schottrigem Untergrund nach oben.

**km 7,0**    Nach einem 100 Meter langen Flachstück über weitere Kehren mit 10 % Steigung, kurz auch einmal auf 15 % zunehmend, zur Felswand.

**km 8,0**    Nach der Felswand eben weiter bis zu einem kurzen Felstunnel; durch diesen hindurch.

**km 8,5 (1720 m)**    Nach dem Felstunnel auf anfangs leicht, dann bis zu 9 % ansteigender Trasse hinauf zum Sattel.

**km 11,0 (1928 m)**    Ende der Tour beim Rifugio Generale A. Papa.

# 20 Finestre-Passstraße, Nordseite

**Höchster Punkt:** 2176 m
**Höhendifferenz:** 1675 Hm
**Schwierigkeitsgrad:** mittelschwer bis schwer

**Länge:** 19,0 km
**Zeit:** 2 1/2–4 Std.

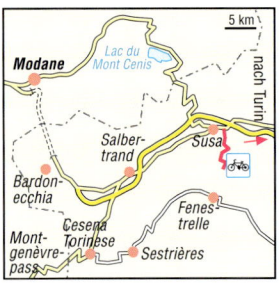

Eine gute Kondition sollte man schon haben, wenn man sich auf den Weg hinunter ins italienische Piemont macht. Dort liegen nämlich die höchsten für uns befahrbaren Pass- und Bergstraßen. Die Finestre-Passstraße gehört dazu zwar noch nicht, aber fast 1700 Höhenmeter erfordern dennoch Erfahrung und eine gezielte Vorbereitung. Hochspektakuläres ist weder von der Strecke noch von der Landschaft zu erwarten, aber ein Prüfstein ist die Tour vor allem aufgrund der zu bewältigenden Höhenmeter schon.

*In der ruhigen, unverbauten Landschaft des Naturparks Orsiera-Rocciavre bieten sich viele Tourenmöglichkeiten.*

**ANFAHRT** Autobahn Mailand–Turin A 4 und Turin–Susa A 32, Ausfahrt Susa; nach Susa und noch ein kurzes Stück auf der südlichen Ortsumgehungsstraße, der S. S. 24, Richtung Turin

**STARTORT** Abzweigung »Meana/Colle delle Finestre« an der südlichen Ortsumgehungsstraße, der S. S. 24, von Susa Richtung Turin (301 m)

Am Ortsrand von Susa der Beschilderung »Meana/Colle delle Finestre« folgen

Die italienische Region Piemont ist ein wahres Eldorado für Mountainbiker, die sich gerne hohe Ziele stecken. Dort findet man nicht nur ein schier unüberschaubares Netz von Bergstraßen sowie alten, teilweise auch wieder instand gesetzten Militärfahrwegen, sondern auch die höchsten und bekanntesten Pass- und Bergstrecken, die der Alpenraum den Mountainbikern zu bieten hat. Übersetzt heißt Piemont eigentlich »Am Fuße der Berge«, unsere Touren dort führen jedoch alle in Höhen über 2000 Meter und gipfeln schließlich in der 3130 Meter hohen Chaberton-Bergstraße, deren Endpunkt als die höchste für Mountainbiker anfahrbare Stelle im Alpenraum gilt.

Beginnen wollen wir aber nicht gleich mit der am höchsten hinaufführenden

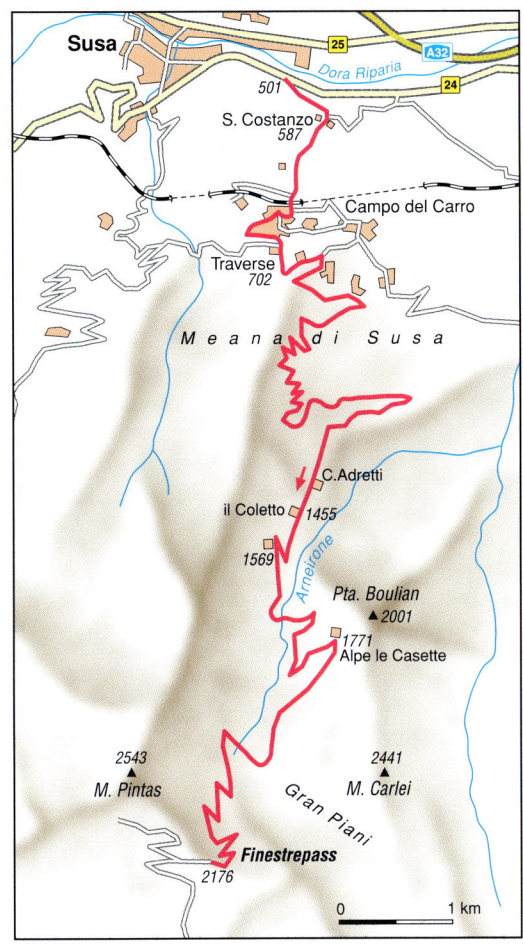

werden völlig »mountainbikegerecht« auf einer festen Erdstraße zurückgelegt.

Hat man den Verkehrsknotenpunkt Susa, dem als Segusia bereits zu Römerzeiten eine wichtige Rolle hier im Susatal zukam, erst einmal hinter sich, geht es hinein in die ruhige, unverbaute Landschaft des Naturparks Orsiera-Rocciavre. Dies ist im Übrigen die einzige Straße, die in dieses Gebiet führt, wodurch gewährleistet ist, dass die Natur noch in ihrem ursprünglichen Zustand belassen ist. Der harmonischen Landschaft angepasst, verläuft auch unsere Tour nirgends wirklich schwierig oder ausgesetzt, aber im Ganzen gesehen doch anstrengend, vor allem der zu bewältigenden Höhenmeter wegen.

Wer bei der Bergauffahrt mitzählt, wird bis zur Passhöhe hinauf nicht weniger als 30 Kehren zählen, die meisten davon im obersten Teil der Auffahrtsstrecke, die uns zudem schöne Ausblicke auf den Rocciamelone – mit 3538 Meter Höhe

**SCHWIERIGKEITSGRAD**
Mittelschwere bis schwere Radtour mit 14 % Höchststeigung auf 500 m Länge im unteren Abschnitt; sonst längere Abschnitte mit Steigungen zwischen 9 und 11 %

**LÄNGE** 19,0 km

**HÖHENDIFFERENZ** 1675 m

**ZEIT** 2 1/2–4 Stunden

**BEFAHRBARKEIT**
Die Auffahrt ist in der Regel ab Ende Mai schneefrei; offiziell ist die Strecke vom 1. Juni bis 30. September geöffnet.

**STRASSENZUSTAND**
Auf den ersten 11 km bis zur »Quota 1455 m« Asphalt; dann feste Erdstraße

**HÜTTEN/UNTERKÜNFTE**
Alpe Le Casette (km 14,5)

**KARTE** Istituto Geografico Centrale, Torino, 1:50 000, Blatt 1

Bergstraße, sondern wir wählen uns für den Anfang ein etwas niedrigeres Ziel: die 2176 Meter hohe Finestre-Passstraße. Hier von einer leichten Tour zu sprechen, wäre nicht richtig, denn 1675 Höhenmeter, verteilt auf 19 Streckenkilometer mit Steigungen bis 14 %, müssen erst einmal überwunden werden.

Worüber allerdings Mountainbikepuristen weniger glücklich sein werden: Die Auffahrt zum Finestrepass hält eine große Erleichterung für uns bereit, denn die Straße ist auf den ersten elf Kilometern asphaltiert, nur die letzten acht Kilometer

*Blick von der Passstraße auf die fast bis oben hin bewaldeten Bergkuppen im Bereich des Passübergangs auf 2176 Metern Höhe.*

Vom Anstiegsweg auf die Rocciamelone bietet sich ein informativer Gesamtanblick auf den Colle delle Finestre.

immerhin der höchste Gipfel des Susatals – eröffnet.

Wenn man auf der Passhöhe unterhalb
des 2770 Meter hohen Monte Pelvo angelangt ist, hat man eine schöne Aussicht
auf die grauen Felsriesen der Umgebung.
Und wer ganz genau hinsieht, kann an
den westlichen Berghängen einen Abschnitt der Assietta-Kammstraße (siehe
Tour 22) erkennen, die man vielleicht als
nächstes Ziel auswählt.

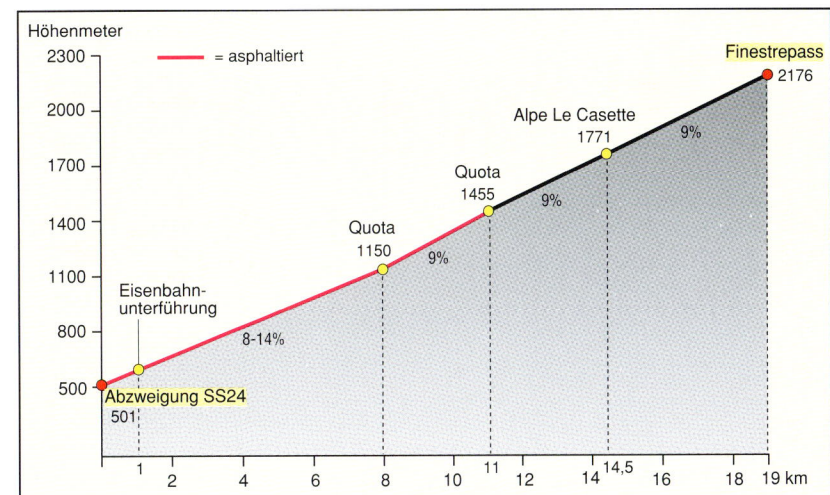

 ## STRECKENBESCHREIBUNG

**km 0,0 (301 m)** Vom Abzweig auf der mit 8 bis 10 % ansteigenden Asphaltstraße nach Meana.

**km 1,0** Im Ort durch eine enge Eisenbahnunterführung.

**km 1,5** Nach der Eisenbahnunterführung ein 500 Meter langer Abschnitt mit 14 % Steigung, dann auf mit 11 % steigender Trasse weiter durch dichten Mischwald kurvig und kehrenreich nach oben.

**km 8,0 (1150 m)** Beim Haus mit der Aufschrift »Quota 1150 m« endet die Kehren-gruppe, weiter über Steigungen von maximal 9 % bis zum Haus mit der Höhenangabe »1455 m«.

**km 11,0 (1455 m)** Nach diesem Haus wird die Arneirone überquert, der Asphalt geht in eine feste Erdstraße über, weiter mit 9%iger Steigung zur Alpe Le Casette.

**km 14,5 (1771 m)** Nach der Alpe in großen Bögen dem Talverlauf folgend bei gleich bleibender Steigung in Richtung des Passeinschnitts fahren.

**km 17,0** Beginn einer letzten Gruppe von Kehren, die in immer kürzer wer-denden Abständen mit 9 % Steigung zur Passhöhe hochführen.

**km 19,0 (2176 m)** Ende der Auffahrt am Scheitelpunkt.

# 21 Finestre-Passstraße, Südseite

**Höchster Punkt:** 2176 m
**Höhendifferenz:** 1098 Hm
**Schwierigkeitsgrad:** mittelschwer

**Länge:** 16,0 km
**Zeit:** 2 1/2–3 1/2 Std.

Um ehrlich zu sein, zwingende Gründe, gerade die Südseite der Finestre-Passstraße mit dem Bike zu befahren, gibt es nicht. Die Tour führt weder in extreme Höhen, noch ist sie von ganz besonderem Reiz, noch besonders schwer. Und so könnte man sich vielleicht darauf verständigen, dass diese Tour allein schon deshalb mit ins Piemontprogramm gehört, »weil es sie halt gibt«. Allerdings würde man ihr damit nicht Genüge tun, denn letztlich handelt es sich bei der Südauffahrt zum Finestrepass um eine durchaus anspruchsvolle Tour in einer landschaftlich ruhigen und ursprünglichen Umgebung. Und so etwas findet man im Alpenraum heutzutage wirklich nicht mehr überall.

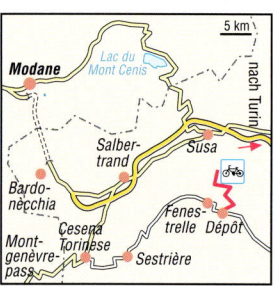

**ANFAHRT** Autobahn Mailand–Turin A 4, Ausfahrt Torino/Corso Francia; weiter auf der westlichen Umgehungsautobahn von Turin in Richtung Moncalieri, im Südwesten rechts ab auf die neue Autobahn Richtung Volvera/Pinerolo; in Pinerolo auf S. S. 23 über Perosa Argentina–Villaretto–Mentoulles nach Dépôt

**STARTORT** Dépôt (1078 m)

Im Ort der Beschilderung »Colle delle Finestre« folgen

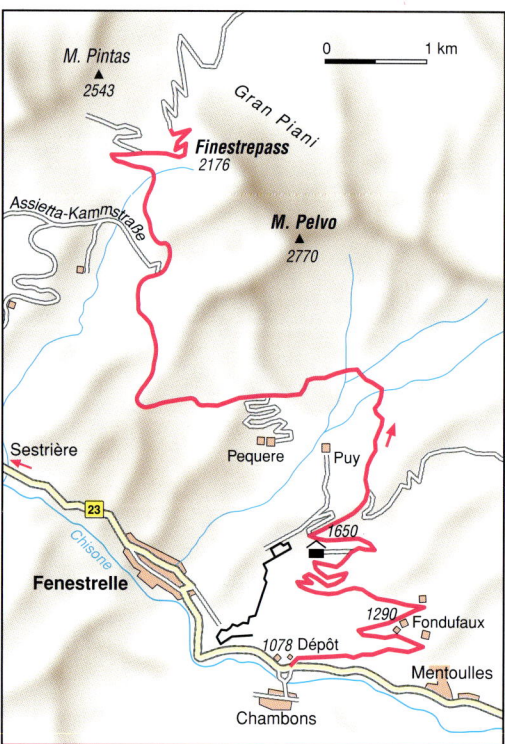

Bevor wir uns dem nächsten herausragenden Ziel in dieser Region zuwenden, sollten wir uns noch mit der Südseite der Finestre-Passstraße befassen. Sie beginnt im südlich vom Susatal gelegenen Chisonetal und weist gegenüber der nördlichen Auffahrtsroute einige Vorteile auf.

So ist das Tal der Chisone deutlich ruhiger als das dicht besiedelte und verkehrsreiche Susatal und auch landschaftlich reizvoller. Man kann die Tour also mit weniger Hektik und Lärm beginnen. Weitere Pluspunkte sind, dass die Tour von dieser Seite zum einen etwas kürzer ist, wenn auch mit drei Kilometern nicht allzu viel, und dass zum anderen mit nur 1100 Höhenmetern fast 600 Höhenmeter weniger als bei der Nordstrecke zu überwinden

*Nach heftigen Regenfällen entstehen in der ansonsten recht trockenen Region des Piemont kleine Seen.*

**SCHWIERIGKEITSGRAD**
Mittelschwere Radtour mit 12 % Höchststeigung auf einem ca. 1,5 km langen sowie einem 200 m langen Abschnitt; außerdem lange Abschnitte mit 8 % Steigung

**LÄNGE** 16,0 km

**HÖHENDIFFERENZ** 1098 m

**ZEIT** 2 1/2–3 1/2 Stunden

**BEFAHRBARKEIT** Die Auffahrt ist in der Regel ab Ende Mai schneefrei; offiziell ist die Strecke vom 1. Juni–30. September geöffnet.

**STRASSENZUSTAND** Auf den ersten 9 km Asphalt; dann feste Erdstraße

**HÜTTEN/UNTERKÜNFTE** Keine

**KARTE** Istituto Geografico Centrale, Torino, 1:50 000, Blatt 1

sind, womit man das gleiche Ziel mit deutlich weniger Kraftaufwand erreicht.

Genau wie auf der Nordseite erleichtert auch hier auf den ersten neun Kilometern eine Asphaltstraße das Vorwärtskommen, bevor auf den letzten sieben Kilometern auf fester Erdstraße wieder unsere Stollenreifen zum Einsatz kommen. Landschaftlich steht die Südseite der Nordseite in nichts nach, sie ist vielleicht sogar noch eine Spur ruhiger und ursprünglicher.

Im Dörfchen Dépôt, unserem Ausgangspunkt, etwa auf halbem Weg zwischen Fenestrelle und Mentoulles gelegen, ist die Straße anfangs fast überbreit ausgebaut. Dann nimmt uns urwüchsiger Kiefernwald auf, und bis zur Feriensiedlung von Prato Catinat wird die Trasse deutlich schmäler und kurviger. Hinter den Wiesen von Prato Catinat, an einem beliebten Picknickplatz, geht der Asphalt endlich in eine Erdstraße über, und gut drei Kilometer weiter, beim verfallenen Fort von Serre

Marie, wartet der steilste Teil der Auffahrt auf uns, ein etwa 2000 Meter langer Abschnitt mit 12 % Steigung, der auf einigen Metern aber sogar asphaltiert ist.

Der Scheitelpunkt ist dann nur ein kleiner Einschnitt auf der Kammhöhe, weit unterhalb des 2770 Meter hohen Monte Pelvo, und bietet auch keine allzu große Aussicht. Eigentlich ist nur die Felspyramide des Rocciamelone, des mit 3538 Metern höchsten Gipfels des Susatals, erwähnenswert, außerdem vielleicht noch die ersten einsehbaren Kehren der Abfahrt über die Nordrampe.

Wer glaubt, mit dieser Tour nicht ausgelastet zu sein, für den bietet sich eine reizvolle Alternative: Er kann zusätzlich die Assietta-Kammstraße (Tour 22) befahren. Diese mündet hier, vom bekannten Wintersportort Sestrière kommend, bei Pian dell'Alpe ein. Allerdings ist die Kammstraße insgesamt 36 Kilometer lang, und wenn man in Sestrière angelangt ist, muss

*Meist zeigt die Trasse hinauf zum Finestrepass einen eher gemäßigten Steigungsverlauf. Aber auch die Steigungsspitzen bis 12 % sind auf diesem Untergrund kein Problem.*

man ja noch die gut 21 Kilometer durch das Chisonetal zurück zum Ausgangspunkt Dépôt. Und auch wenn es auf dieser Straße von gut 2000 auf gut 1000 Meter Höhe beständig abwärts geht, sollte man sich der vielen Kilometer wegen vielleicht doch überlegen, die Assietta-Kammstraße im Rahmen dieser Tour lediglich ein Stück weit zu erforschen, um sie dann in einer eigenständigen Tour in ihrer gesamten Länge zu befahren.

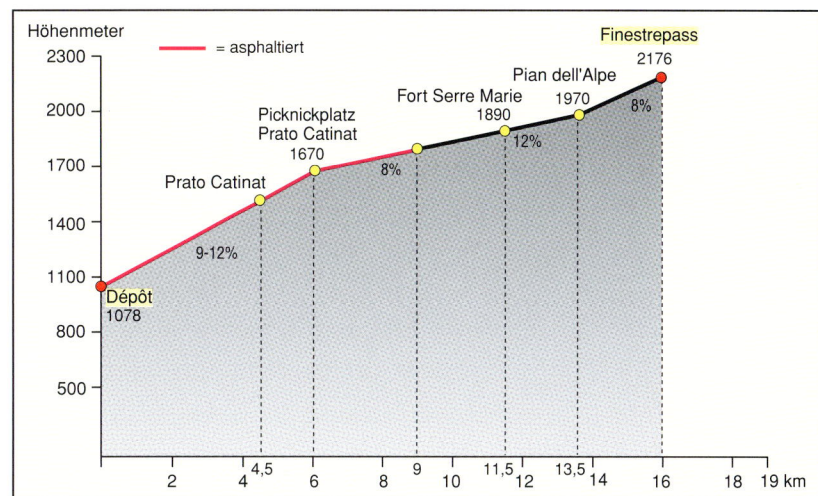

 **STRECKENBESCHREIBUNG**

**km 0,0 (1078 m)** In Dépôt der Beschilderung »Colle delle Finestre« folgen und auf anfangs breiter Asphaltstraße mit Steigungen von bis zu 9 % an den Hängen der nördlichen Talseite nach oben.

**km 3,0** Auf schmäler und kurviger werdender Straße weiter bis zum Schild mit Aufschrift »3 Tornante«.

**km 4,5** Über die auf dem Schild bezeichnete Kehrengruppe mit Steigungen von bis zu 12 % zur Feriensiedlung Prato Catinat.

**km 6,0 (1670 m)** Am Ortsausgang geht die Steigung zurück, eben weiter bis zum Picknickplatz von Prato Catinat.

**km 8,0** Nach dem Picknickplatz geht der Asphalt in eine feste Erdstraße über, weiter anfangs noch eben, dann mit 8%iger Steigung zur verfallenen Festungsanlage Serre Marie.

**km 11,5 (1890 m)** Am Fort vorbei auf ca. 200 Meter Länge ein Anstieg mit 12 % Steigung, dann auf nur leicht ansteigender Trasse weiter nach Pian dell'Alpe, wo die Assietta-Kammstraße einmündet.

**km 13,5 (1970 m)** An der Einmündung der Assietta-Kammstraße vorbei und über Steigungen von bis zu 8 % hinauf zur Passhöhe.

**km 16,0 (2176 m)** Ende der Auffahrt am Scheitelpunkt.

# Assietta-Kammstraße

**22**

| | |
|---|---|
| Höchster Punkt: **2566 m** | Länge: **36,0 km** |
| Höhendifferenz: **840 Hm** | Zeit: **2 1/2–4 Std.** |
| Schwierigkeitsgrad: **leicht bis mittelschwer** | |

**Die Verbindung zwischen dem Finestrepass und dem Wintersportort Sestrière gilt allgemein als die vielleicht landschaftlich reizvollste Kammstraße der Alpen. Eine Vielzahl schöner Aussichtspunkte laden hier immer wieder zu einer Rast ein, aber auch die hier ungemein reiche Alpenflora ist ein wahrer Augenschmaus, vor allem Mitte Juni bis Mitte Juli, wenn sie in vollster Blüte steht. Da die Strecke zudem lediglich als leicht bis mittelschwer zu bezeichnen ist, bietet sie sich insbesondere als Einstiegstour für die schwierigeren Kammstraßen in diesem Band an, z. B. die Máira-Stura-Kammstraße (Tour 27) und die Ligurische-Alpen-Grenzkamm-Höhenstraße (Tour 28).**

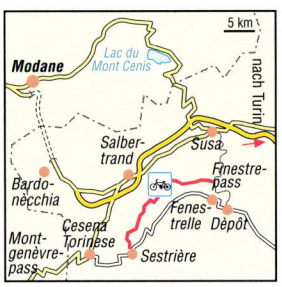

Die Assietta-Kammstraße ist ein ehemaliges Militärsträßchen hoch über den

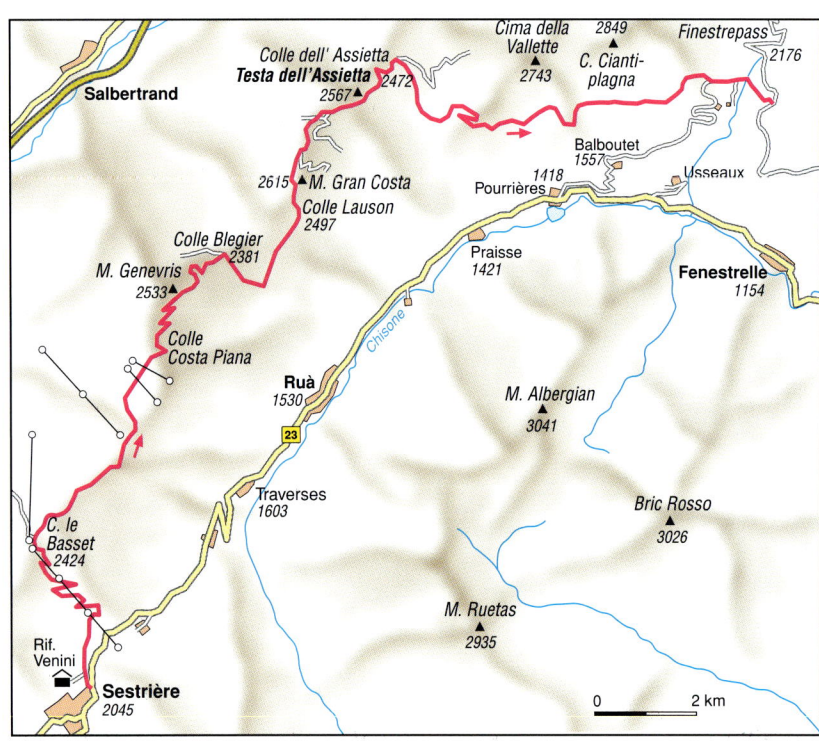

Tälern der Dora Riparia bei Susa im Norden und der Chisone im Süden. Ihren westlichen Ausgangspunkt nimmt diese Straße im bekannten Wintersportort Sestrière, ihren östlichen Endpunkt findet sie bei Pian dell'Alpe, wo sie in die südliche Auffahrtsstraße zum Finestrepass (siehe Tour 21) einmündet.

Wenngleich Ausgangs- und Endpunkt der Assietta-Kammstraße mit 2030 Metern (Sestrière) beziehungsweise 1970 Metern (Pian dell'Alpe) fast dieselbe Höhenlage aufweisen, sind auf den dazwischen liegenden 36 Streckenkilometern über insgesamt drei größere Anstiege und Abfahrten doch 840 Höhenmeter zu überwinden. Dass die Tour trotz ihrer Länge nicht allzu schwierig wird, dafür sorgt der meist gute Untergrund der festen Erdstraße, die erst auf den letzten Kilometern steiniger wird und uns damit etwas kräftiger durchrüttelt. Das Steigungsmaximum von 13 % wird zudem nur einmal auf einer Länge von nur wenig mehr als 100 Metern erreicht; meist liegt es weit darunter, und auch auf den Abfahrten kann man sich immer wieder erholen.

Gedanken sollte man sich vor der Tour allerdings noch darüber machen, wie man zum Ausgangspunkt zurückkehrt. Die einfachste Möglichkeit ist sicherlich die Rückfahrt auf derselben Strecke, womit sich allerdings Streckenkilometer und Höhenmeter verdoppeln. Alternativ kann man von Pian dell'Alpe ins Chisonetal, entweder nach Dépôt oder nach Pourrières, abfahren und von dort nach Sestrière zurückradeln, was mit gut 21 Streckenkilometern und knapp 1000 Höhenmetern von Dépôt beziehungsweise 15 Kilometern und gut 600 Höhenmetern von Pourrières zusätzlich zu Buche schlägt. Wer ein

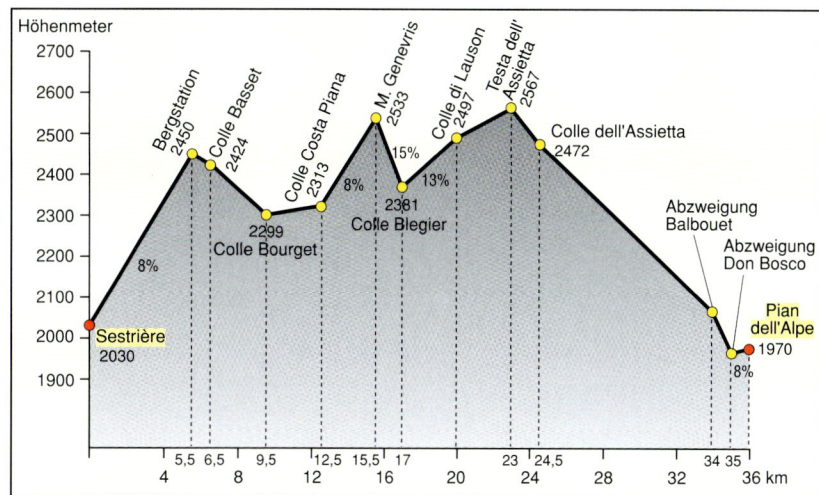

Begleitauto dabei hat, kann dieses auch am Ende der Kammstraße parken, denn die Straße ist auch mit dem Pkw befahrbar; allerdings sollte man dann keine Angst um Stoßdämpfer oder vor Lackkratzern durch Steinschlag haben. Anbieten würde sich freilich auch, dass die Begleitperson mit dem Auto von Dépôt oder Pourrières aus dem Chisonetal nach Pian dell'Alpe hochfährt und dort auf den Biker wartet.

Ist alles Organisatorische geklärt, können Sie sich auf eine unschwierige, aber ungemein reizvolle und abwechslungsreiche Biketour in einer eindrucksvollen Bergregion freuen, deren schönster Aussichtspunkt wohl der Colle di Lauson nach etwa 20 Kilometer Fahrstrecke bildet.

## Alternative

Bei km 34,0 kann man auch der Abzweigung nach Balbouet folgen und nach Pourrières im Chisonetal abfahren, von dort sind es bis Sestrière 15 Kilometer.

*Steinschlag wie auf diesem Bild verdeutlicht uns immer wieder die Gefahren des Hochgebirges.*

**SCHWIERIGKEITSGRAD** Leichte bis mittelschwere Radtour mit 13 % Höchststeigung auf ca. 100 m Länge am Colle di Lauson; sonst lange Abschnitte mit Steigungen zwischen 6 und 8 %

**LÄNGE** 36,0 km

**HÖHENDIFFERENZ** 840 m

**ZEIT** 2 1/2–4 Stunden

**BEFAHRBARKEIT** Die Auffahrt ist in der Regel ab Anfang Juni schneefrei; offiziell ist die Strecke vom 15. Juni bis 13. September geöffnet.

**STRASSENZUSTAND** Auf den ersten 23 km bis zur Testa dell'Assietta feste, dann steiniger werdende Erdstraße

**HÜTTEN/UNTERKÜNFTE** Keine

**KARTE** Istituto Geografico Centrale, Torino, 1:50 000, Blatt 1

**ANFAHRT** Autobahn
Mailand–Turin A 4 und
Turin–Susa–Modane
A 32, Ausfahrt Oulx
Ovest; weiter auf der
S. S. 24 nach Süden bis
Cesana Torinese; in
Cesana Torinese auf die
S. S. 23 nach Sestrière

**STARTORT** Sestrière
(2030 m)

Am östlichen Ortsende
der zum Colle Basset
abzweigenden Straße
folgen

*Wie auf diesem Bild
ersichtlich, stellt die
Assietta-Kammstraße
den Biker vor keine allzu
großen Probleme.*

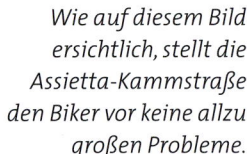

## STRECKENBESCHREIBUNG

**km 0,0 (2030 m)**   In Sestrière der zum Colle Basset abzweigenden Erdstraße bis zur ersten Abzweigung folgen.

**km 0,5**   An der ersten Abzweigung der geradlinig mit 8 % ansteigenden Trasse (Beschilderung »Colle delle Finestre/Colle dell'Assietta«) bis zur Mittelstation einer Seilbahn folgen.

**km 2,5**   An der Seilbahnstation vorbei über Kehren mit 8 % Steigung entlang der Lifttrasse zur Bergstation.

**km 5,5 (2450 m)**   Von der Bergstation bis zu einem kleinen Einschnitt am Colle Basset abwärts. Auf der gleichen Hangseite bleibend, an einer kleinen Lifthütte vorbei, weiter abwärts zum Colle Bourget.

**km 6,5 (2424 m)**   Unterhalb des Bergkamms entlang, leicht abwärts bis zum Abzweig zu einer kleinen Lifthütte.

## STRECKENBESCHREIBUNG

**km 7,0**  Am Abzweig vorbei auf anfangs weiter leicht, dann stärker abfallender Trasse zum Colle Bourget.

**km 9,5 (2299 m)**  Ca. 500 Meter nach dem Colle Bourget wechselt der Weg auf die nördliche Kammseite über, weiter auf abwechselnd leicht fallender und steigender Trasse zum Colle Costa Piana.

**km 12,5 (2313 m)**  Am Colle Costa Piana, wieder auf der südlichen Talseite, über eine Kehrengruppe mit 8 % Steigung zum Mont Genevris mit zwei Holzkreuzen.

**km 15,5 (2533 m)**  Vom Mont Genevris über Kehren mit anfangs stärkerem, bis 15%igem Gefälle abwärts zum Colle Blegier.

**km 17,0 (2381 m)**  Vom Colle Blegier weiter auf der südlichen Talseite mit einer Steigung von bis zu 6 %, dann kurz auf 13 % zunehmend, zum Colle di Lauson.

**km 20,0 (2497 m)**  Vom Colle di Lauson unschwierig zur Testa dell'Assietta mit steinernem Adler und Obelisk.

**km 23,0 (2567 m)**  Von der Testa dell'Assietta auf steiniger werdender Straße abwärts zum Colle dell'Assietta.

**km 24,5 (2472 m)**  An der Abzweigung am Colle dell'Assietta rechts (im Berichtsjahr mit »Colle Finestre« ausgeschildert), lange abfahrend bis zur Abzweigung nach Balbouet.

**km 34,0**  An der Abzweigung geradeaus weiter bis zur Abzweigung nach Don Bosco.

**km 35,0**  An der nach Don Bosco abzweigenden Straße vorbei und auf mit 8 % ansteigender Straße bis Pian dell'Alpe.

**km 36,0 (1970 m)**  Ende der Kammstraße an der Einmündung in die Finestre-Passstraße (Pian dell'Alpe). Hier entweder noch die 2,5 km hoch zum Finestrepass oder 13,5 km nach Dépôt im Chisonetal (Streckenbeschreibung siehe Tour 21) abfahren.

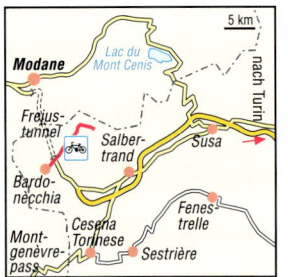

# 23 Sommeiller-Bergstraße

**Höchster Punkt:** 3040 m
**Höhendifferenz:** 1728 Hm
**Schwierigkeitsgrad:** schwer

**Länge:** 26,5 km
**Zeit:** 3–4 1/2 Std.

Wenn Sie auf Ihrem Bike noch viel Platz übrig haben, können Sie auf dieser Tour ein paar Ski mitnehmen, denn ganz oben auf 3040 Metern bildet ein Gletscher das Ende der Auffahrt. Allerdings ist heute lediglich noch ein kläglicher Rest des einstmals tatsächlich als Sommerskigebiet genutzten Gletschers übrig, eigentlich eher nur ein größeres Schneefeld. Aber immerhin, wo kommt man sonst mit dem Bike auf einer durchgängig befahrbaren Straße bis in die Gletscherregion? Und wem der Gletscher nicht Anreiz genug ist, der sollte wissen, dass es sich hier um den höchsten öffentlich anfahrbaren Punkt in den Alpen handelt. Allerdings sollte man auch wissen, dass es sich bei der Sommeiller-Bergstraße um eine der schwersten Touren im Alpenraum handelt.

**ANFAHRT** Autobahn Mailand–Turin A 4 und Turin–Susa–Modane A 32, Ausfahrt Bardonècchia; weiter nach Bardonècchia

**STARTORT** Bardonècchia (1312 m)

Im Ort der Beschilderung »Rochemolles« folgen

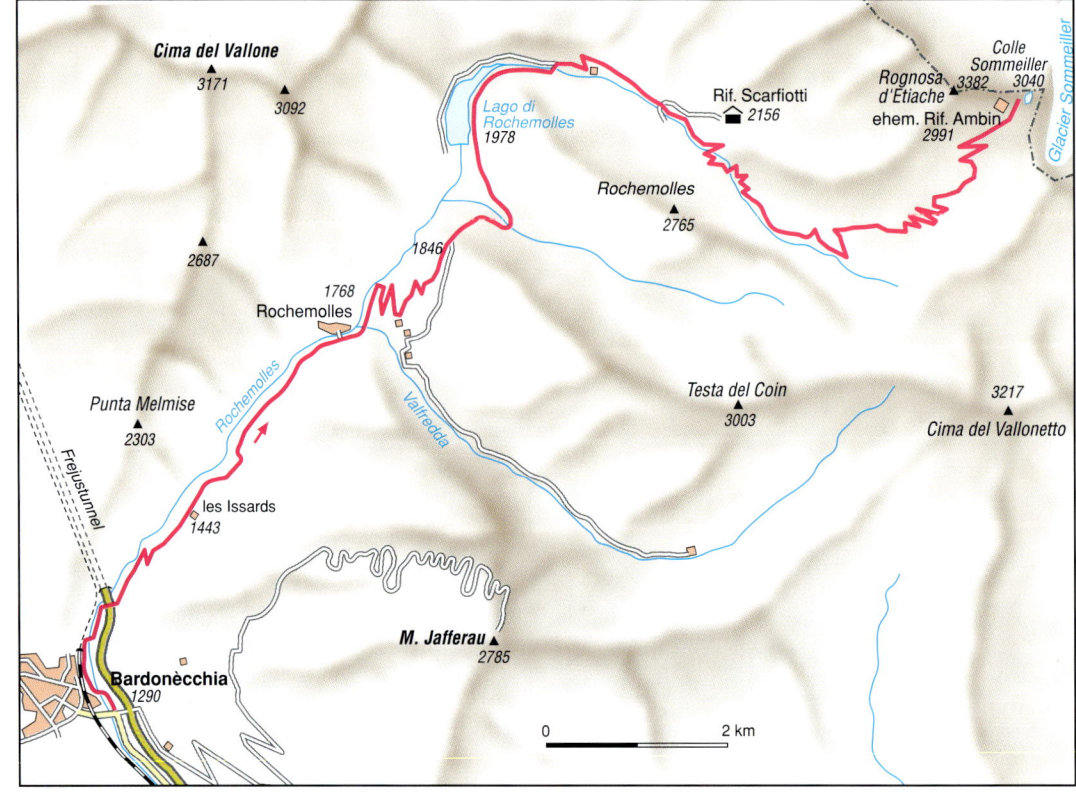

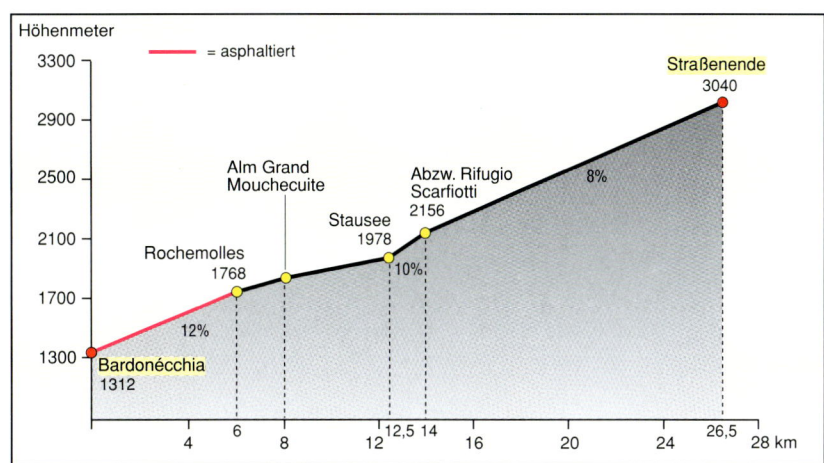

Die Sommeiller-Bergstraße, ganz im Westen der italienischen Provinz Piemont, nahe der Grenze zur französischen Region Rhône-Alpes gelegen, gilt mit ihrer Höhe von 3040 Metern als höchster öffentlich anfahrbarer Punkt der Alpen. Obwohl es auf der Chaberton-Bergstraße (Tour 25) noch fast 100 Höhenmeter weiter hinaufgeht, scheidet diese als Konkurrenz aus, denn erstens ist die Chaberton-Bergstraße für die Befahrung mit Kraftfahrzeugen gesperrt und zweitens wäre es selbst ohne dieses Verbot aufgrund von Hangabrutschungen und des schlechten Straßenzustands wegen nicht möglich, mit Pkws und Motorrädern dort hin auf zu kommen. Allerhöchstens leichte Enduromotorräder könnten sich unter Aufbietung aller artistischen Kräfte vielleicht noch zum Gipfel hinaufkämpfen.

Für die Sommeiller-Bergstraße bestehen solche Einschränkungen nicht, diese kann

*Der Straßenzustand ist auf der Sommeiller-Bergstraße in der Regel sehr gut, kann die Strecke doch bis obenhin mit öffentlichen Verkehrsmitteln befahren werden.*

auch bis zum letzten Meter noch mit dem Auto befahren werden. Bis in das Hochtal um das Rifugio Scarfiotti wird das von Ausflüglern auch gerne genutzt, gilt die landschaftlich reizvolle Umgebung unterhalb der Punta Sommeiller doch als beliebtes Wandergebiet. Nachdem wir die Hütte passiert haben, teilen wir die Straße jedoch nur noch mit ganz wenigen Fahrzeugen, die sich hinauf in die zunehmend öder und auch steiniger werdende Gipfelregion wagen.

Die Straße endet an einem Betonfundament und Blechbaracken, den Überbleibseln einer längst aufgelösten Sommerskistation. Ab hier verliert sich die Straße im Geröll des Gipfelaufbaus, von dem sich sogar ein kleiner Gletscher herabzieht, und wo noch die Reste eines Schlepplifts zu erkennen sind. Und irgendwie ist es schon ein sonderbares und einmaliges Gefühl, mit dem Bike in Regionen vorgestoßen zu sein, die normalerweise eigentlich ausschließlich geübten Alpinisten oder Skifahrern vorbehalten bleiben.

**SCHWIERIGKEITSGRAD**
Schwere Radtour mit 12 % Höchststeigung auf 1,5 km Länge im unteren Teil der Strecke; sonst lange Abschnitte mit Steigungen zwischen 8 und 10 %

**LÄNGE** 26,5 km

**HÖHENDIFFERENZ** 1728 m

**ZEIT** 3–4 1/2 Stunden

**BEFAHRBARKEIT**
Die Auffahrt ist in der Regel ab Ende Juni schneefrei.

**STRASSENZUSTAND**
Auf den ersten 6 km bis Rochemolles Asphalt; dann steinige Erdstraße, teilweise mit losem Schotter bedeckt

**HÜTTEN/UNTERKÜNFTE**
Rifugio Scarfiotti (km 14,0; 1. Juli–30. September geöffnet)

**KARTE** Istituto Geografico Centrale, Torino, 1:50 000, Blatt 1

*Der in gut 3000 Meter Höhe gelegene Lac Sommeiller, am Ende der schweren Auffahrt über die Sommeiller-Bergstraße.*

 **STRECKENBESCHREIBUNG**

| | |
|---|---|
| **km 0,0 (1312 m)** | In Bardonècchia dem Hinweisschild »Rochemolles« folgend zwischen dem Eisenbahntunnel und den Betonabstützungen der Autobahn entlang, dann unter dieser hindurch und auf asphaltierter Straße über eine Kehrengruppe mit 12 % Steigung nach oben. |
| **km 2,5** | Nach der Kehrengruppe bei zurückgehender Steigung auf ebener Strecke weiter bis Rochemolles. |
| **km 6,0 (1768 m)** | Am Ort vorbei, nunmehr auf einer Erdstraße, über Kehren mit einer Steigung von bis zu 10 % zu den Almhütten von Grand Mouchecuite. |
| **km 8,0** | Nach den Almhütten über kurze Anstiege mit bis zu 10 % Steigung, unterbrochen von flacheren Abschnitten, weiter zum Lac di Rochemolles. |
| **km 12,5 (1978 m)** | Am See-Ende über eine Brücke auf die linke Talseite und anfangs über Kehren mit bis zu 10 % Steigung, dann bei nachlassender Steigung in den Talkessel um das Rifugio Scarfiotti. |
| **km 14,0 (2156 m)** | An der Abzweigung zum Rifugio Scarfiotti vorbei und über eine Kehrengruppe mit 8 % Steigung in ein weiteres Hochtal. |
| **km 18,5** | Über weitere Kehrengruppen bis zu 8 % Steigung beständig aufwärts zum Gipfelhang. |
| **km 21,5** | Auf weiteren Kehren mit 8 % Steigung über den Gipfelhang hinauf bis zur verfallenen Talstation einer ehemaligen Sommerskistation. |
| **km 26,5 (3040 m)** | Ende der Straße auf dem Hochplateau bei der aufgelösten Sommerskistation. |

# Jafferau-Bergstraße

**Höchster Punkt:** 2801 m  **Länge:** 23,5 km
**Höhendifferenz:** 1701 Hm  **Zeit:** 3–4 1/2 Std.
**Schwierigkeitsgrad:** schwer

Es bedarf nicht nur einer guten Kondition, sondern auch einer guten Beleuchtung, um zum alten Fort auf dem Monte Jafferau zu gelangen. Nur mit einem von beiden wird man die Strecke nicht schaffen – ohne Licht wird man sich nicht durch den 850 Meter langen Tunnel wagen, der dann ein wirklich unüberwindbares Hindernis darstellt, und ohne Kondition wird man die gut 1700 Höhenmeter auch nicht schaffen. Hat man allerdings beides, liegt eine der schönsten und reizvollsten Unternehmungen in den Alpen vor einem. Gestört könnte man sich allerhöchstens von den vielen Endurofahrern fühlen, die diese Strecke zu einem ihrer beliebtesten Ziele auserkoren haben.

**ANFAHRT** Autobahn Mailand–Turin A 4 und Turin–Susa–Modane A 32, Ausfahrt Oulx Est; auf der S. S. 24 ein kurzes Stück zurück Richtung Susa bis Salbertrand; durch Salbertrand und noch ca. 2,5 km weiter bis zu einer Abzweigung

**STARTORT** Abzweigung an der S. S. 24 Richtung Susa, ca. 2,5 km nach dem Ortsende von Salbertrand (1100 m)

Den Hinweisschildern »Eclause/Frénée/Pramand« folgen.

Gar nicht weit vom Colle Sommeiller entfernt liegt eine weitere Bergstraße, die Beachtung verdient: die Jafferau-Bergstraße. Die magische Dreitausenderzahl erreicht sie mit 2801 Meter Höhe zwar nicht ganz, dafür reiht sie sich mit ihrer Länge von 23,5 Kilometern und einem zu überwindenden Höhenunterschied von 1701 Höhenmetern in die Reihe der ganz schweren Touren ein. Obwohl im gleichen Berggebiet gelegen, unterscheidet

sich die Jafferau-Bergstraße doch deutlich von der Auffahrt zum Colle Sommeiller. Es wirkt hier alles ein bisschen alpiner, die Umgebung erscheint nicht so weit und freundlich, wie es teilweise am Sommeiller der Fall ist. Dies mag vielleicht aber auch daran liegen, dass diese Straße nicht als Ausflugsroute angelegt wurde, sondern eine ehemalige Militärstraße ist.
Der schlechte Straßenzustand wird uns keine allzu großen Probleme machen, wir

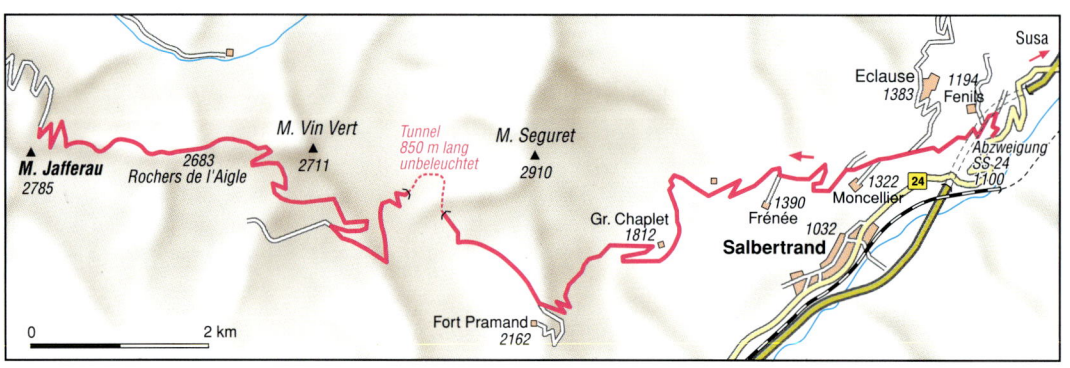

Den unangenehmsten Teil der Auffahrt zum Mont Jafferau, den 850 Meter langen Tunnel, haben diese beiden bereits hinter sich. Jetzt ist der Weg zum Gipfel frei.

**SCHWIERIGKEITSGRAD**
Schwere Radtour mit maximal 12 % Höchststeigung auf einigen kurzen Abschnitten; außerdem lange Abschnitte mit Steigungen zwischen 8 und 11 %

**LÄNGE** 23,5 km

**HÖHENDIFFERENZ**
1701 m

**ZEIT** 3–4 1/2 Stunden

**BEFAHRBARKEIT**
Die Auffahrt ist in der Regel ab Ende Juni schneefrei; offiziell ist die Strecke vom 1. August–30. September geöffnet.

**STRASSENZUSTAND**
Auf den ersten 2,5 km bis Moncellier Asphalt; dann Erdstraße mit teilweise sandigem, kiesigem und grobschottrigem Untergrund, auf den letzten 2,5 km sehr steinig

**HÜTTEN/UNTERKÜNFTE**
Keine

**KARTE** Istituto Geografico Centrale, Torino, 1:50 000, Blatt 1

haben ja unsere grobstolligen Reifen, die uns mit solchen Widrigkeiten gut fertig werden lassen. Eine andere Tatsache wird uns dagegen erheblich größeres Unbehagen bereiten: Nach gut der Hälfte der Auffahrtsstrecke wartet nämlich ein Tunnel auf uns.

Und das ist keiner der Tunnel, wie man sie von den Alpen her gewohnt ist und die man einfach mehr oder weniger schnell hinter sich bringt. Es handelt sich hier vielmehr um eine 850 Meter lange enge Röhre, in die absolut kein Lichtstrahl vordringt und die zudem nicht selten von Wasserbächen durchzogen ist. Wer hier keine Beleuchtung, sei es in Form einer Taschen-, einer Stirnlampe oder eines (batteriebetriebenen) Fahrradscheinwerfers, bei sich hat, der kann sich nur fast hilflos an den Wänden entlangtasten und wird froh sein, wenn er dieses Gruselstück überwunden hat. Hier wäre man ausnahmsweise dankbar, wenn gerade ein Geländewagen oder ein Enduro-Motorradfahrer des Weges kommen würde. Und an Wochenenden stehen die Chancen dafür gar nicht schlecht, denn zumindest bei Letzteren ist die Straße sehr beliebt.

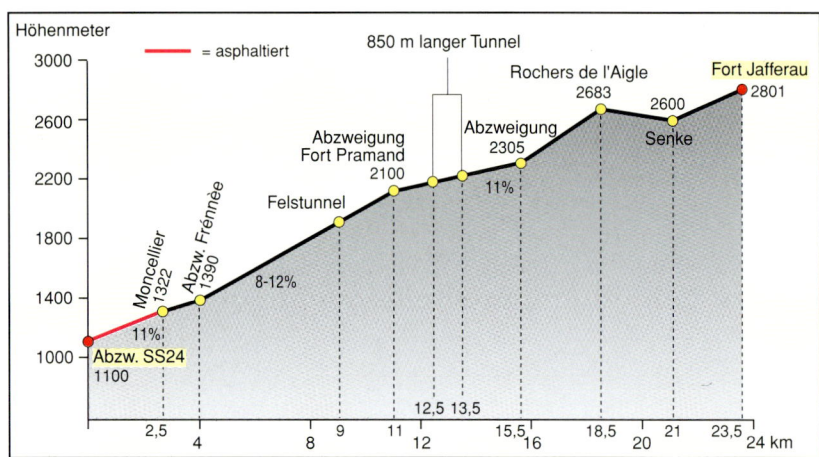

**Höhenmeter**

= asphaltiert

850 m langer Tunnel

Rochers de l'Aigle
2683

Fort Jafferau
2801

2600
Senke

Abzweigung
2305

11%

Abzweigung
Fort Pramand
2100

Felstunnel

Moncellier
1322

Abzw. Frénnée
1390

8-12%

11%

Abzw. SS24
1100

3000

2600

2200

1800

1400

1000

2,5    4    8    9    11   12   15,5  16  18,5  20  21  23,5  24 km
                        12,5 13,5

durch Hangabrutschungen und Felsab-
brüche immer unpassierbarer wird, erscheint diese Alternative jedoch nicht
mehr ratsam.

## Tipp

Für diejenigen, die dieser Tunnel doch allzu sehr abschreckt, die aber trotzdem gerne auf den Mont Jafferau möchten, bietet
sich eine interessante Alternative an. Von
Westen führt nämlich eine relativ neue,
ebenfalls unbefestigte Trasse nach oben.
Sie nimmt ihren Ausgangspunkt in der
Ortschaft Savoulx (1120 m), zwischen
Oulx und Bardonècchia an der S.S. 335 gelegen, wo man den Hinweisschildern zu
den Weilern »Clots« und »Coustaus«
folgt. 1680 Höhenmeter mit Steigungen
bis zu 20 % sind dabei bis zum Gipfel zu
überwinden.

## Hinweis

Wegen des langen unbeleuchteten Tunnels muss man bei dieser Tour unbedingt
Beleuchtung mitnehmen. Im Berichtsjahr
konnte der Tunnel zwar über einen Seitenstollen verlassen und auf einem schmalen
Pfad umgangen werden. Da dieser Pfad jedoch zunehmend verfällt und außerdem

*Schöner Blick auf die
Streckenführung unter-
halb des Berggrates am
Rocher de l'Aigle, dem
Adlerfelsen.*

 **STRECKENBESCHREIBUNG**

**km 0,0 (1100 m)** Auf der mit »Eclause/Frénée/Pramand« beschilderten Strecke über Kehren mit 11 % Steigung bis zur Abzweigung.

**km 1,0** Weiter geradeaus Richtung Fenils, an einer alten Kasernenanlage vorbei und mit 8 % Steigung bis zur nächsten Abzweigung.

**km 2,0** An der Abzweigung der Beschilderung »Pramand/Frénée« folgend nach Moncellier.

**km 2,5 (1322 m)** In Moncellier nunmehr auf einer Erdstraße über Kehren mit 8 % Steigung bis zur Abzweigung nach Frénée.

**km 4,0 (1390 m)** An der Abzweigung vorbei auf kurz abfallender, dann auf 8 %, kurz auch bis auf 12 % ansteigender Trasse bis zu einem kurzen Felstunnel und durch diesen hindurch.

**km 9,0** Nach dem Tunnel hinauf zu einem Hochplateau mit Wendeplatz.

**km 11,0 (2100 m)** Am Wendeplatz an der zum Fort Pramand abzweigenden Straße vorbei und auf leicht ansteigender Straße zu einem weiteren kurzen Felstunnel und durch diesen hindurch.

**km 12,5** Noch durch einen weiteren, 850 Meter langen unbeleuchteten Tunnel und weiter bis zu einem verfallenen Haus.

**km 13,5** Nach dem verfallenen Haus auf anfangs noch ansteigender, dann abfallender Straße zur Straßenbiegung.

**km 14,5** Nach der Biegung auf der mit 11 % ansteigenden Straße weiter bis zur Abzweigung.

**km 15,5 (2305 m)** An der Abzweigung vorbei, über eine Kehrengruppe mit bis zu 10 % Steigung zum Berggrat am Rochers de l'Aigle.

**km 18,5 (2638 m)** Vom Berggrat auf ebener, teils fallender Trasse zur Senke.

**km 21,0 (2600 m)** Von der Senke auf der wieder mit bis zu 8 % ansteigenden Straße bis zum Fort Jafferau.

**km 23,5 (2801 m)** Ende der Straße beim Fort Jafferau.

# 25 Chaberton-Bergstraße

**Höchster Punkt:** 3130 m
**Höhendifferenz:** 1854 Hm
**Schwierigkeitsgrad:** schwer

**Länge:** 14,0 km
**Zeit:** 3 1/2–5 1/2 Std.

**Zweifellos das Highlight für Gipfelstürmer im Alpenraum, ist die Straße auf den Mont Chaberton, den Grenzberg zwischen Italien und Frankreich, der nicht nur seiner Höhe wegen, sondern vor allem auch wegen seiner Form und Lage »König des Susatals« genannt wird. Obwohl es in den Alpen natürlich noch höhere Berge gibt, so gibt es doch keinen, zu dem eine mit dem Mountainbike befahrbare Straße so weit hinaufführt. Wenngleich das mit dem Befahren hier so eine Sache ist – einen guten Teil der Strecke wird man schieben müssen –, so werden Sie mir, oben an den Mauern des alten Forts angekommen, Recht geben: Diese Tour ist für Mountainbiker eines der gewaltigsten und eindrucksvollsten Erlebnisse überhaupt.**

**ANFAHRT** Autobahn Mailand–Turin A 4 und Turin–Susa–Modane A 32, Ausfahrt Oulx Est; weiter auf der S. S. 24 Richtung Col di Montgenèvre/Cesena-Torinese bis zur Abzweigung nach Fenils ca. 5,5 km nach dem Ortsende von Oulx bzw. ca. 3,5 km vor dem Ortsanfang von Cesena-Torinese.

**STARTORT** Abzweigung nach Fenils (1276 m)

Die Ortschaft Fenils liegt etwas abseits der S. S. 24, von Oulx kommend sind lediglich zwei Steinhäuser sowie eine Bushaltestelle am Straßenrand zu erkennen.

Der 3130 Meter hohe Mont Chaberton ist der für Mountainbiker höchste anfahrbare Punkt in den Alpen. Ganz klar, dass die Tour dort hinauf, zumindest für die Gipfelstürmer unter uns, einen ganz besonderen Stellenwert hat. Höher hinaus geht es in den Alpen mit dem Bike einfach nicht mehr, zumindest dann nicht, wenn man

eine Straße als Grundlage für den Gipfelsturm nimmt und sein Sportgerät nicht geschultert in irgendwelche unwegsamen Regionen trägt.

Allerdings ist das mit der Befahrbarkeit schon so eine Sache. Zum einen haben wir es hier mit gut 1850 Höhenmetern auf einer Streckenlänge von 14 Kilometern zu tun, die überhaupt erst einmal mit reiner Muskelkraft bewältigt sein wollen, was die Steigungen von bis zu 18 % zusätzlich erschweren. Das größere Problem allerdings dürfte die Straße

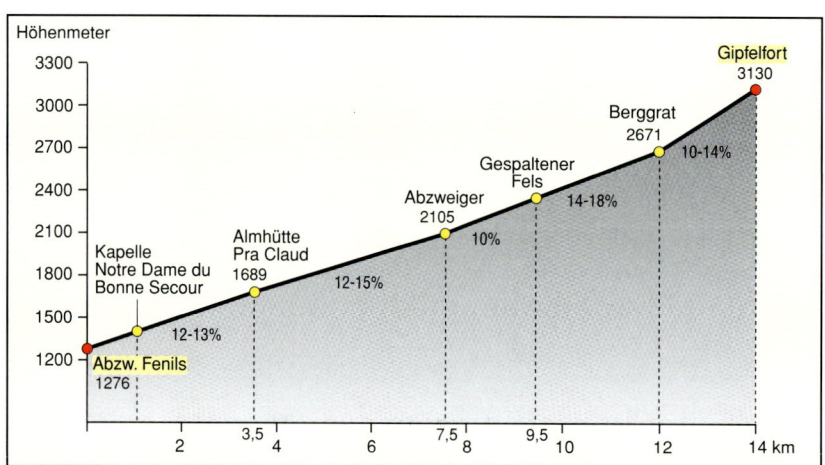

*So wie hier, kurz unterhalb des Gipfels, wird man einen großen Teil der Auffahrt zum Mont Chaberton wohl schieben müssen.*

selbst sein, die dem Verfall preisgegeben wurde, und deren loser grober Schotter keine griffige Verbindung zu unseren Reifen herstellen mag. Im oberen Bereich gleicht die Trasse sogar mehr einem Geröllfeld, an eine Befahrung ist dort nicht zu denken. Mehr als die Hälfte der Strecke habe ich deshalb bei meinem ersten Befahrungsversuch geschoben, und bei einem weiteren waren es eher noch mehr Schiebekilometer, was vielleicht aber auch an der geringeren Zahl meiner Trainingskilometer gelegen haben mag. Wie dem auch sei, gänzlich befahren wird die Chaberton-Bergstraße niemand, der eine wird nur weniger schieben als der andere. Trotzdem möchte ich Ihnen diese Tour sehr empfehlen. Sie ist ein beeindruckendes Erlebnis, und vom schlechten Straßenzustand abgesehen gibt es keine Gefahren.

Wenn man das Rad dann an die Mauer der alten Festung lehnt, die noch heute eine fast beängstigende Mächtigkeit ausstrahlt, kann man zu Recht Stolz sein, hier oben zu stehen. Außerdem wartet dann ja noch die Abfahrt auf uns, die diesmal die eigentliche Belohnung ist und für die Mühen der Auffahrt reichlich entschädigt.

**SCHWIERIGKEITSGRAD**
Schwere Radtour mit 18 % Höchststeigung auf wenigen kurzen Abschnitten; sonst meist zwischen 11 und 13 % liegende, doch immer wieder auch kurze, 14- bis 15%ige Steigungen

**LÄNGE** 14,0 km

**HÖHENDIFFERENZ** 1854 m

**ZEIT** 3 1/2–5 1/2 Stunden

**BEFAHRBARKEIT** Die Auffahrt ist in der Regel ab Ende Juni schneefrei.

**STRASSENZUSTAND**
Ab dem Ortsende von Fenils (km 1,0) Erdstraße mit Kies und grobem losem Schotter, durch Hangabrutschungen im Berichtsjahr für Autos nicht mehr befahrbar; Strecke im oberen Bereich im Verfall

**HÜTTEN/UNTERKÜNFTE** Keine

**KARTE** Istituto Geografico Centrale, Torino, 1:50 000, Blatt 1

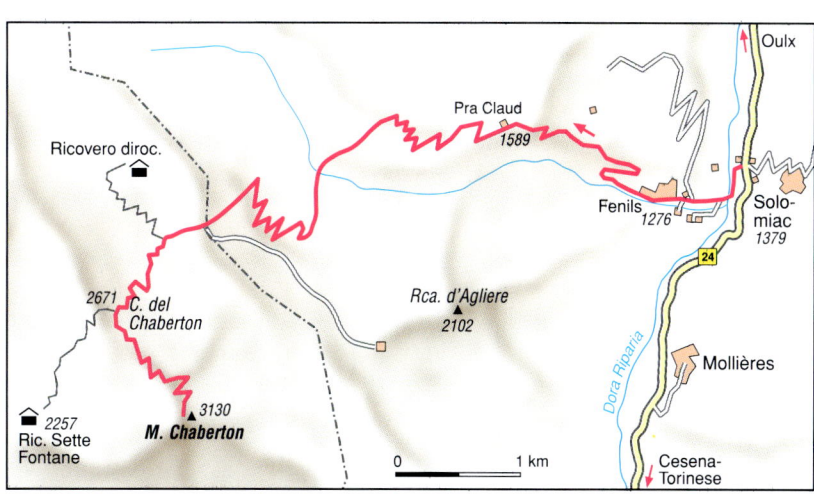

*Der »Gespaltene Fels«, etwa in der Mitte der Strecke am Mont Chaberton gelegen.*

 **STRECKENBESCHREIBUNG**

**km 0,0 (1276 m)** Auf der von der Bushaltestelle abzweigenden Asphaltstraße (Beschilderung »Fenils«) 200 Meter weit bis zum Fluss hinunter. Über die Brücke und an dem einmündenden Bach entlang am Ortsrand durch Fenils.

**km 1,0** Am Ortsende Übergang von Asphalt in Erdstraße, über Steigungen von bis zu 12 % bis zur Kapelle Notre-Dame du Bonne Secour.

**km 3,0** Hinter der Kapelle verzweigt sich der Weg, beide Wege führen aber nach ca. 500 Meter wieder zusammen, wobei die rechte Trasse mit bis zu 13 %, die linke etwas gemächlicher zur Almhütte von Pra Claud ansteigt.

**km 3,5 (1689 m)** Nach der Hütte verzweigt sich der Weg nochmals, wieder führen die Wege nach kurzer Zeit zusammen; weiter über enge Kehren mit Steigungen um 11 %, kurz auch auf 15 % zunehmend, bis zur Abzweigung.

**km 7,5 (2105 m)** An der Abzweigung dem rechts abbiegenden Weg folgend über Kehren mit ständig schlechter werdendem Untergrund bei 10 % Steigung zum »Gespaltenen Fels«.

**km 9,5** Am »Gespaltenen Fels« vorbei und auf teilweise mit Holzbohlen abgestützter Trasse in den Talkessel. Dann über Kehren und Rampen mit Steigungen von bis zu 14 %, kurz auch 18 %, bis zum Beginn des Gipfelgrats.

**km 11,5** Über Serpentinen wieder mit Steigung von bis zu 14 % bis zu den Grundmauern eines verfallenen Hauses.

**km 12,0 (2671 m)** Am Hausfundament vorbei und den Gipfelhang über Kehren mit bis zu 10 %, kurz auch 14 % Steigung hinauf bis zu einem verfallenen Haus.

**km 13,0** Von diesem verfallenen Haus aus über enge Kehren hinauf zum Gipfelplateau.

**km 14,0 (3130 m)** Ende der Straße bei der verfallenen Festung am Gipfelplateau.

# 26 Varaita-Máira-Kammstraße

**Höchster Punkt:** 2310 m  
**Höhendifferenz:** 913 Hm  
**Schwierigkeitsgrad:** mittelschwer

**Länge:** 29,5 km  
**Zeit:** 2 1/2–4 Std.

**Es hat schon seinen Reiz, wenn man aus der sonnigen, brettebenen Poebene langsam, erst noch mit dem Auto, dann mit dem Bike in immer höhere alpine Regionen vorstößt. Dabei zählt diese landschaftlich überaus reizvolle Tour noch nicht einmal zu den schweren Touren, sondern kann auch von nicht bis zur letzten Faser austrainierten Bikern bewältigt werden. Ein Vorteil ist auch, dass man auf der Rückfahrt kaum Gegenanstiege zu bewältigen hat, wie dies bei anderen Kammstraßen leider öfter der Fall ist. Alles in allem ist die Varaita-Máira-Kammstraße eine Tour für Genussbiker mit leicht sportlichem Einschlag.**

**ANFAHRT** Autobahn Mailand–Turin A 4 und Turin–Savona A 6, Ausfahrt Marene; weiter über Marene–Savigliano–Saluzzo–Verzuolo–Piasco–Venasca–Brossasco–Valmala nach Sant. di Valmala

**STARTORT** Sant. di Valmala (1379 m)

Bei der Einfahrt in den Ort erkennt man links einen Steinbrunnen. Hier der links abzweigenden Asphaltstraße folgen, die nur leicht ansteigend zu einer ausgedehnten Lichtung (Picknickplatz) führt.

Wenn wir die auf den vorangegangenen Seiten beschriebenen Berg- und Passstraßen des Piemont bereits kennen gelernt haben, können wir uns einer weiteren Kammstraße dieser Region zuwenden. Die Varaita-Máira-Kammstraße ist ein reizvolles Höhensträßchen entlang eines Bergkamms, der die Täler der Varaita und der Máira voneinander trennt. Neben seinen landschaftlichen Vorzügen weist diese Kammstraße noch einen weiteren, nicht zu unterschätzenden Vorteil auf. Während Kammstraßen im Gegensatz zu Pass- und Bergstraßen in der Regel nicht geradlinig nach oben, sondern abwechselnd ansteigend und abfallend verlaufen und man so für den Rückweg eine ganze Reihe von zusätzlichen Höhenmetern einplanen

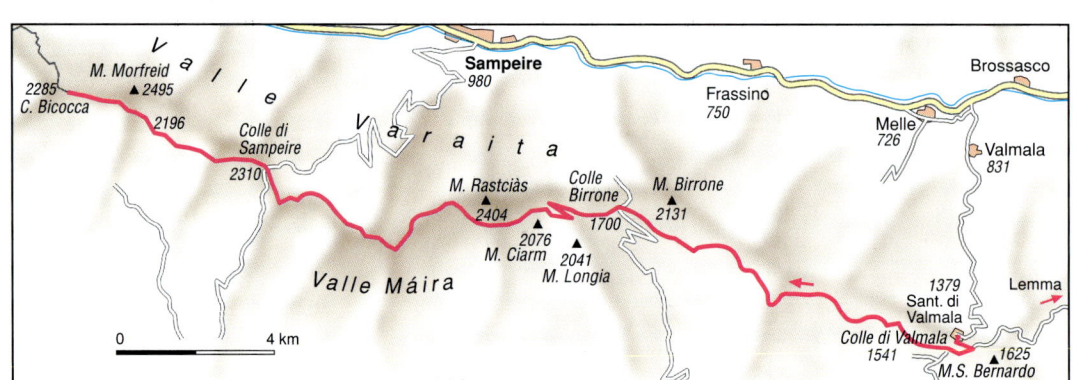

*Pelvo d'Elva heißt diese eigenwillig geformte Berggestalt über dem Colle Bicocca am Endpunkt der Varaita-Màira-Kammstraße.*

**SCHWIERIGKEITSGRAD**
Mittelschwere Radtour mit 10 % Höchststeigung auf ca. 1,5 km Länge am Beginn der Auffahrt; sonst lange Abschnitte mit Steigungen zwischen 6 und 8 %

**LÄNGE** 29,5 km

**HÖHENDIFFERENZ**
913 m

**ZEIT** 2 1/2–4 Stunden

**BEFAHRBARKEIT**
Die Auffahrt ist in der Regel ab Mitte Juni schneefrei.

**STRASSENZUSTAND**
Auf den ersten 6,5 km Asphalt; dann steinige Erdstraße, teilweise mit grobem losen Schotter

**HÜTTEN/UNTERKÜNFTE**
Keine

**KARTE** Istituto Geografico Centrale, Torino, 1:50 000, Blatt 7 und 6

*Schöne Ausblicke, hier nach Süden über die Berge des Màiratales, bieten sich bereits im unteren Teil der Auffahrt.*

muss, trifft das für diese Kammstraße nicht zu. Sie führt über den gesamten Bergkamm bis hinauf zum Colle di Sampeire recht beständig aufwärts, was die Rückfahrt erheblich vereinfacht.

Wer mit dieser Auffahrt noch nicht ausgelastet ist, der kann vom Endpunkt der Kammstraße am Colle di Sampeire noch knapp 6,6 Kilometer leicht abwärts zum Colle Bicocca radeln und erst dort umkehren. Damit kommen insgesamt zwar einige Streckenkilometer mehr auf den Tacho, aber nicht sehr viele zusätzliche Höhenmeter, denn der Höhenunterschied beträgt nur mäßige 25 Meter.

Schwierigkeiten erwarten uns auf der gesamten Strecke keine, sieht man einmal von einigen Abschnitten mit recht unangenehm zu befahrendem groben und losen Schotter ab. Während man auf weiten Teilen der Strecke recht ungestört unterwegs sein dürfte, hat man es erst am Colle di Sampeire wieder mit stärkerem Ausflugsverkehr zu tun, da hier sowohl von Sampeire im Varaitatal im Norden als auch von Bassura aus dem südlich gelegenen Máiratal gut ausgebaute Straßen heraufführen.

Am Endpunkt der Tour angelangt, dürfte die Hauptattraktion das Felsendreieck des Montviso weit im Norden sein, mit seinen 3841 Meter Höhe beherrschende Berggestalt dieser Region. Und wer dann den Wunsch verspürt, diesem Berg mit dem

Bike näher zu Leibe zu rücken, sollte sich mit Tour 36 befassen.

## Tipp

Am Endpunkt der Straße kann der 6,5 Kilometer langen, leicht abfallenden Trasse zum Wendeplatz bei einer Hausruine am Colle Bicocca, am Fuße des Pelvo d'Elva, gefolgt werden (2285 Meter). Interessanter als die Ruine ist dort allerdings eine steinerne Panoramatafel, die uns über die Bergspitzen der Umgebung informiert.

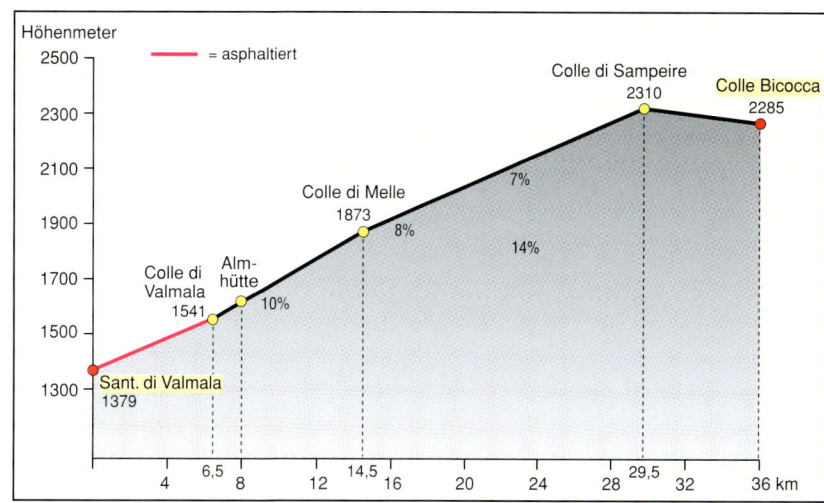

 **STRECKENBESCHREIBUNG**

**km 0,0 (1379 m)** In Sant. di Valmala an einem Steinbrunnen der links abbiegenden, leicht ansteigenden Asphaltstraße bis zur Lichtung folgen.

**km 1,5** Bei der Lichtung der scharf rechts abknickenden Straße folgen, sie führt anfangs mit 10 %, dann mit nachlassender Steigung bis zur Kammhöhe am Colle di Valmala.

**km 6,5 (1541 m)** Am Colle di Valmala nun auf einer Erdstraße fast eben bis zu einer Almhütte.

**km 8,0** Nach der Almhütte Wechsel auf die rechte, nördliche Kammseite und leicht abfallend weiter zum Wiesensattel des Colle di Melle mit Holzkreuz.

**km 14,5 (1873 m)** Mit anfangs 8%iger, dann auf 6 % zurückgehender Steigung auf schlechter werdender Trasse über Kehren zu einem kleinen Einschnitt am Bergkamm.

**km 20,5** Über Einschnitt auf die südliche Kammseite wechseln und mit einer Steigung von anfangs bis zu 7 %, dann geringer hinauf zum Colle di Sampeire.

**km 29,5 (2310 m)** Ende der Auffahrt am Colle di Sampeire.

# 27 Máira-Stura-Kammstraße

**Höchster Punkt:** 2437 m
**Höhendifferenz:** 1777 Hm
**Schwierigkeitsgrad:** schwer

**Länge:** 39,0 km
**Zeit:** 4–5 1/2 Std.

Was mir von der Máira-Stura-Kammstraße am eindrucksvollsten in Erinnerung geblieben ist? Die Tatsache, dass die Rückfahrt fast anstrengender war als die Auffahrt. Und die war mit fast 1800 Höhenmetern schon schwer genug! Zwar ist die extrem steinige Straße durchgehend befahrbar, aber wie steinig sie wirklich ist, merkt man erst bei der Rückfahrt. Bei höheren Geschwindigkeiten war es kaum mehr möglich, den Lenker festzuhalten, und zu guter Letzt hatte ich auch noch einen zum Glück glimpflich verlaufenen Sturz. Allerdings hatte ich damals noch keine Federgabel, und als ich die Strecke dann ein zweites Mal mit Federgabel fuhr, ging es deutlich besser.

**ANFAHRT** Autobahn Mailand–Turin A 4 und Turin–Savona A 6, Ausfahrt Fossano; weiter über Fossano auf der S. S. 231 bis Cúneo, dann auf der S. S. 20 bis Borgo San Dalmazzo; in Borgo San Dalmazzo auf die S. S. 21 und über Gaiola–Moiola nach Demonte (ca. 25 km südwestlich von Cúneo)

**STARTORT** Demonte (780 m), ca. 25 km nordwestlich von Cúneo

Im Ort am Hauptplatz der Beschilderung »Fedio/Trinita/S. Giacomo« folgen

Nach der Tour auf der Varaita-Máira-Kammstraße (Tour 26) wenden wir uns einer weiteren Kammstraße dieser Region zu, der Máira-Stura-Kammstraße. Wie der Name schon sagt, verläuft auch sie über einen Bergkamm, der sich zwischen den Tälern der Máira und der Stura erstreckt.

Obwohl sie in unmittelbarer Nachbarschaft zur Varaita-Máira-Kammstraße gelegen ist, unterscheidet diese Tour sich doch erheblich von jener. Zum einen natürlich von ihrem Anforderungsprofil her: Zehn Streckenkilometer sowie gut 850 Höhenmeter mehr stellen schon

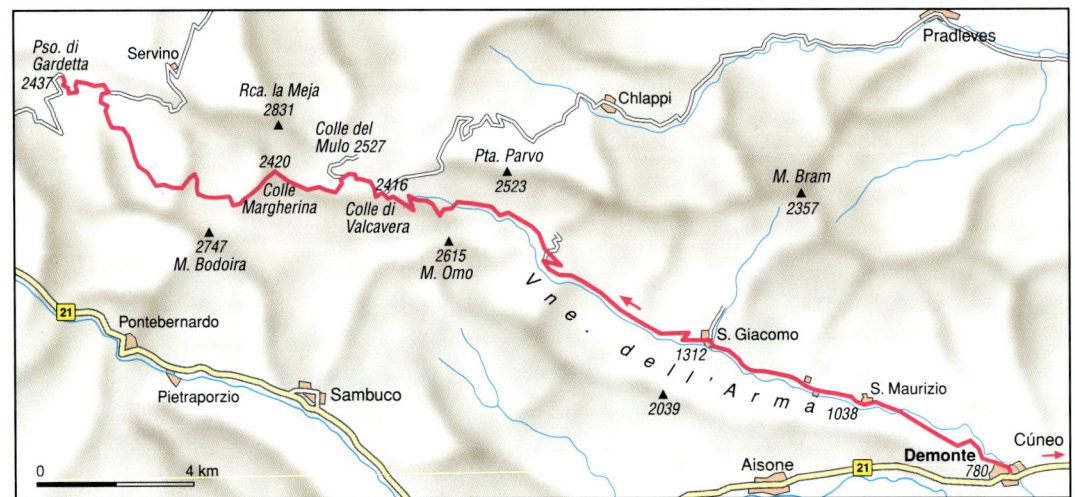

**SCHWIERIGKEITSGRAD**
Schwere Radtour mit 11 % Höchststeigung auf einem kurzen Abschnitt unterhalb der Gardettapasshöhe; sonst lange Abschnitte mit Steigungen zwischen 8 und 10 %

**LÄNGE** 39,0 km

**HÖHENDIFFERENZ** 1777 m

**ZEIT** 4–5 1/2 Stunden

**BEFAHRBARKEIT** Die Auffahrt ist in der Regel ab Mitte Juni schneefrei.

**STRASSENZUSTAND** Auf den ersten 14,5 km Asphalt; dann extrem steinige Erdstraße mit grobem losen Schotter

**HÜTTEN/UNTERKÜNFTE** Keine

**KARTE** Istituto Geografico Centrale, Torino, 1:50 000, Blatt 7

deutlich höhere Anforderungen an die Kondition, und so sollten sich nur wirklich gut trainierte Biker an die Befahrung der Máira-Stura-Kammstraße wagen.

Hinzu kommt ein Straßenzustand, der mir als außergewöhnlich steinig in Erinnerung ist. Dies macht schon die Auffahrt deutlich mühsamer, ganz schlimm wird es allerdings dann bei der Rückfahrt. Das Geholper und Geschüttel abwärts erfordert fast mehr Kraft, um das Bike in der Spur zu halten, als man für das Berghochkommen verwenden musste. Eine Federgabel erscheint hier unabdingbar, und wenn ein vollgefedertes Bike seine Berechtigung hat, dann hier.

Wer am Hauptplatz von Demonte den Hinweisen »Fedio«, »Trinita« oder »San Giacomo« folgend ins Vallone dell'Arma einradelt, hat glücklicherweise erst einmal 14,5 Kilometer Asphalt unter den Reifen,

und um die wird er vor allem bei der Abfahrt recht froh sein. Erst fast am Talschluss endet der Asphalt und geht unvermittelt in eine steinige, grobschottrige Erdstraße über. Nicht die Steigung ist es dann auch, die unser Vorwärtskommen erschwert – sie liegt meist bei gemäßigten 8 % –, sondern eben dieser Untergrund.

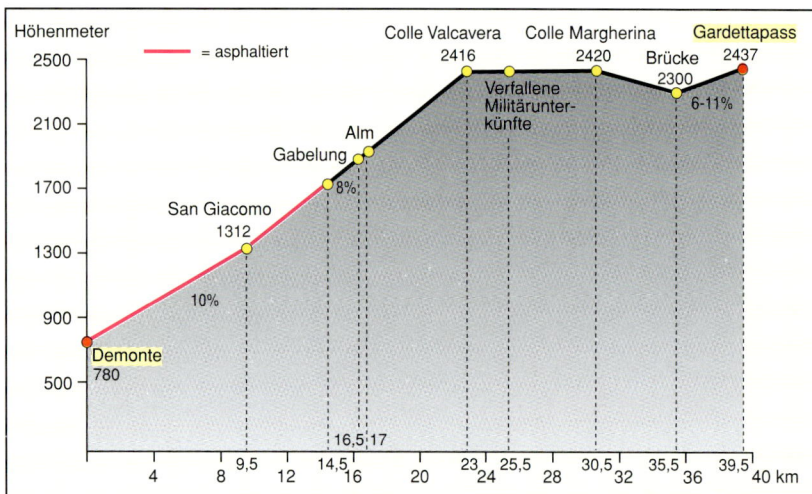

gezeichneten Bergspitzen. Der Montviso, weit im Norden, ist auch hier die beherrschende Berggestalt und der immer wieder dorthin geworfene Blick verkürzt die Einförmigkeit der sich manchmal quälend lang hinziehenden Trasse. Die Ruinen ehemaliger Militärbauten, die wir auf unserem Weg hinauf passieren, sind ein deutlicher Hinweis auf die Nutzung dieser Trasse im Ersten Weltkrieg. Menschen trifft man dort oben nur wenige, dafür aber viele Murmeltiere, die bei unserem Näherkommen schrill pfeifend in irgendwelchen Fels- oder Erdhöhlen verschwinden. Den Endpunkt der Tour schließlich wird man eines Hangabrutsches wegen wohl nur schiebend erreichen.

Doch davon abgesehen handelt es sich um eine rundum schöne Tour hinein in eine einsame Hochgebirgslandschaft mit dunkelbraunen, von der Erosion deutlich

*Zwar lange, aber ohne allzugroße Steigungen zieht sich die Maira-Stura-Kammstraße mitten hinein in eine einsame Hochgebirgslandschaft.*

 **STRECKENBESCHREIBUNG**

**km 0,0 (780 m)**    Der Beschilderung »Fedio/Trinita/San Giacomo« folgend auf einer Asphaltstraße ins Vallone dell'Arma mit Steigungen von maximal 10 %, meist jedoch darunter, bis San Giacomo.

**km 9,5 (1312 m)**    Durch San Giacomo hindurch und weiter der asphaltierten Straße folgen.

**km 14,5**    Der Asphalt geht in grobschottrige Erdstraße über, weiter mit einer Steigung von bis zu 8 % bis zur Wegverzweigung.

**km 15,5**    Hier sind beide Wege möglich – sie führen nach ca. einem Kilometer wieder zusammen, dann weiter bis zu einer Gabelung.

**km 16,5**    An der Gabelung dem nach links führenden Weg zur Alm folgen.

**km 17,0**    An der Alm vorbei auf grobem losen Schotter mit 8 % Steigung hoch zum Kammeinschnitt am Colle di Valcavera.

**km 23,0 (2416 m)**    Vom Kammeinschnitt wieder abwärts, an der Einmündung der vom Máiratal hochführenden Trasse vorbei und über eine Kehre hinab in den Talkessel.

**km 23,5**    Dem leicht ansteigenden Weg am rechten Rand des Talkessels bis zur Wegteilung folgen.

**km 25,0**    An der Wegteilung links haltend weiter bis zu verfallenen Militärunterkünften.

**km 25,5**    An den Militärunterkünften vorbei und auf leicht ansteigender Trasse zum Colle Margherina mit Wendeplatz und einem Kilometerstein mit Aufschrift »30«.

**km 30,5 (2420 m)**    Vom Colle Margherina leicht abwärts bis zur Brücke.

**km 35,5 (2300 m)**    Bei der Brücke der zum Gardettapass hinauf anfangs mit 6 %, dann mit bis zu 11 % ansteigenden Trasse folgen, an verfallenen Militärunterkünften vorbei, über Hangabrutschungen hinauf zum Gardettapass.

**km 39,0 (2437 m)**    Ende der Auffahrt am Gardettapass.

# 28 Ligurische-Alpen-Grenzkamm-Höhenstraße

**Höchster Punkt: 2225 m**
**Höhendifferenz: 2500 Hm**
**Schwierigkeitsgrad: schwer**

**Länge: 79,5 km**
**Zeit: 8–11 Std.**

**Die Ligurische-Alpen-Grenzkamm-Höhenstraße ist das Unternehmen schlechthin, wenn man den Alpenraum auf unbefestigten Bergstraßen erforschen will. Bergerfahrung, ausgezeichnete Kondition, Orientierungsvermögen sowie eine gute Ausrüstung sind jedoch auf dieser langen Tour genauso unabdingbare Voraussetzungen für das Gelingen wie gutes Wetter. Fehlt auch nur eine dieser Voraussetzungen, sollten Sie besser auf das Unternehmen verzichten. Sind jedoch alle erfüllt, liegt eine mit nichts weniger als mit dem Attribut »grandios« zu beschreibende Mountainbiketour vor Ihnen.**

Ganz im Südwesten Oberitaliens, an der italienischen Riviera, hat eine Kammstraße ihren Ausgangspunkt, die als die längste und abgelegenste des gesamten Alpenhauptkamms gilt: die Ligurische-Alpen-Grenzkamm-Höhenstraße. Wie der Name bereits sagt: Sie verläuft entlang der italienisch-französischen Grenze, in einem heute noch weitgehend einsamen und unerschlossenen Berggebiet östlich des Royatals und ist gut trainierten und erfahrenen Mountainbikern vorbehalten.

Hat man sich fast von Meereshöhe erst einmal über satte 40 Streckenkilometer bis zum Passo Tanarello hinaufgearbeitet, verläuft die Straße auf der zweiten Hälfte der Strecke fast nur in Höhen um 2000 Meter.

**ANFAHRT** Autobahn Genua–Nizza A 10, Ausfahrt Ventimiglia; weiter bis Ventimiglia; im Ort kurz Richtung San Remo und nach der Eisenbahnbrücke die erste Abzweigung links; weiter über Camporosso–Dolceacqua–Isolabona nach Pigna

**STARTORT** Pigna (280 m)

Durch den Ort taleinwärts radeln, dann der Abzweigung »Molini di Triora/Buggio/Colla Langan« und wenig später der nach »Colla Melosa/Molini di Triora« führenden Straße folgen

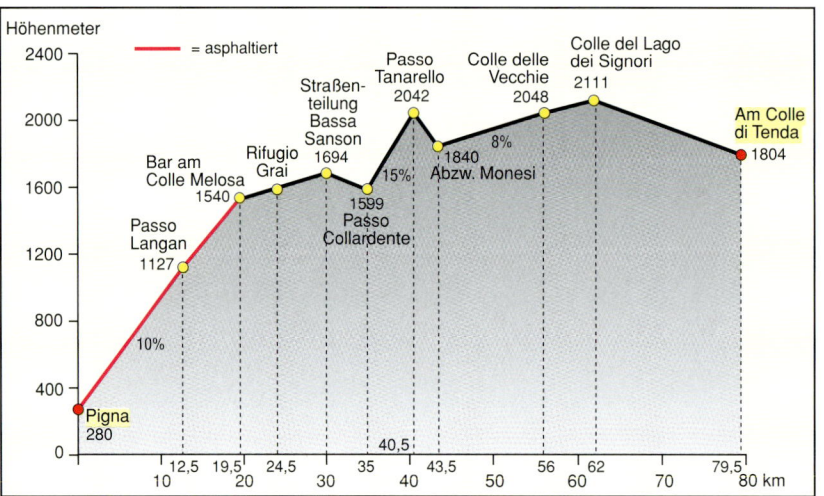

132

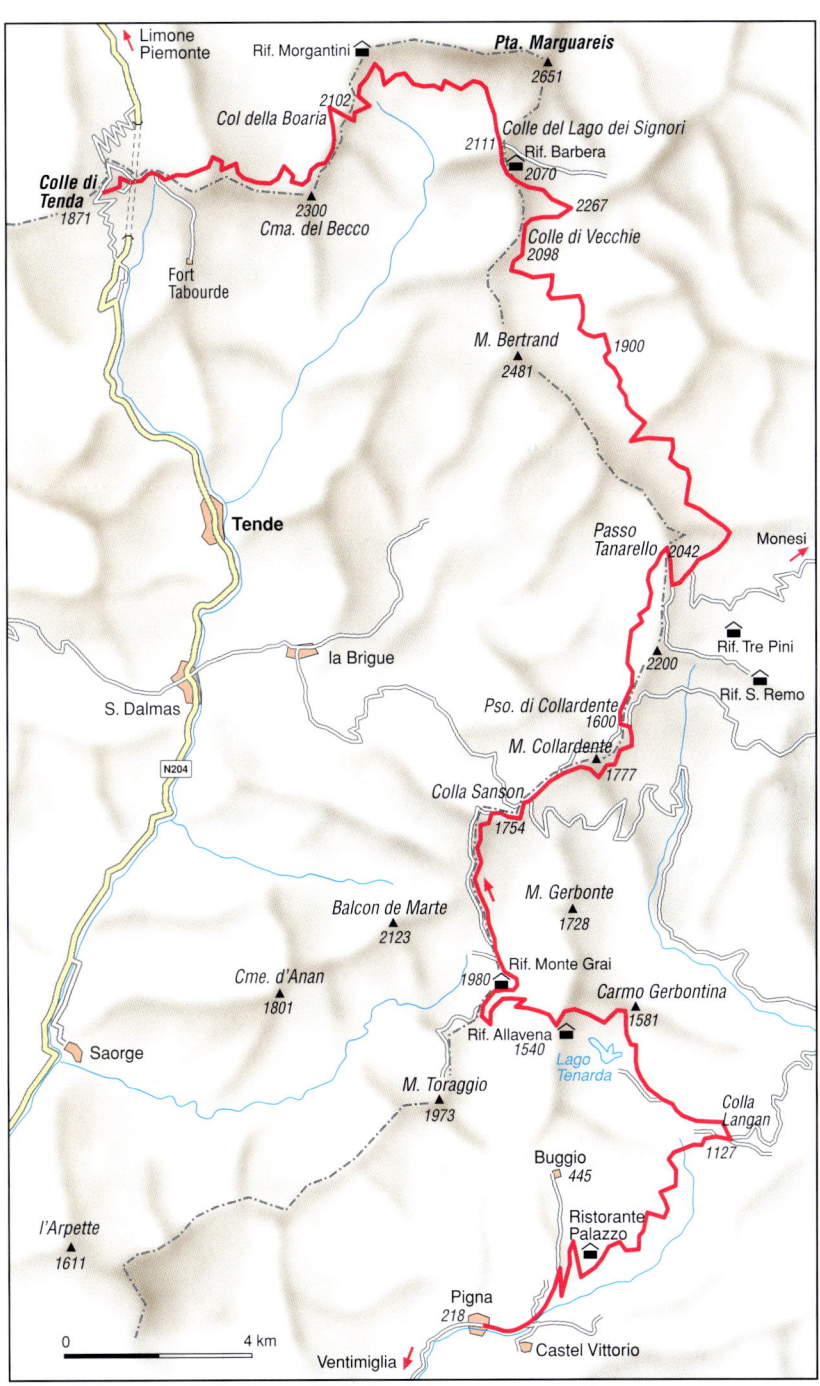

Es versteht sich damit von selbst, dass eine solch lange und abgelegene Tour nur von konditionsstarken und bergerfahrenen Bikern unternommen werden sollte, die auch dann noch zurechtkommen, wenn plötzlich Nebel aufkommen oder schlechtes Wetter einsetzen sollte, was in diesen Höhen und bei einer solch langen Strecke durchaus nicht ungewöhnlich ist.

Auch auf die Ausrüstung ist größter Wert zu legen: Ausreichend Verpflegung sowie wetterfeste Kleidung sind unabdingbar. Denn auf dieser Tour ist man über lange Strecken auf sich allein gestellt, Punkte, an denen man abbrechen und in geschütztere Talschaften abfahren könnte, sind selten, und im Fall einer Panne oder eines Unfalls könnte es einige Zeit dauern, bis Hilfe kommt. Andererseits hat die Ligurische-Alpen-Grenzkamm-Höhenstraße aber auch einiges zu bieten, wofür man solche Unwägbarkeiten durchaus in Kauf nehmen kann, handelt es sich doch um eine der größten und eindrucksvollsten Mountainbiketouren. Und abgesehen von den subjektiv immer drohenden Gefahren ist die Strecke objektiv nicht als gefährlich anzusehen: Es gibt hier weder ausgesetzte noch unwegsame Abschnitte, und von der Topografie her ist die Wegführung eher als ungefährlich anzusehen. Stimmen Kondition, Wetter und Ausrüstung, gibt es keinen Grund, auf dieses Erlebnis zu verzichten.

Wohl aber dem, den am Endpunkt der Tour ein Begleitauto erwartet. Denn von der Passhöhe zurück nach Ventimiglia liegen auf der viel befahrenen Straße 204 gute 55 Kilometer vor einem. Und über die Nordseite hinunter nach Cuneo wären es auch noch gute 35 Kilometer.

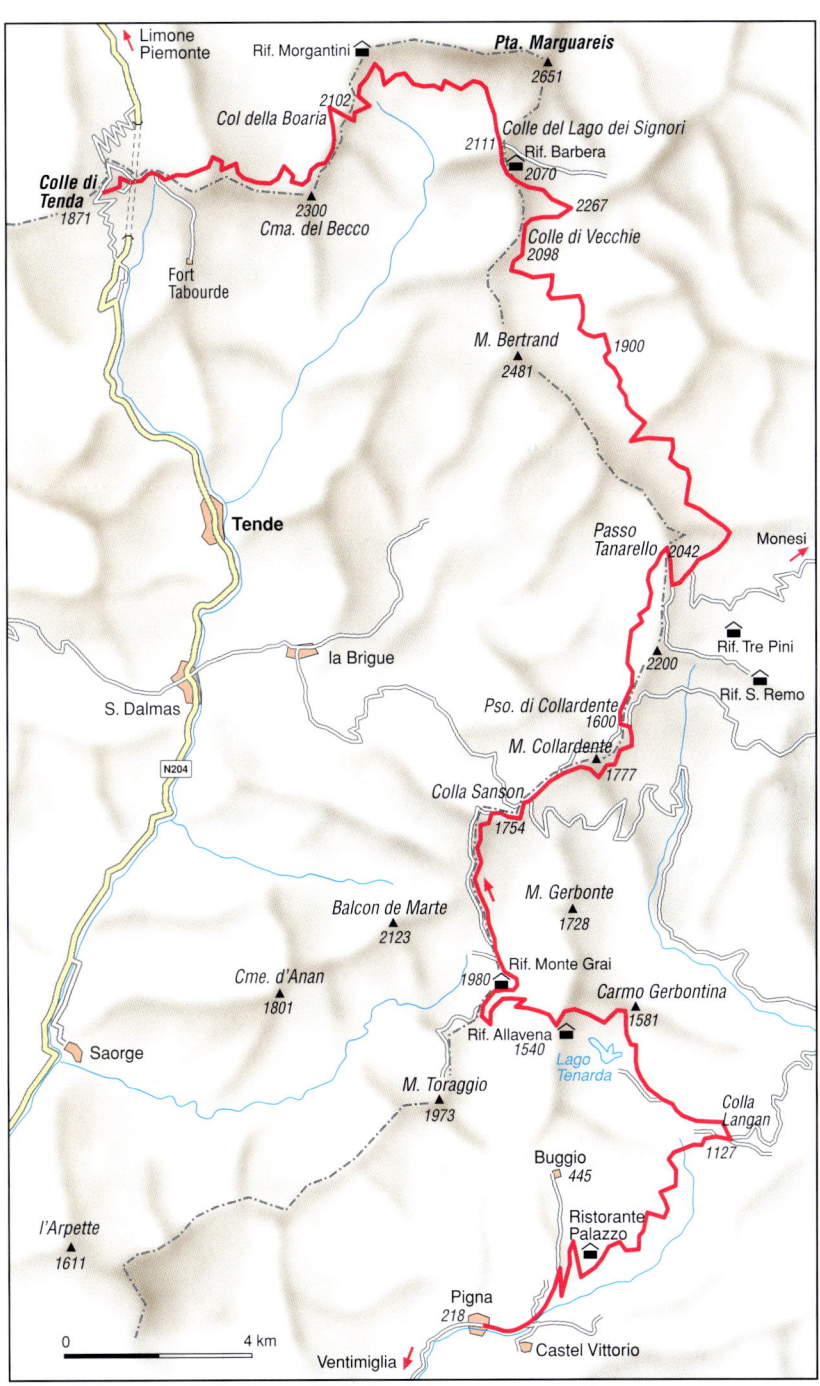

*Unterwegs zwischen dem Passo Tanarello (km 40,5) und dem Colle di Vecchie (km 56,0).*

**SCHWIERIGKEITSGRAD**
Schwere Radtour mit 15 % Höchststeigung auf einem kurzen Abschnitt am Passo Tanarello; im ersten Viertel der Strecke langer Abschnitt mit bis zu 10 % Steigung, dann Wechsel zwischen Anstiegen von bis zu 8 % und flacheren Abschnitten

**LÄNGE** 79,5 km

**HÖHENDIFFERENZ**
2500 m

**ZEIT** 8–11 Stunden

**BEFAHRBARKEIT** Die Auffahrt ist in der Regel ab Mitte Juni schneefrei.

**STRASSENZUSTAND**
Auf den ersten 19,5 km bis zur Bar Allavena an der Colla Melosa Asphalt; dann sehr steinige Erdstraße, teilweise mit grobem losen Schotter

**HÜTTEN/UNTERKÜNFTE**
Ristorante Palazzo (km 5,5; ganzjährig geöffnet); Ristorante am Passo Langan (km 12,5; ganzjährig geöffnet); Bar Allavena an der Colla Melosa (km 19,5; ganzjährig geöffnet); Rifugio Monte Grai (km 24,5; unbewirtschaftet; nur mit Schlüssel zugänglich; Schlüssel im Restaurant an der Colla Melosa erhältlich)

**KARTE** Istituto Geografico Centrale, Torino, 1:50 000, Blatt 14 und 8

## STRECKENBESCHREIBUNG

**km 0,0 (280 m)**   Der Straße durch Pigna bis zur Abzweigung folgen.

**km 1,0**   An der Abzweigung erst der Beschilderung »Molini di Triora/Buggio/Colla Langan«, wenig später der nach »Colla Melosa/Molini di Triora« abbiegenden Straße folgen und über vier Kehren mit 10 % Steigung hinauf zum Ristorante Palazzo.

**km 5,5**   Am Ristorante Palazzo vorbei und auf der weiter mit 10 % ansteigenden Straße zum Passo Langan.

**km 12,5 (1127 m)**   Am Passo Langan der links zur Colla Melosa abzweigenden Straße mit Steigungen von bis zu 10 %, meist jedoch deutlich darunter, bis zu einer kleinen Bar folgen.

**km 19,5 (1540 m)**   200 Meter nach der Bar Übergang von Asphalt- in Erdstraße, weiter über 8 % Steigung hinauf zum Rifugio Grai.

 **STRECKENBESCHREIBUNG**

**km 24,5**

Am Rifugio Grai vorbei, an den beiden dann kurz hintereinander folgenden Abzweigungen jeweils die rechts abwärts führende Trasse wählen und abwärts bis zur Straßenteilung an der Bassa Sanson.

**km 30,0 (1694 m)**

An der Straßenteilung der rechts mit »Triora/Monesi« ausgeschilderten Straße folgen, dann Achtung: den nach ca. 4,5 Kilometern an der linken Böschung abzweigenden Weg nicht übersehen. Wer erst beim Rifugio Domingo Fornara abbremst, muss die gut 1,5 Kilometer dort hinunter zur Abzweigung wieder zurück.

**km 34,5**

An der Abzweigung links hoch zum Passo Collardente.

**km 35,0 (1599 m)**

Vom Passo Collardente über grobschottrige steinige Trasse mit 8 % Steigung, einmal auch kurz auf 15 % zunehmend, hinauf zum Passo Tanarello.

**km 40,5 (2042 m)**

Vom Passo Tanarello über Kehren abwärts zur Straßenteilung.

**km 43,5 (1840 m)**

An der Straßenteilung links ab zu einem kleinen Anwesen und an diesem vorbei nun auf lange, nur mäßig ansteigender Trasse, dann mit 8 % Steigung zum Colle di Vecchie.

**km 56,0 (2048 m)**

Vom Colle di Vecchie abfahrend zum Colle del Lago dei Signori.

**km 62,0 (2111 m)**

Vom Colle del Lago dei Signori über abwechselnd leicht ansteigende und abfallende Trasse mit grobem losen Schotter zum Colle della Boaria.

**km 71,5**

Vom Colle della Boaria zuerst eine kurze Abfahrt, dann ein kurzer leichter Anstieg bis zu den Skihängen über dem Tendapass.

**km 74,0**

An der Bergstation eines Schlepp- und Sessellifts vorbei, und von einem kurzen Gegenanstieg bei einem verfallenen Fort abgesehen abwärts bis zum großen Parkplatz an der Einmündung in die Nordseite der Tenda-Passstraße.

**km 79,5 (1804 m)**

Ende der Grenzkamm-Höhenstraße beim Parkplatz an der Einmündung in die Tenda-Passstraße.

# Touren in der Schweiz

# 29 Alp-Discholas-Bergstraße

**Höchster Punkt:** 2073 m  
**Höhendifferenz:** 842 Hm  
**Schwierigkeitsgrad:** mittelschwer

**Länge:** 8,0 km  
**Zeit:** 1 1/2–2 Std.

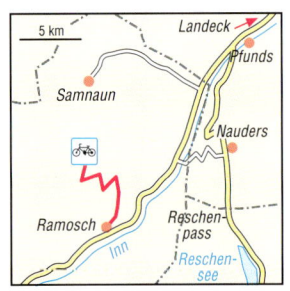

Auch wenn sich diese Tour im Schweizer Kanton Graubünden befindet, so ist sie doch landschaftlich gesehen alles andere als grau. Der Name Graubünden geht ja schließlich auch nicht auf landschaftliche Gegebenheiten oder vorherrschende Wetterverhältnisse zurück, sondern auf den »Grauen Bund«, zu dem sich verschiedene Schweizer Talschaften zum Schutz gegen äußere Feinde zusammenschlossen. Graubünden ist vielmehr als Sonnenland bekannt, dessen Hochtäler von rauen Winden geschützt und deshalb mild, trocken und staubfrei sind. Regen fällt allerdings auch in Graubünden, an etwa 80 Tagen im Jahr, aber so einen Regentag müssen Sie ja bei nachfolgend beschriebener Tour nicht gerade erwischen.

**ANFAHRT** Autobahn Innsbruck–Landeck A 12, Ausfahrt Zams/Landeck Ost; weiter nach Landeck; von Landeck anfangs auf der B 315 über Pfunds bis Kajetansbrücke; dort über die Schweizer Grenze auf der Straße 27 über Vinadi–Martina nach Ramosch im Unterengadin

**STARTORT** Ramosch (1231 m)

Im Ort beim Dorfbrunnen nicht der Beschilderung »Vnà« folgen, sondern in entgegengesetzter Richtung zum Café Heinrich radeln; dort der vor dem Café abzweigenden Straße folgen

Das Unterengadin erstreckt sich von der österreichisch-schweizerischen Grenze unweit Landeck den Oberlauf des Inns entlang bis Zernez. Vielleicht sind Sie hier ja

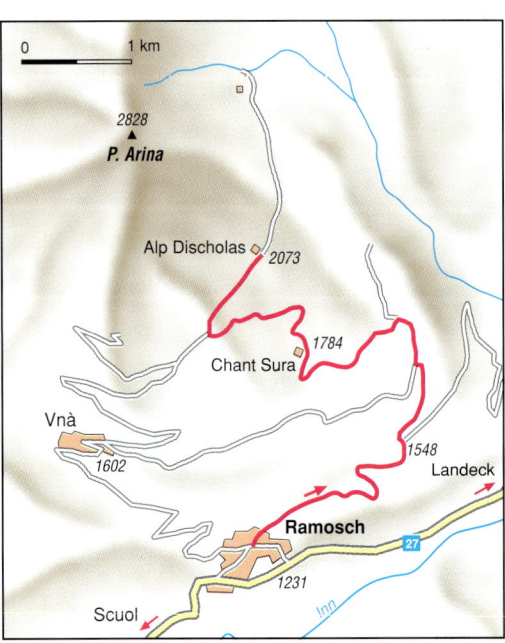

schon einmal achtlos auf der Schnellstraße durch den dicht bewaldeten, engen Talboden gefahren, um so rasch wie möglich das sonnigere Oberengadin zu erreichen. Wer sein Bike dabei hat und außerdem Zeit für und Lust auf eine lohnende Biketour hat, sollte jedoch in Ramosch, ungefähr in der Mitte des Unterengadins gelegen, anhalten. Von dort führt nämlich eine schöne Bergstraße an den Südhängen der Silvrettagruppe hinauf zur Alp Discholas.

Auf acht Kilometer Länge sind dabei immerhin fast 850 Höhenmeter zu überwinden, was eine durchschnittliche Steigung von etwa 10 % ergibt. Die Auffahrtsstrecke ist ruhig – für den öffentlichen Verkehr ist die Straße gesperrt –, und die Umgebung kann manchmal sogar fast idyllisch genannt werden.

*Der reizvolle Ort Vnà liegt auf einer Höhe von 1602 Metern oberhalb von Ramosch. Man könnte ihm bei der Abfahrt von der Alp Discholas mit einem Schlenker nach rechts einen kurzen Besuch abstatten.*

**SCHWIERIGKEITSGRAD**
Mittelschwere Radtour mit 12 % Höchststeigung auf ca. 1 km Länge am Beginn der Tour; sonst lange Abschnitte mit bis zu 10 % Steigung, auf dem letzten Kilometer bis auf 11 % zunehmende Steigung

**LÄNGE** 8,0 km

**HÖHENDIFFERENZ** 842 m

**ZEIT** 1 1/2–2 Stunden

**BEFAHRBARKEIT**
Die Auffahrt ist in der Regel ab Anfang Juni schneefrei; für den öffentlichen Verkehr ist das Befahren der beschriebenen Strecke nur mit einer Ausnahmeerlaubnis gestattet.

**STRASSENZUSTAND**
Feste Erdstraße, teilweise mit leichter Kiesauflage

**HÜTTEN/UNTERKÜNFTE**
Alp Discholas (km 8,0; keine öffentliche Bewirtschaftung)

**KARTE** Landeskarte der Schweiz 1:100 000, Blatt 39

*Diese sportliche Bikerin zeigt sich schon rein optisch den Anforderungen der Strecke gewachsen.*

Vom Verkehrslärm und der Hektik des Inntals ist bei der Auffahrt schon bald nichts mehr zu verspüren, und wer an den hübsch zwischen blühenden Wiesen gelegenen Ferienhäusern unterhalb des Piz Arina vorbeikommt, wird sich wünschen, eines davon zu besitzen. Aber auch oben bei der Alp angelangt, scheint die Welt noch in Ordnung zu sein, und man könnte sich durchaus vorstellen, hier einen längeren Aufenthalt zu genießen.

Die Alp selbst ist nicht öffentlich bewirtschaftet, für unsere Verpflegung müssen wir somit selbst sorgen. Wer sich mit der Alp nicht begnügen will und sich für den hinter den Ställen gut sichtbar in Richtung Muttler weiterführenden Weg interessiert, der sei gewarnt: Was von unten aus relativ einfach aussieht, entpuppt sich als steinige Trasse mit Steigungen von bis zu 20 %, die absolut nicht zu befahren ist. Etwa drei Kilometer müsste man so bis auf 2600 Meter hinaufschieben.

Doch sollte man diesen Weg wenigstens ein Stück weit hochgehen, denn mit jedem Blick erweitert sich die Sicht auf den

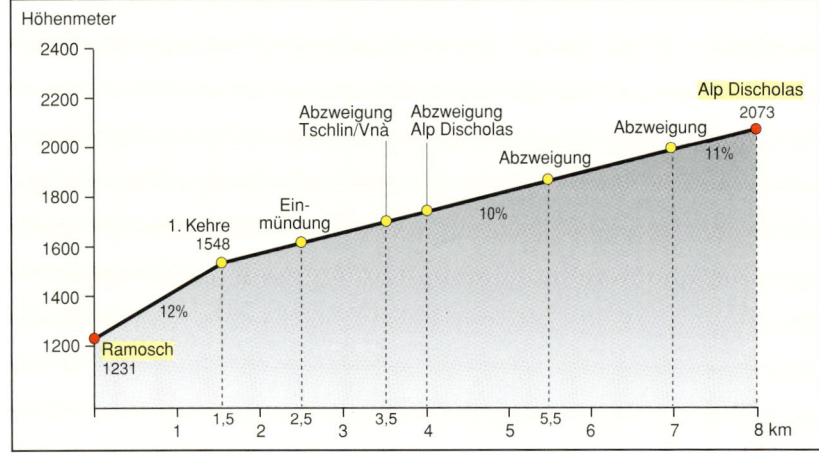

Muttler im Norden, und tief unter uns ist auch ein kleiner Ausschnitt des Inns zu erkennen.

## Hinweis

Der hinter der Alp Discholas weiterführende Weg ist nicht befahrbar und endet nach gut drei Kilometern bei der Hütte Marangun in etwa 2600 Meter Höhe.

*Die Burgruine Tschanüff bei Ramosch bewacht das Inntal.*

## STRECKENBESCHREIBUNG

| | |
|---|---|
| **km 0,0 (1231 m)** | Am Dorfbrunnen von Ramosch nicht der Beschilderung »Vnà« folgen, sondern in entgegengesetzter Richtung zur Abzweigung vor dem Café Heinrich radeln. An der Abzweigung aufwärts, bis zur nächsten Abzweigung, an dieser rechts ab. An den nun beginnenden zwei Erdstraßen der weniger ansteigenden folgen. Diese führt, bald kräftiger ansteigend (12 %), zur ersten Kehre. |
| **km 1,5 (1548 m)** | Über eine weitere Kehre weiter bis zur Einmündung des von Seraplana heraufführenden Wegs. |
| **km 2,5** | An der Einmündung vorbei und bei nachlassender Steigung durch Wiesen bis zur Abzweigung. |
| **km 3,5** | An der Abzweigung geradeaus der Beschilderung »Tschlin/Vnà« folgend bis zur nächsten Abzweigung. |
| **km 4,0** | An der Abzweigung links (kleine gelbe Hinweispfeiler mit Aufschrift »Alp Discholas«) und auf mit bis zu 10 % ansteigender Straße bis zur Abzweigung. |
| **km 5,5** | An der Abzweigung rechts haltend über den Bach und über Kehren mit 10 % Steigung weiter bis zur nächsten Abzweigung. |
| **km 7,0** | Dem geradeaus führenden Weg folgen und über Steigungen von bis zu 11 % hinauf zur Alp Discholas. |
| **km 8,0 (2073 m)** | Ende der Straße bei der Alp Discholas. |

# 30 Aurafreida-Bergstraße

**Höchster Punkt:** 2160 m  **Länge:** 10,5 km
**Höhendifferenz:** 1067 Hm  **Zeit:** 1 1/2–2 1/2 Std.
**Schwierigkeitsgrad:** mittelschwer

Noch keine allzu großen Anforderungen an die Kondition werden auf dieser Tour hinauf in das Bergdorf Aurafreida gestellt, aber eine etwas sportliche Einstellung sollte man für die gut 1000 Höhenmeter auf zehn Streckenkilometern schon mitbringen. Man will schließlich auch die wunderschöne Aussicht genießen können. Und wer nicht nur Landschaft, sondern auch noch etwas Kultur erleben will, sollte nach der Tour den nahen Ort Poschiavo aufsuchen: Hier kann man wunderschöne alte Bauten bewundern, von der Stiftskirche S. Vittore aus dem 13. Jahrhundert über die Barockkirche St. Maria Assunta und die frühmittelalterliche Kapelle S. Pietro bis zum Spaniolenviertel mit Häuserfassaden, die an Zuckerbäckerverzierungen erinnern.

**ANFAHRT** Autobahn Innsbruck–Landeck A 12, Ausfahrt Zams/Landeck Ost; weiter bis Landeck, von Landeck anfangs auf der B 315 über Pfunds bis Kajetansbrücke; dort über die Schweizer Grenze auf der Straße 27 über Martina–Susch bis Zernez, weiter auf der Straße 27 Richtung St. Moritz; auf die Straße 29 Richtung Pontresina abbiegen und über Pontresina–Berninapass hinab bis San Carlo

**STARTORT** San Carlo (1093 m)

Vom Berninapass kommend der unmittelbar am Ortseingang links Richtung Somaino abzweigenden Straße folgen

Wenn Ihnen der Name »Puschlav« bekannt vorkommt, Sie ihn aber nicht gleich einordnen können, ist das nur verständlich. Das Puschlav, das vom Poschiavo

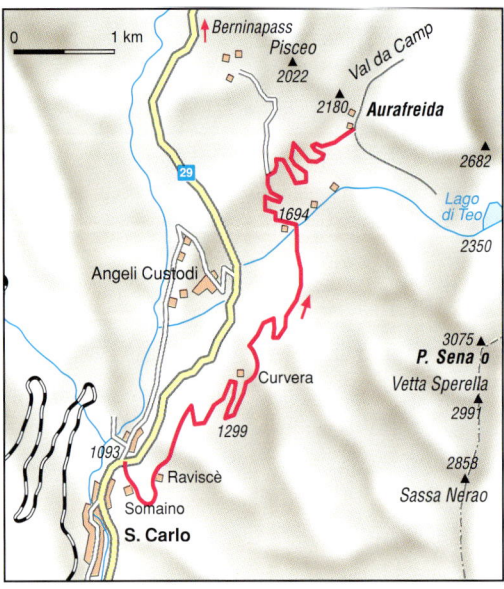

durchflossene Tal, das südlich der Forcola di Livigno seinen Ausgangspunkt hat, um gut 27 Kilometer später bei Tirano in das italienische Veltlin einzumünden, steht deutlich im Schatten seines nördlichen Nachbarn, des Berninatals.

Auch landschaftlich gesehen kann die Gegend mit der Bergwelt des Berninagebiets, etwa dem Piz Bernina oder dem Piz Palü, oder auch der nahe gelegenen Oberengadiner Seenplatte um St. Moritz nicht ganz mithalten. Dies hat allerdings den Vorteil, dass das Puschlavtal noch relativ ruhig und ursprünglich geblieben ist. Auch klimatisch weist es nicht ganz den rauen Hochgebirgscharakter seines nördlichen Gegenstücks auf, sondern lässt vielmehr bereits mildere südlichere Einflüsse erkennen.

*Ein prüfender Blick auf das Bike, vor allem bei der Abfahrt, kann in keinem Fall schaden.*

Eine der schönsten Panoramastrecken im Puschlav ist wohl die Auffahrt nach Aurafreida, einem ursprünglich gebliebenen kleinen Bergdorf an den Hängen des 3049 Meter hohen Piz Teo. Diese Tour hat auch bereits sportlichen Charakter, denn auf dem 10,5 Kilometer langen Bergsträßchen sind immerhin gut 1000 Höhenmeter bei Steigungsmaxima bis 12 % zu überwinden.

Die ersten beiden Kilometer bis zu den Häusern von Raviscè können wir auf Asphalt fahren, dann geht es auf einer leicht steinigen und sandigen, aber gut zu befahrenden Erdstraße weiter. Mit der Orientierung gibt es auf dieser Strecke keinerlei Probleme – wer dem ausgefahrenen Fahrweg folgt, kann das Ziel nicht verfehlen – und auch die Steigung hält keinerlei böse Überraschungen für uns bereit. Sie liegt meist bei recht gleichmäßigen 9 %,

nur vereinzelt auch etwas darüber, und fordert somit unsere Wadenmuskulatur nicht allzu sehr heraus.

Der Reiz dieser Tour liegt dann auch im Wesentlichen in der ruhigen Bergnatur, durch welche sie uns führt, und vor allem an der sich herrlich eröffnenden Aussicht auf die Gletscher um den Piz Palü im

**SCHWIERIGKEITSGRAD**
Mittelschwere Radtour mit 12 % Höchststeigung auf ca. 1,5 km Länge im mittleren Teil sowie auf einem kurzen Abschnitt am Ende der Auffahrtsstrecke; sonst lange Abschnitte mit Steigungen zwischen 10 und 11 %

**LÄNGE** 10,5 km

**HÖHENDIFFERENZ** 1067 m

**ZEIT** 1 1/2–2 1/2 Stunden

**BEFAHRBARKEIT**
Die Auffahrt ist in der Regel ab Anfang Juni schneefrei.

**STRASSENZUSTAND**
Auf den ersten 2 km bis Raviscè Asphalt; dann leicht steinige, sandige und schottrige Erdstraße

**HÜTTEN/UNTERKÜNFTE**
Keine

**KARTE** Landeskarte der Schweiz 1:100 000, Blatt 44

*Der Val-Viola-See verdeutlicht die landschaftliche Schönheit des Puschlav.*

*In San Carlo, einem Dorf bei Poschiavo, dem Hauptort der gleichnamigen Landschaft auf der Südseite des Berninapasses, beginnt die Auffahrt zu dem kleinen Bergdorf Aurafreida.*

Westen. Die können wir in aller Ruhe von den Bergwiesen rund um Aurafreida genießen, wo uns zwei Steinbrunnen mit frischem Quellwasser versorgen.

Wer will, kann hier noch einem der beiden Pfade folgen, einer davon ins Val da Camp, der andere zum 2350 Meter hoch gelegenen Lago di Teo führend, muss dazu allerdings das Bike stehen lassen und über bergtaugliche Radschuhe verfügen.

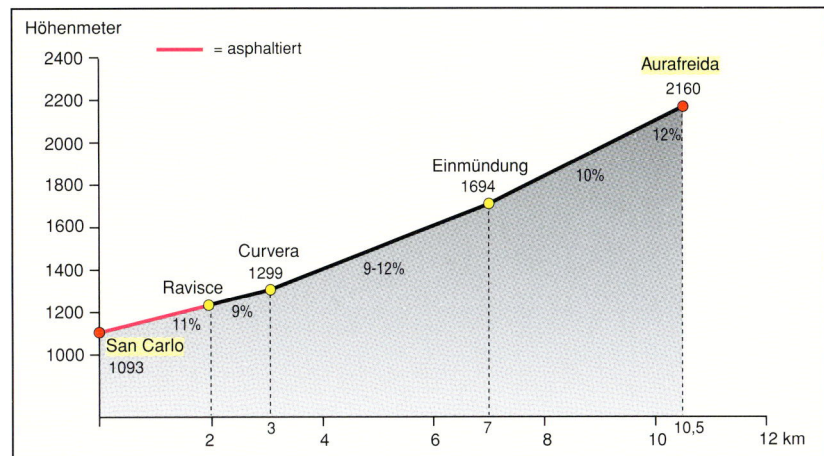

 ## STRECKENBESCHREIBUNG

| | |
|---|---|
| **km 0,0 (1093 m)** | Vom Berninapass kommend der am Ortseingang von San Carlo abzweigenden Asphaltstraße nach Somaino folgen und über Kehren mit 11 % Steigung am Ort vorbei, weiter nach Raviscè. |
| **km 2,0** | In Raviscè bei der Abzweigung der Beschilderung »Aurafreida/ Urezza« folgend auf nunmehr leicht steiniger und sandiger Erdstraße nach Curvera. |
| **km 3,0 (1299 m)** | Am Ort vorbei über weit auseinander gezogene Kehren mit gleichmäßigen 9 % Steigung weiter bis zur Brücke. |
| **km 5,5** | Nach der Brücke auf mit bis zu 12 % ansteigender Trasse an einem großen Ferienhaus vorbei bis zu einer Straßeneinmündung. |
| **km 7,0 (1694 m)** | An der einmündenden Straße vorbei und bei etwas zurückgehender Steigung über Kehren hinauf zu einem burgähnlichen Chalet mit einem kleinen Steinturm. |
| **km 8,0** | Am Chalet vorbei und über Kehren mit 10 % Steigung hinauf nach Aurafreida. |
| **km 10,0** | Durch den Ort hindurch, am obersten Haus nochmals kurz auf 12 % zunehmende Steigung. |
| **km 10,5 (2160 m)** | Ende der Straße in den Bergwiesen etwas oberhalb von Aurafreida. |

# 31 Obermutten-Bergstraße

**Höchster Punkt:** 2050 m **Länge:** 10,0 km
**Höhendifferenz:** 1230 Hm **Zeit:** 2–3 Std.
**Schwierigkeitsgrad:** mittelschwer

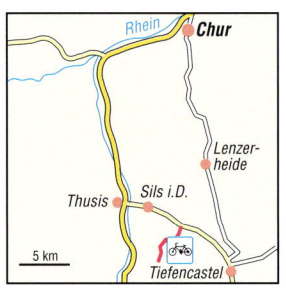

**Trotz einer Höchststeigung von 20 % können auch nur mittelgut trainierte Biker die Auffahrt hinauf nach Obermutten wagen. Die Belohnung ist eine herrliche Aussicht auf die Berggipfel der Umgebung, vor allem auf die Wintersportregion Lenzerheide im Nordwesten. Darüber hinaus ist aber schon allein das Bergdorf Obermutten mit seinen uralten Holzhäusern, den urigen Gastwirtschaften und dem riesigen Steinbrunnen am Dorfplatz die Auffahrt wert. Insgesamt 36 Kehren habe ich auf den Weg nach Obermutten gezählt, was die Abfahrt diesmal fast noch reizvoller als die Auffahrt macht.**

Das Hinterrheintal, das sich, am San-Bernardino-Pass beginnend, etwa 50 Kilometer lang erst nordwestlich, dann nordwärts bis Reichenau unweit von Chur entlangzieht, zählt zu den schönsten Landschaften der Schweiz. Es unterteilt

**ANFAHRT** Rheintal-
autobahn Bodensee–
Chur–San Bernardino
A 13, Ausfahrt Thusis;
noch ca. 6,5 km weiter
durch das Albulatal in
Richtung Tiefencastel/
Albulapass

**STARTORT** Abzweigung
an der Straße zwischen
Thusis und Tiefencastel
(820 m)

Ca. 6,5 km nach Thusis
zweigt nach rechts eine
mit »Mutten« ausge-
schilderte Erdstraße ab.

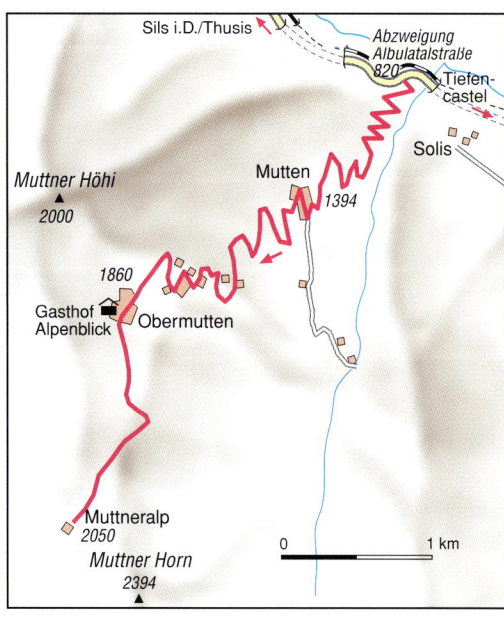

sich in drei Talschaften, beginnend im Süden mit dem Rheinwald, einem erfreulich ruhig gebliebenen Feriengebiet, die Gegend, wo der Rhein entspringt und seine mehr als 1300 Kilometer lange Reise zur Nordsee beginnt.

Nördlich schließt sich das schluchtenreiche Schons an, und hier finden wir die »Via Mala«, den »Bösen Weg«, die vor allem durch den gleichnamigen Roman von John Knittel weltberühmt geworden ist. Noch etwas tiefer dann liegt das Domleschg mit seinem Hauptort Thusis, eine früher recht abgeschiedene Region, in der aber auf engstem Raum eine solche Vielzahl von Schlössern und Burgen versammelt ist, wie es wohl im gesamten Alpenraum einmalig ist.

Und wenn wir nun vom Domleschg bei Thusis durch die Schinschlucht in Richtung Albulapass fahren, finden wir eine

*Das urige und komplett intakte Bergdorf Obermutten mit seinen Holzhäusern verströmt auch noch heute den Charme einer vergangenen Zeit.*

weitere Attraktion, die allerdings in erster Linie nur für uns Mountainbiker interessant sein dürfte: die Bergstraße hinauf nach Obermutten, einem urigen Schweizer Bergdorf an den Nordhängen des 2401 Meter hohen Muttnerhorns. Allein dieses Dorf, mit seinem riesigen Steinbrunnen, der fast den ganzen Dorfplatz

*Ein Blick in die Karte klärt über die Umgebung auf.*

ausfüllt, der alten Holzkirche inmitten von Bergwiesen und dem Gasthof Alpenblick mit Aussicht auf die Bergwelt des Hinterrheintals wäre die Auffahrt schon wert. Um dorthin zu gelangen, beginnen wir die Auffahrt über ein feste Erdstraße mit 16 % Steigung, die auf den ersten drei Kilometern hinauf nach Mutten auch fast durchgehend beibehalten wird. Auch im Ort selbst mit seinen alten Holzhäusern hält sich die Steigung über enge Kehren bei guten 14 %, und Kunstsinnige können eine Besichtigung der alten Dorfkirche als Alibi für eine kurze Rast einplanen. Gelegenheit dazu bieten allerdings auch die folgenden Wiesenhänge, die eine weite Aussicht auf die Berge um das Skigebiet der Lenzerheide im Norden eröffnen. Schaden kann so eine Rast nie, denn bis Obermutten hält sich die Steigung weiter zwischen 12 und 16 %. Zu Ende ist die

**SCHWIERIGKEITSGRAD**
Mittelschwere Radtour mit 20 % Höchststeigung auf den letzten 500 m der Auffahrt; sonst lange Abschnitte mit Steigungen zwischen 12 und 18 %

**LÄNGE** 10,0 km

**HÖHENDIFFERENZ** 1230 m

**ZEIT** 2–3 Stunden

**BEFAHRBARKEIT**
Die Auffahrt ist in der Regel ab Ende Mai schneefrei; bis Obermutten ist die Strecke für den öffentlichen Verkehr befahrbar; ab Obermutten Fahrverbot für Kfz.

**STRASSENZUSTAND**
Auf den ersten 7,5 km bis Obermutten feste, dann etwas steiniger werdende Erdstraße

**HÜTTEN/UNTERKÜNFTE**
Gasthof Alpenblick in Obermutten (km 7,5; ganzjährig geöffnet)

**KARTE** Landeskarte der Schweiz 1:100 000, Blatt 38

*Die Auffahrt über Ober-
mutten hinauf zur Muttneralp ist recht abwechslungsreich, stellt aber erhebliche
Anforderungen an die Kon-
dition. Dafür wird aber eine
beeindruckende Aussicht
auf das Gebiet der Lenzerheide und die umliegenden
Gipfel geboten.*

Auffahrt dann noch nicht, denn von hier aus geht es nochmals höher bis zur Muttneralp, wo sich etwa 2,5 Kilometer weiter und 200 Meter höher die Landschaft noch gebirgiger und die Aussicht noch umfassender präsentiert.

Ganz leicht wird es einem hier herauf allerdings nicht gemacht, denn schon im unteren Teil sind Steigungsmaxima bis 18 % zu überwinden, und im oberen Bereich geht die Steigung der Straße deutlich an die 20 %-Marke. Ob man diese noch im Sattel sitzend bewältigen kann, hängt wesentlich von der Kondition ab, der Untergrund würde es schon zulassen. Aber ob

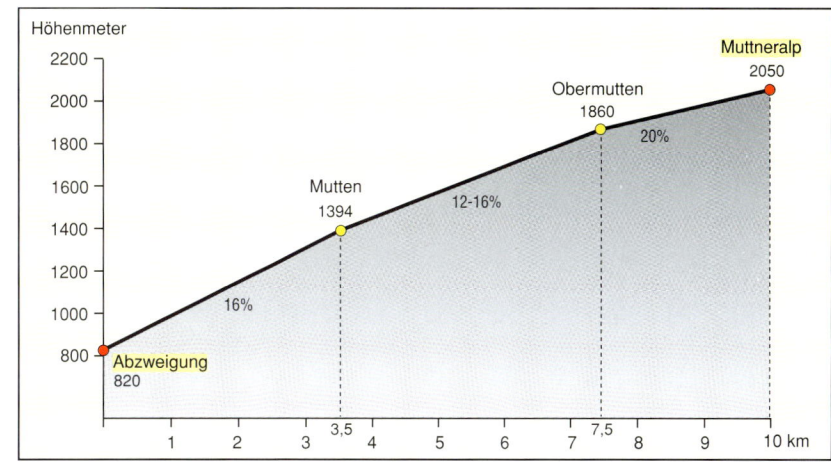

man die Muttneralp nun fahrend oder schiebend erreicht, ein lohnendes Erlebnis ist diese Tour allemal.

## STRECKENBESCHREIBUNG

**km 0,0 (820 m)** Von der Abzweigung an der Albulatalstraße der Beschilderung »Mutten« folgend und auf der mit 16 % ansteigenden Erdstraße über enge Kehren hinauf nach Mutten.

**km 3,5 (1394 m)** Durch den Ort über Steigungen von bis zu 14 % zur Dorfkirche.

**km 4,5** An der Dorfkirche vorbei und über weit auseinander gezogene Kehren mit Steigungen zwischen 12 und 16 % zu einer Siedlung mit alten Holzhäusern.

**km 6,5** In zwei Kehren durch die Siedlung und mit 12 % Steigung weiter nach Obermutten.

**km 7,5 (1860 m)** In Obermutten dem an der Kirche vorbeiführenden Fahrweg folgen und über Rampen und Kehren mit Steigungen von bis zu 20 % zum Wasserspeicher.

**km 8,5** Am Wasserspeicher vorbei und bei zurückgehender Steigung weiter zur Muttneralp.

**km 10,0 (2050 m)** Ende der Straße bei der Muttneralp.

# 32 Rosenlaui- und Schwarzwaldalp-Straße

**Höchster Punkt: 1962 m**
**Höhendifferenz: 1367 Hm**
**Schwierigkeitsgrad: mittelschwer**

**Länge: 16,5 km**
**Zeit: 2–3 Std.**

**Landschaft pur ist es, die wir hier in ihrer grandiosesten und eindrucksvollsten Art und Weise erleben können. Aber das kann man von einer weltbekannten Gebirgsregion wie den Berner Alpen schließlich auch erwarten. Da mag es auch verzeihlich sein, dass wir einen großen Teil der Strecke auf Asphalt zurücklegen und uns die Straße zudem, zumindest im unteren Teil, mit Autotouristen teilen müssen. Johann Wolfgang von Goethe dagegen war 1779 hier ganz sicher ungestört unterwegs. Er muss schon einiges an Kondition gehabt haben, denn mit dem Bike würde man die Strecke heute immerhin als mittelschwer einstufen.**

Mitten in der Zentralschweiz, in den Kanton Bern, wo viele Berge in der und um die Jungfrauregion schon die 4000er-Marke überschreiten und so bekannte Namen wie Lauteraarhorn, Schreckhorn, Hangendgletscherhorn und Wetterhorn tragen, führt uns diese Biketour. Aber keine Sorge,

**ANFAHRT** Autobahn Luzern–Interlaken A 8, Ausfahrt Brienzwiler/ Meiringen; auf der Straße 6/11 weiter nach Meiringen; in Meiringen bis zur Abzweigung ca. 2 km vor Innertkirchen

**STARTORT** Abzweigung an der Hauptstraße Meiringen–Innertkirchen (595 m)

Ca. 2 km vor Innertkirchen, gegenüber dem Gasthof Zum Lammi, zweigt eine Straße mit der Beschilderung »Schwarzwaldalp/ Rosenlaui« ab.

die schnee- und eisbedeckten Bergriesen mit den unwägbaren Gefahren des Hochgebirges bleiben auf Distanz, und wir können diese Landschaft aus sicherer Umgebung genießen.

Eine Gefahr droht uns allerdings – vom Autoverkehr –, denn bis zum Gasthaus Schwarzwaldalp, also auf etwa zwei Drittel der Strecke, ist die Straße für den öffentlichen Verkehr zugelassen. Und da die Ferienregion Hasliberg-Meiringen im Aaretal äußerst beliebt ist, werden wir bestimmt zahlreichen Touristen begegnen, von denen leider die wenigsten mit dem Mountainbike unterwegs sein werden.

Ein möglichst frühzeitiger Aufbruch ist also angesagt, um die herrliche Landschaft mit ihren Sehenswürdigkeiten entlang der Strecke auch entsprechend genießen zu

*Einen guten Teil der Auffahrtsstrecke der Rosenlaui- und Schwarzwaldalp-Straße rollt man kraftsparend auf Asphalt.*

### SCHWIERIGKEITSGRAD

Mittelschwere Radtour mit 14 % Höchststeigung auf 500 m Länge; anfangs längere Strecke mit bis zu 11 % Steigung, ab der Schwarzwaldalp maximal 9 %

### LÄNGE 16,5 km

### HÖHENDIFFERENZ
1367 m

### ZEIT 2–3 Stunden

### BEFAHRBARKEIT

Die Auffahrt ist in der Regel ab Ende Mai schneefrei; bis zum Gasthaus Schwarzwaldalp ist die Strecke für den öffentlichen Verkehr ganzjährig befahrbar; ab der Schwarzwaldalp Fahrverbot für Kfz.

### STRASSENZUSTAND

Anfangs auf längeren Abschnitten Wechsel zwischen Asphalt und fester Erdstraße; ab der Schwarzwaldalp (km 11,0) durchgehend Asphalt

### HÜTTEN/UNTERKÜNFTE

Gasthof Zwirgi (km 3,0), Restaurant Kaltenbrunnen (km 6,0), Hotel Rosenlaui (km 8,5), alle ganzjährig geöffnet; Berghotel Große Scheidegg (km 16,5; Mai–Oktober geöffnet)

### KARTE Landeskarte
der Schweiz 1:100 000, Blatt 37

*Der vom Wellhorn herab-
ziehende Rosenlaui-
gletscher ist einer der
landschaftlichen Höhe-
punkt dieser Tour.*

können. Da wären zuerst die Reichenbachfälle beim Gasthof Zwirgi zu nennen, von denen man des dichten Waldes
wegen allerdings nur das Rauschen wahr-
nehmen wird. Dann taucht bald der von
Wellhorn und Wetterhorn herabziehende
Rosenlauigletscher auf, und über dem
Restaurant Kaltenbrunnen zeigen sich
die Zacken der Engelhörner.

In der Talweitung von Rosenlaui, mit dem
protzigen Steinbau des gleichnamigen
Hotels, liegt der Eingang zur Rosenlauischlucht, die allgemein als Naturwunder
der Alpen gepriesen wird und gegen Ent-
gelt besichtigt werden kann.

Bis zum Chalet Schwarzwaldalp liegt dann
ein lang gestreckter Talboden vor uns,
durch den sich die Straße schnurgerade an
einem klaren Wildbach, der vom Rosenlauigletscher gespeist wird, herabzieht.
Der Blick, den wir dann auf die Nordwand
des Wetterhorns haben, ist im Gegensatz

zur Rosenlauischlucht umsonst, sieht
man einmal davon ab, dass man ihn sich
auf der mit 14 % ansteigenden Straße
mit erheblichem Kraftaufwand erkaufen
muss. Über eine letzte Kehrengruppe mit

*An Einkehrmöglichkeiten
mangelt es auf dieser Stecke
nicht. Das Hotel Rosenlaui
haben wir allerdings schon
unter uns gelassen.*

eher gemäßigten 9 % Steigung erreichen wir dann den Scheitelpunkt beim Berghotel Große Scheidegg, der gleichsam als landschaftliche Krönung die Aussicht auf die Jungfrauregion eröffnet.

Die herrliche Aussicht hier oben beim Hotel hat im Übrigen schon Johann Wolfgang von Goethe im Herbst 1779 genossen. Er kam allerdings von Westen, über Grindelwald hier herauf, bevor er über unsere Auffahrtstrecke hinunter nach Meiringen wanderte.

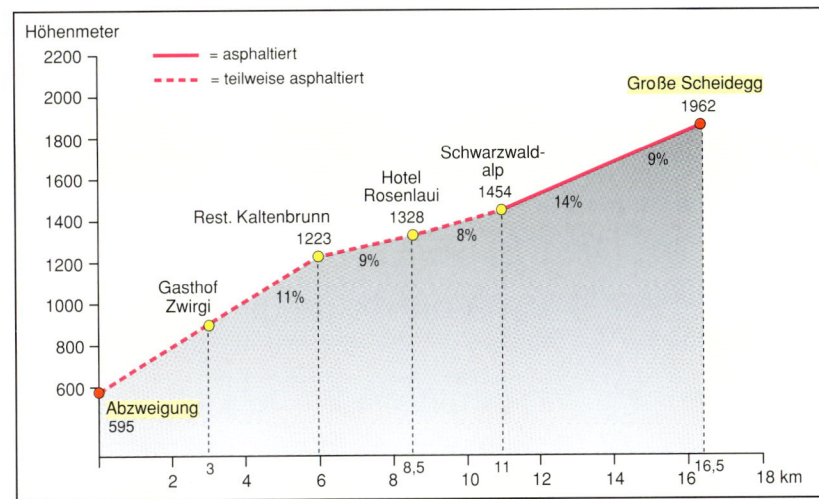

## STRECKENBESCHREIBUNG

**km 0,0 (595 m)**  Vom Ausgangspunkt gegenüber dem Hotel Lammi der mit »Schwarzwaldalp/Rosenlaui« ausgeschilderten Straße folgen und bei anfangs 10%iger, dann auf 6 % zurückgehender Steigung bis zur Einmündung der von Willigen heraufführenden Straße.

**km 2,0**  An der Einmündung vorbei zum Gasthof Zwirgi.

**km 3,0**  Am Gasthof Zwirgi (Reichenbachfälle) vorbei und mit 11 % Steigung über vereinzelte Kehren hinauf zum Restaurant Kaltenbrunnen.

**km 6,0 (1223 m)**  Am Restaurant Kaltenbrunnen vorbei, bei auf 9 % und weiter zurückgehender Steigung zum Hotel Rosenlaui.

**km 8,5 (1328 m)**  Nach dem Hotel Rosenlaui über den Weißenbach zum Eingang zur Rosenlauischlucht (gegen Gebühr zu besichtigen) und auf der mit bis zu 8 % ansteigenden Straße zum Chalet Schwarzwaldalp.

**km 11,0 (1454 m)**  Nach dem Chalet Schwarzwaldalp auf der nunmehr für den öffentlichen Verkehr gesperrten, asphaltierten Straße über ein 500 Meter langes Stück mit einer Steigung von bis zu 14 %, dann über eine Kehrengruppe mit 9 % Steigung zum Berghotel Große Scheidegg.

**km 16,5 (1962 m)**  Ende der Auffahrt beim Berghotel Große Scheidegg.

# 33 Kiental- mit Griesalp-Straße

**Höchster Punkt: 1407 m**
**Höhendifferenz: 700 Hm**
**Schwierigkeitsgrad: mittelschwer**

**Länge: 14,0 km**
**Zeit: 1 1/2–2 1/2 Std.**

**Die Trasse durch das Kiental hinauf zur Griesalp kann das Attribut, die steilste für den öffentlichen Verkehr zugelassene Straße der Schweiz zu sein, für sich in Anspruch nehmen. 28 % Steigung sind schon eine beeindruckende Zahl, und vom Untergrund her wären diese durchaus fahrend zu bewältigen – allerdings nur, wenn man über ausreichend Kondition verfügt. Aber nicht nur Topathleten sollten diese Tour in ihr Programm aufnehmen. Sie ist landschaftlich gesehen äußerst reizvoll und zählt von ihrer Gesamtcharakteristik her noch nicht zu den schweren Touren. Die steilsten Abschnitte kann man notfalls auch schieben, was bestimmt keine Schande ist.**

Die Region um den Thuner See im Schweizer Kanton Bern verbindet man naturgemäß zuerst einmal mit Baden. »Riviera des Berner Oberlands« werden die Ufer des Thuner Sees auch genannt, wohl des milden Klimas wegen, das hier herrscht. Nur wenig südlich des Thuner Sees ist es dagegen schon nicht mehr so mild, Landschaft und Klima werden deutlich wilder, was vor allen Dingen den Berner Alpen zuzuschreiben ist, die sich dort mit ihren weit über 3000 Meter hohen Bergriesen auftürmen.

Für uns geht es nicht so hoch hinauf, nur auf gut 1400 Meter und damit fast noch nicht einmal ins Mittelgebirge. Aber wild wird es trotzdem, denn die Straße hinauf zum Berghaus Griesalp weist Abschnitte

mit bis zu 28 % Steigung auf und gilt damit als steilste für den öffentlichen Verkehr zugelassene Straße der Schweiz. Es ist eine private Mautstraße, die ihren Ausgangspunkt in der Ortschaft Kiental hat, im gleichnamigen Tal gelegen, das wiederum bei Reichenbach in das Kander- beziehungsweise Frutigental einmündet. Würde man das Frutigental aufwärts fahren, käme man bald zu der Stelle, an der es sich aufspaltet, in das Kandertal in Richtung Kandersteg und das Engstligental Richtung Adelboden.

So viel zur Geografie, nun aber hinauf auf das Bike, das man bereits bei Reichenbach besteigen sollte. An der Kreuzung beim Gasthof Bären finden wir die Beschilderung »Kiental/Scharnachtal« und

**ANFAHRT** Autobahn Luzern–Interlaken–Thun A 8 und A 6, Ausfahrt Spiez; noch ca. 5 km weiter Richtung Süden nach Reichenbach im Kandertal

**STARTORT** Reichenbach (707 m)

Im Ort an der Kreuzung beim Gasthof Bären der Beschilderung »Kiental/Scharnachtal« folgen

Spektakulär sind im Kiental nur die Steigungen bis 28 %, ansonsten zeigt sich die Landschaft wie hier mit dem Aermighorn von Golderli eher gemäßigt bis harmonisch.

**SCHWIERIGKEITSGRAD**
Mittelschwere Radtour mit 28 % Höchststeigung auf ca. 100 m Länge im obersten Bereich, davor 24 % Steigung auf ca. 1,5 km Länge; sonst Wechsel der Steigungen zwischen 10 und 12 %

**LÄNGE** 14,0 km

**HÖHENDIFFERENZ** 700 m

**ZEIT** 1 1/2–2 1/2 Stunden

**BEFAHRBARKEIT**
Die Auffahrt ist in der Regel ab Ende Mai schneefrei; offiziell ist die Strecke von Ostern bis 31. Oktober geöffnet.

**STRASSENZUSTAND**
auf den ersten 12 km bis Tschingel Asphalt; dann feste Erdstraße, in den Kehren teilweise asphaltiert

**HÜTTEN/UNTERKÜNFTE**
Gasthof Alpenruh (km 10,0); Chalet Hochschild und Berghaus Griesalp (km 14,0; Mai–Oktober und Dezember–April geöffnet)

**KARTE** Landeskarte der Schweiz 1:100 000, Blatt 36, 37 und 42

folgen der mit 10 % Steigung über drei Kehren nach Scharnachtal hochführenden Trasse. Hinter dem Ort geht die Steigung und der Wald zurück und gibt den Blick auf die Gletscher um das Blümlisalphorn, recht weit vor uns, frei. Kiental erreichen wir ebenfalls recht mühelos, bevor uns wieder eine bis auf 12 % ansteigende Trasse schon etwas mehr an Krafteinsatz abfordert. Hinter dem Gasthof Alpenruh öffnet sich der Gornerengrund, ein lang gestrecktes Hochtal, und am gleichnamigen Bach sollten wir gemächlich entlangrollen, um alle Kraft und Konzentration für das letzte Stück der Auffahrt zu sammeln.

Beim Schild mit der Aufschrift »Tschingel« tut man gut daran, die kleinste Übersetzung, die man hat, aufzulegen, denn von nun an wird es richtig Ernst. In Tschingel geht der Asphalt in Erdstraße

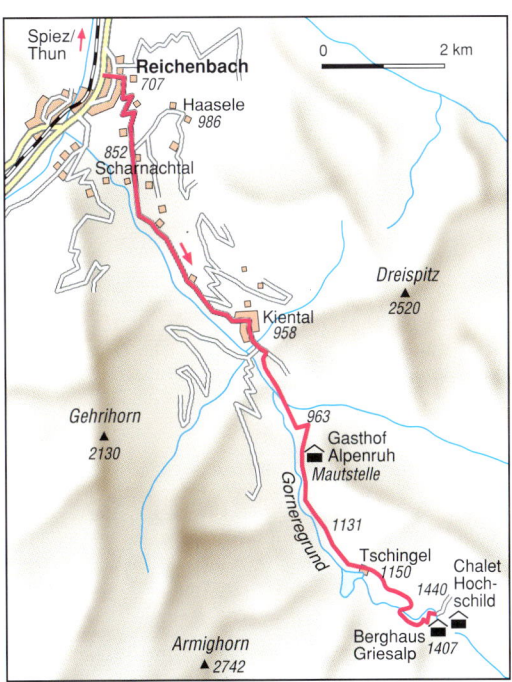

*Diese Einblicke in die Hochgebirgswelt der Berner Alpen, wie hier auf dem Weg zur Gspaltenhornhütte, bleiben uns bei der Auffahrt zur Griesalp leider verwehrt.*

über, und die Steigung nimmt auf 24 % zu. Fast 1,5 Kilometer bleibt die Straße derart steil, und als ob dies für sich gesehen noch nicht ausreichen würde, muss man sich dann auf den letzten 100 Metern noch einer 28%igen Steigung stellen.

Vom Untergrund der Straße her wäre eine Befahrung theoretisch zwar möglich; wer dies jedoch tatsächlich in die Praxis umsetzen will, der sollte vorher den größten Teil seiner Freizeit zu Trainingszwecken auf dem Bike verbracht haben. Wer hier schlapp macht, tröste sich mit dem Gedanken, dass im Gasthaus Griesalp eine

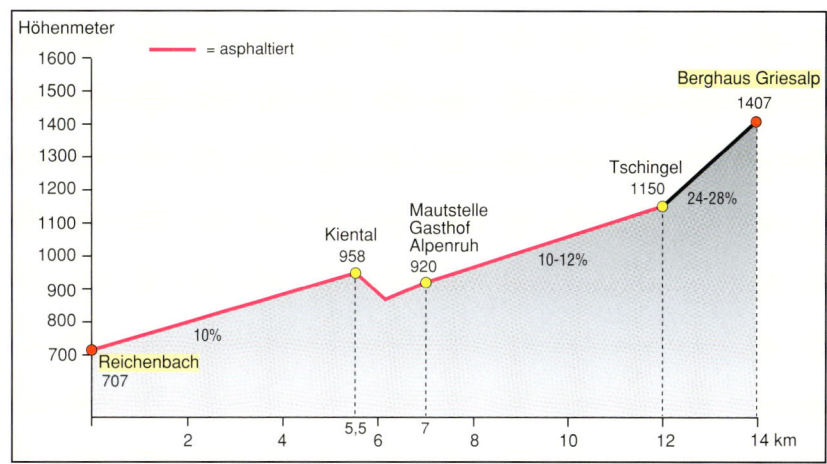

ausgezeichnete Küche wartet, die einen wieder zu Kräften kommen lässt.

## STRECKENBESCHREIBUNG

| | |
|---|---|
| **km 0,0 (707 m)** | In Reichenbach an der Kreuzung beim Gasthof Bären der Beschilderung »Kiental/Scharnachtal« folgen und über neun Kehren mit 10 % Steigung nach Scharnachtal. |
| **km 1,0** | In Scharnachtal anfangs mit 8 % Steigung hinauf, dann weniger steil weiter bis Kiental. |
| **km 5,5 (958 m)** | In Kiental der Beschilderung »Gorneren/Griesalp« folgend abwärts zu einem kleinen Bach. |
| **km 7,0 (920 m)** | Über den Bach und bei anfangs 12%iger, dann zurückgehender Steigung bis zur Mautstelle beim Gasthof Alpenruh. |
| **km 10,0** | Nach der Mautstelle mit bis zu 10 % Steigung weiter bis zum Schild mit der Aufschrift »Tschingel«. |
| **km 12,0 (1150 m)** | Nach dem Schild Übergang von Asphalt- in Erdstraße, weiter über enge, teils asphaltierte Kehren mit 24 % Steigung, auf den letzten 100 Metern auf 28 % zunehmend, hinauf zum Berghaus Griesalp. |
| **km 14,0 (1407 m)** | Ende der Auffahrt beim Gasthaus Griesalp. |

# 34 Furggen-Passstraße

**Höchster Punkt:** 2451 m  **Länge:** 13,5 km
**Höhendifferenz:** 1456 Hm  **Zeit:** 2–3 1/2 Std.
**Schwierigkeitsgrad:** mittelschwer bis schwer

**Kühn zieht sich diese ehemalige Militärstraße aus dem Zweiten Weltkrieg in die Bergwelt der südlichen Talseite der Rhône. Schon allein vom fahrerischen Aspekt ist sie ein Erlebnis, aber würde man für die Aussicht von dort oben auf die unbeschreiblich schöne Bergwelt der Berner Alpen Punkte vergeben, bekäme sie die Höchstpunktzahl. Noch nicht ganz die Höchstpunktzahl ist dagegen für die Schwierigkeit der Auffahrt zu vergeben, aber bei fast 1500 Höhenmetern und Steigungsspitzen von 15 % liegt auch diese im oberen Bereich. Alles in allem eine Tour, die man eigentlich nicht versäumen sollte.**

Auch das Wallis, der Kanton mit dem schlichten Namen »das Tal«, was das Tal der Rhône meint, das sich vom Furkapass im Osten bis Martigny im Westen, nahe des Genfer Sees, entlangzieht, hält eine

*Zu zweit macht das Biken einfach mehr Spaß.*

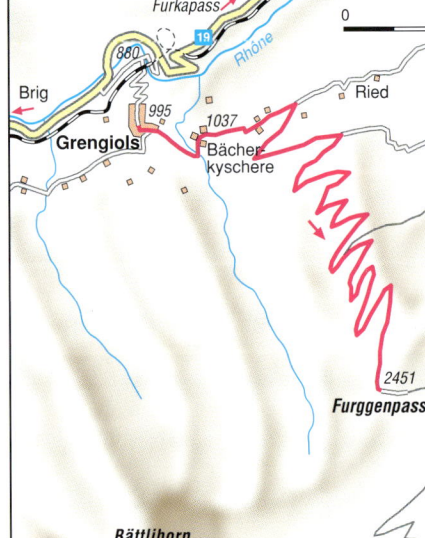

**ANFAHRT** St.-Gotthard-Autobahn Luzern–Bellinzona A 2, Ausfahrt Andermatt; weiter auf der Straße 19 über Andermatt–Realp–Furkapass–Gletsch–Münster–Fiesch nach Grengiols (gut ausgeschilderte Abzweigung, ca. 13 km vor Brig)

**STARTORT** Grengiols (995 m)

In der Ortsmitte bei der Sennerei der Beschilderung »Hochmatten/Bächernhäusern« folgen.

äußerst reizvolle Mountainbiketour für uns bereit. Sie führt über die Hänge der südlichen Talseite, ausgehend von der kleinen Ortschaft Grengiols, etwas oberhalb der Durchgangsstraße im Rhônetal hinauf zum Furggenpass und damit zu einem erstklassigen Aussichtspunkt auf

*Die einmalig schöne Berg-kette der Berner Alpen, hier mit dem Finsteraarhorn als höchster Erhebung, bil-det das Panorama bei der Auffahrt zum Furggenpass.*

die Berner Alpen, die sich hier mit ihren höchsten und bekanntesten Gipfeln von ihrer schönsten Seite zeigen.

Allerdings liegt bis zu unserem Aussichts-balkon ein anstrengendes Stück Arbeit vor uns, denn auf 13,5 Kilometer Länge sind gut 1450 Höhenmeter zu überwinden, und dies bei bis zu 15 % Steigung. Unüber-windliche Schwierigkeiten sind dies für geübte Biker allerdings nicht, und die we-niger Trainierten nehmen sich halt dafür einfach etwas mehr Zeit. Zeit nehmen sollte man sich aber bereits in Grengiols für eine Besichtigung der uralten Holz-häuser dieses Oberwalliser Bergdorfs. Die

Ortschaft liegt am Fuße des Breithorns, mit 2599 Metern schon hoch aufragend, aber nicht so hoch wie sein bekannterer Namensvetter auf der gegenüberliegen-den Talseite in den Berner Alpen, der es auf 3785 Meter bringt.

Einen ersten Blick dort hinüber können wir nach der Hälfte der Auffahrtsstrecke werfen, wo eine kleine Waldrodung den Blick freigibt. Unser Breithorn erkennen wir dagegen erst später, wenn wir nach gut zehn Kilometern Fahrtstrecke jenseits der Waldgrenze sind, es zeigt sich als schrofiger Berghang, der nur zögerlich in eine felsige Spitze übergeht.

**SCHWIERIGKEITSGRAD**
Mittelschwere bis schwere Radtour mit 15 % Höchststeigung auf ca. 2 km Länge im unte-ren Teil der Auffahrt; im weiteren Verlauf immer wieder, auch längere, Abschnitte mit Steigun-gen zwischen 12 und 14 %

**LÄNGE** 13,5 km

**HÖHENDIFFERENZ** 1456 m

**ZEIT** 2–3 1/2 Stunden

**BEFAHRBARKEIT** Die Auffahrt ist in der Regel ab Mitte Juni schneefrei.

**STRASSENZUSTAND** Auf den ersten 2,5 km Asphalt; dann feste Erdstraße

**HÜTTEN/UNTERKÜNFTE** Keine

**KARTE** Landeskarte der Schweiz 1:100 000, Blatt 42

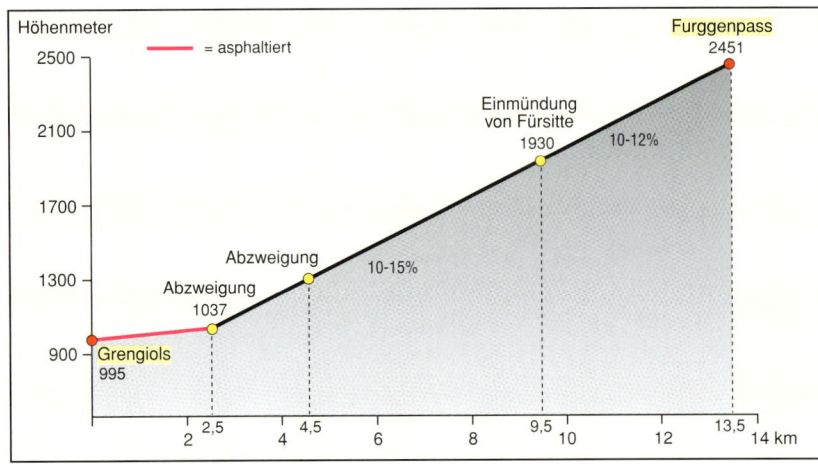

Höhenmeter
= asphaltiert

Furggenpass
2451

Einmündung
von Fürsitte
1930

10-12%

Abzweigung

Abzweigung
1037

10-15%

Grengiols
995

das Aletschhorn mit dem größten Eisstrom der Alpen, dem Großen Aletschgletscher, Fiescherhörner und Finsteraarhorn, mit 4274 Metern höchster Gipfel der Berner Alpen, sind nur die markantesten Punkte. Wer will, rollt dann noch etwa 500 Meter abwärts zu einigen Almhütten und blickt von dort in südwestliche Richtung hinüber nach Italien; die schweizerisch-italienische Grenze verläuft bei den schwach vergletscherten Bergen um das 3272 hohe Helsenhorn.

## Tipp

Ab dem Scheitelpunkt kann noch dem leicht abfallenden Weg etwa 500 Meter bis zu einigen Almhütten gefolgt werden.

Den höchsten Punkt unserer Tour erreichen wir in einer grasigen Mulde zwischen Breithorn und Blättlihorn, wo sich ein einmaliges Panorama auf die Berner Alpen eröffnet: Breithorn, Bietschhorn,

*Der kleine Ort Grengiols im Wallis ist Ausgangspunkt für die anspruchsvolle Tour hinauf zur Furggenpass-Höhe. Ein paar Gasthäuser haben haben sich mittlerweile auf die Versorgung von Mountainbikern eingestellt, die hier ein ideales Revier vorfinden. Auch für weniger konditionsstarke Fahrer bieten sich in der Umgebung reizvolle Alternativen an, so z. B. die Auffahrt über die Twingi nach Binn.*

*Die Auffahrt zum Furggen-pass läßt sich auch zu einer Rundtour verbinden. Man fährt auf der Südostseite des Passes hinab ins Saflischtal – hier im Bild – und kehrt über Heiligkreuz und Binn nach Grengiols zurück.*

## STRECKENBESCHREIBUNG

**km 0,0 (995 m)**    In Grengiols bei der Sennerei in der Ortsmitte der Beschilderung »Hochmatten/Bächernhäusern« folgen und über eine Kehre mit 9 % Steigung zum Fußballplatz.

**km 1,0**    Am Fußballplatz vorbei fast eben weiter bis zur Abzweigung.

**km 2,5 (1037 m)**    Der an der Abzweigung nach rechts führenden, mit »Salfisch« und »Breithorn« beschilderten, mit bis zu 15 % ansteigenden Erdstraße bis zur Abzweigung folgen.

**km 4,5**    An der Abzweigung dem rechts abbiegenden Weg folgen und über Kehren mit Steigungen zwischen 12 und 15 % weiter bis zur Waldlichtung. (Der geradeaus führende Weg mündet zwar wieder in unsere Auffahrtsstrecke, ist aber im oberen Teil verfallen.)

**km 8,5**    Nach der Waldlichtung über Kehren mit 10 % Steigung, an kurzen Abschnitten auch etwas darüber, bis zur Einmündung der von Fürsitte heraufführenden Trasse.

**km 9,5**    Nach der Einmündung bei Steigungen zwischen 10 und 12 % über die Waldgrenze und an Lawinenverbauungen vorbei bis zum höchsten Punkt.

**km 13,5 (2451 m)**    Ende der Straße am Scheitelpunkt zwischen Breithorn und Bättlihorn.

# Touren in Frankreich

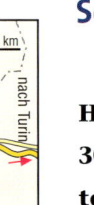

# 35 Mont-Malamot-Gipfelstraße

**Höchster Punkt: 2914 m**   **Länge: 9,0 km**
**Höhendifferenz: 940 Hm**   **Zeit: 2–3 Std.**
**Schwierigkeitsgrad: mittelschwer**

**Hoch hinaus geht es auf dieser Tour, bis auf den Gipfel des Mont Malamot in fast 3000 Meter Höhe. Aber zum Glück ist auch der Ausgangspunkt schon fast 2000 Meter hoch gelegen, so dass man sich nicht bis an seine körperlichen Grenzen abmühen muss. An der Aussicht auf die Bergwelt der Umgebung besticht vor allem die grandiose Weite und Ursprünglichkeit, weniger die besonderen Höhepunkte. Mit den beiden verfallenen Forts, das eine am Gipfel, das andere an der Auffahrt, wird einem diese Tour noch lange im Gedächtnis bleiben. König Heinrich IV. war im Übrigen auch schon da, schaffte es aber nur auf die Mont-Cenis-Passhöhe, wo sich auf einer Halbinsel im Stausee ebenfalls ein altes Fort befindet.**

**ANFAHRT** Autobahn Mailand–Turin A 4 und Turin–Susa–Modane A 32, Ausfahrt Venáus; weiter zur Mont-Cenis-Passhöhe (Col du Mont Cenis)

**STARTORT** Westlicher Beginn der Staumauer am Lac du Mont Cenis auf der Mont-Cenis-Passhöhe (1974 m)

Entweder von der Grenze kommend auf der Passstraße bis zum See radeln, dann über die Staumauer auf der aufwärts führenden Erdstraße ca. 500 m hochfahren und der links abbiegenden Straße folgen oder vom Parkplatz hinter der französischen Grenzstation aus der an der verfallenen Häusergruppe vorbeiführenden Erdstraße ca. 2,5 km bis zum Beginn der Staumauer folgen

Wer sich für Geschichte interessiert, weiß vielleicht, dass König Heinrich IV. bei seinem Gang nach Canossa, wo er den Papst um Aufhebung des über ihn verhängten Banns bitten wollte, den Weg über den Mont-Cenis-Pass gewählt hat. Diese Passhöhe stellt die Grenze zwischen den Grajischen Alpen im Osten und den Cottischen Alpen im Süden dar und ist ein stark frequentierter Übergang vom italienischen Susatal ins französische Arctal, also von Turin nach Grenoble.

Auf der Passhöhe befindet sich der Mont-Cenis-Stausee – einer der

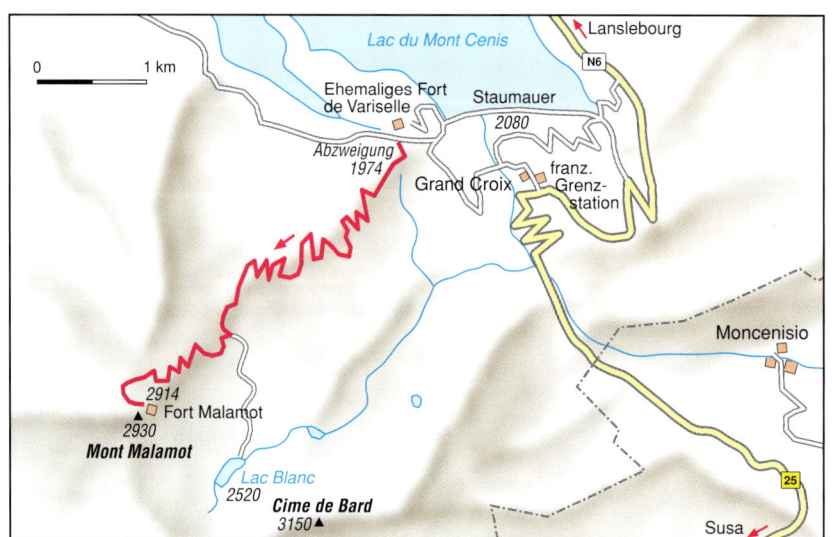

*Rast vor den Ruinen des alten Fort Malamot aus dem Ersten Weltkrieg.*

**SCHWIERIGKEITSGRAD**
Mittelschwere Radtour mit 15 % Höchststeigung im oberen Bereich auf ca. 1,5 km Länge, am Beginn 200 m langer Anstieg mit 14 % Steigung; sonst meist bei 9 % liegende, kurz auch auf 12 % zunehmende Steigung

**LÄNGE** 9,0 km

**HÖHENDIFFERENZ** 940 m

**ZEIT** 2–3 Stunden

**BEFAHRBARKEIT**
Die Auffahrt ist in der Regel ab Mitte Juni schneefrei; für den öffentlichen Verkehr ist die Strecke gesperrt.

**STRASSENZUSTAND**
Steinige Erdstraße, teilweise mit losem Schotter

**HÜTTEN/UNTERKÜNFTE**
Keine

**KARTE** Carte Topografique 1:100 000, Blatt 53

*Die Auffahrtsstrecke zum Fort Malamot ist von einigen Kehren mit Steigungen bis 15 % abgesehen eher problemlos.*

größten Stauseen im Alpenraum und ein beliebtes Ausflugsziel. Der See liegt unterhalb des knapp 3000 Meter hohen Mont Malamot.

Was diesen Gipfel von anderen Bergen dieser Region unterscheidet, ist, dass sich dort oben ein verfallenes Fort aus dem

Ersten Weltkrieg befindet, zu dem ein Erdsträßchen hinaufführt. Für uns also eine interessante Gelegenheit, mit dem Bike nicht nur in große Höhen vorzustoßen, sondern an der Fortanlage einen Einblick zu gewinnen, in welchen Verhältnissen die Soldaten damals hier oben untergebracht waren.

Hat man den leider nicht beschilderten Ausgangspunkt der Tour am Südende des Sees erst einmal gefunden, ist die weitere Auffahrt recht problemlos. Nach etwa der Hälfte der Auffahrtsstrecke erkennt man oberhalb bereits die Ruinen des Forts und kann sich damit eigentlich nicht mehr verfahren.

Auch unterwegs trifft man schon auf verfallene Kasernenanlagen, die allerdings in erster Linie als Wegzeichen für die ab dort bis auf 15 % zunehmende Steigung und

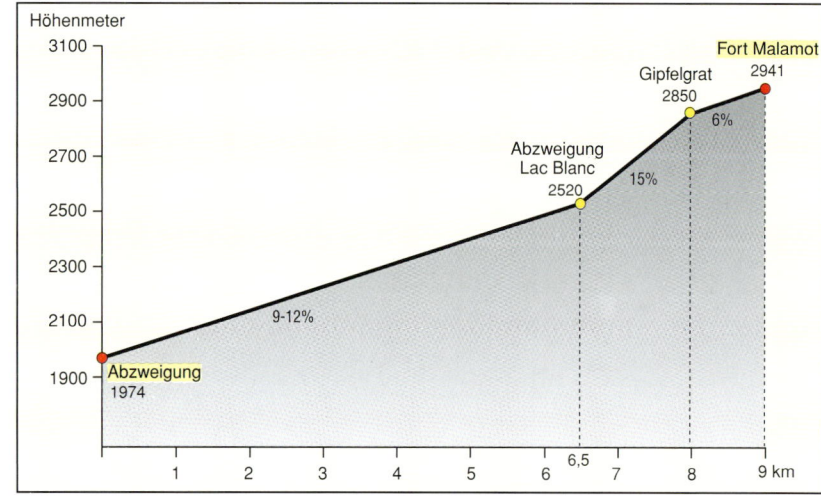

eine gleichzeitig etwas schlechter werdende Straße in Erinnerung bleiben werden. Wer hier nicht über ausreichend Kraft und Balancegefühl verfügt, wird wohl gut einen Kilometer schieben müssen. Ab dem Grat ist die Trasse dann wieder befahrbar, und hier beeindruckt vor allem die Aussicht auf das Vanoisemassiv im Nordwesten.

Vom Fort oben blickt man dann auf den kleinen Lac Blanc hinab, der in einer Senke zwischen der Cime de Bard und dem Mont Malamot liegt, während der Blick nach Westen über die Bergwelt der Grajischen Alpen bis zu den Gletschern der Punta Sommeiller reicht, die der eine oder andere vielleicht von Tour 23 über die Sommeiller-Bergstraße im italienischen Piemont in Erinnerung hat.

*Dieser kleine Bach ist hier nur nach stärkeren Regenfällen anzutreffen.*

 ## STRECKENBESCHREIBUNG

**km 0,0 (1974 m)** Vom Ausgangspunkt am Westende der Staumauer auf der mit 9 %, kurz auch bis auf 12 % ansteigenden Erdstraße über Kehren mit Steinböschung bis zu verfallenen Steinhütten.

**km 6,0** An den verfallenen Steinhütten vorbei zur Weggabelung.

**km 6,5 (2520 m)** An der Gabelung der nach rechts abbiegenden Straße folgen, die nach links führende Trasse endet nach zwei Kilometern am Lac Blanc, und an verfallenen Militärunterkünften vorbei über Kehren mit Steigungen von bis zu 15 % hinauf zum Grat.

**km 8,0 (2850 m)** Am Grat entlang und mit auf 6 % zurückgehender Steigung bis zum Fort.

**km 9,0 (2941 m)** Ende der Straße beim verfallenen Fort Malamot.

# 36 Belvédère-du-Cirque-du-Mont-Viso-Straße

**Höchster Punkt: 2127 m**

**Höhendifferenz: 605 Hm**

**Schwierigkeitsgrad: leicht**

**Länge: 15,0 km**

**Zeit: 1 1/2–2 Std.**

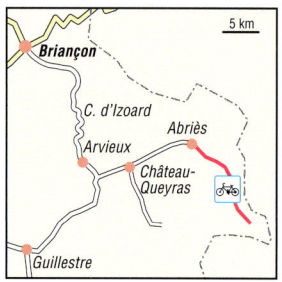

**Der Name dieser Höhenstraße sagt eigentlich schon alles: Aussichtspunkt auf den (Fels-)Zirkus des Mont Viso (ital. Montviso) lautet die Übersetzung. Und wer nicht nur schöne Aussichtspunkte liebt, sondern sich zu deren Erreichen auch nicht allzu sehr anstrengen möchte, für den ist diese Biketour hinein in den Queyras-Nationalpark im französischen Departement Hautes-Alpes, das zur Dauphiné gehört, genau das Richtige.**

Wer nach den schweißtreibenden Auffahrten über die Varaita-Máira- oder die Máira-Stura-Kammstraße (Touren 26 und 27) die Aussicht auf die Cottischen Alpen im Norden genossen hat, dem ist sicherlich deren höchste Erhebung, das Felsendreieck des immerhin 3841 Meter hohen

*Diese Aufnahme entstand etwas abseits der eigentlichen Auffahrtsstrecke zum Mont Viso, die sich in deutlich besserem Ausbauzustand befindet.*

Mont Viso, aufgefallen. Die Tour bietet Gelegenheit, diese beherrschende Berggestalt, die eigentlich von jedem höheren Punkt der Region weithin sichtbar ist, näher kennen zu lernen.

Sie führt uns hinein in die Cottischen Alpen, deren Grenzen in etwa mit dem Susatal im Norden, dem Montgenèvrepass

**ANFAHRT** Autobahn Mailand–Turin A 4 und Turin–Susa–Modane A 32, Ausfahrt Oulx Est; weiter auf der N 94 über den Montgenèvrepass nach Briançon, auf der D 902 über den Izoardpass, dann auf der D 947 über Château Queyras–Aiguilles nach Abriès

**STARTORT** Abriès (1522)

Im Ort das Guiltal einwärts Richtung Ristolas und l'Echalp fahren

*Weder von der Strecken-
führung noch von den Steigungen her sind Schwierigkeiten zu erwarten. Die
Belvédère-du-Cirque-du-
Mont-Viso-Straße ist also
eine reine Genusstour.*

im Westen, Cúneo im Süden sowie der Po-ebene im Osten grob zu umschreiben sind. Es handelt sich hier um eine eher wenig bekannte, touristisch nicht allzu er-schlossene Berg- und Gebirgslandschaft, die ihren Namen dem römischen König Cottius verdankt, der unter Kaiser Augus-tus einst diese Region beherrschte.

Während die Besteigung des Mont Viso, an dessen Hängen der Po, Italiens größter Fluss, entspringt, geübten Alpinisten vor-enthalten bleibt, können wir diesen in einer leichten, dafür umso schöneren Tour bis in eine Höhe von 2100 Metern erkunden. Auf unserem Weg erhalten wir einen Einblick in die äußerst reizvolle Landschaft des Queyras-Nationalparks. Zwar handelt es sich bei der Trasse um

eine Asphaltstraße, doch ist diese im letz-ten Teil in so schadhaftem Zustand, dass die dicken Stollenreifen unseres Bikes durchaus benötigt werden. Sie führt uns, anfangs noch zusammen mit motori-sierten Verkehrsteilnehmern, an der Guil entlang durch ein schönes Hochtal, bis der öffentliche Verkehr nach knapp zehn Kilometern ausgesperrt wird.

Auf dem großen Parkplatz können wir an riesigen Felsbrocken Sportkletterer be-wundern, die an den mauerglatten Stei-nen ihr akrobatisches Geschick unter Be-weis stellen. Ein kleiner Imbissstand lädt hier zum Verweilen ein, aber allzu sehr braucht man seine Kalorienvorräte nicht aufzufüllen, denn große Kraftanstrengun-gen werden von uns im weiteren Verlauf

**SCHWIERIGKEITSGRAD**
Leichte Radtour mit 14 %
Höchststeigung auf zwei
ca. 1 km langen Abschnit-
ten im Mittelteil sowie
am Ende der Auffahrt;
sonst meist nur mäßig
ansteigende Straße

**LÄNGE** 15,0 km

**HÖHENDIFFERENZ**
605 m

**ZEIT** 1 1/2–2 Stunden

**BEFAHRBARKEIT**
Die Auffahrt ist in der
Regel ab Mitte Juni
schneefrei.

**STRASSENZUSTAND**
Durchgehend Asphalt,
ab den Parkplätzen bei
km 9,0 in schadhaftem
Zustand

**HÜTTEN/UNTERKÜNFTE**
Imbissstand (km 9,0;
im Sommer geöffnet)

**KARTE** Carte Topo-
grafique 1:100 000,
Blatt 54

*Ein beweiskräftiges Erinnerungsfoto am Endpunkt der Strecke am Fuße des Mont Viso darf natürlich nicht fehlen.*

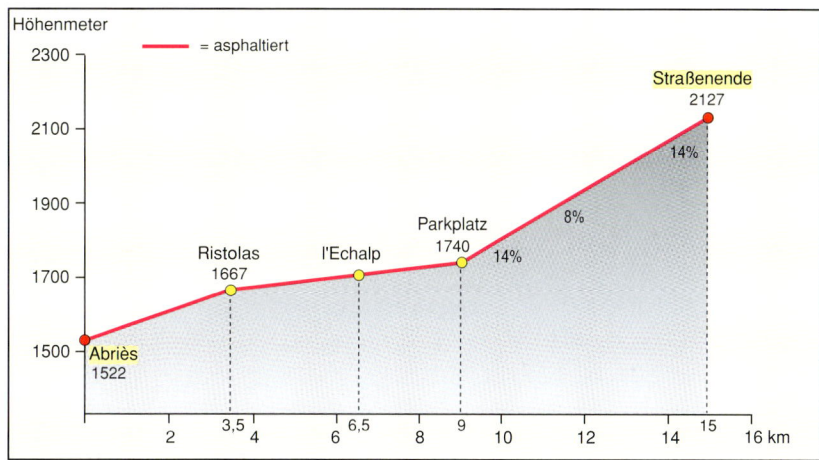

nicht mehr erwartet. Von den Touristen, die hier ihr Auto abgestellt haben, schon eher, denn diese haben immerhin noch sechs Kilometer Fußmarsch vor sich. Es sei denn, sie nutzen das Angebot der hier wartenden Kleinbusse, die einzigen Fahrzeuge, denen hier außer uns noch die Weiterfahrt gestattet ist. Sie befördern die bequemeren Wanderer über mehrere Stufen durch das lang gestreckte, freundliche Hochtal bis zum Talschluss. Und dort wird man dann unschwer erraten, wieso die Straße Belvédère-du-Cirque-du-Mont-Viso heißt: Es bietet sich eine wunderbare Aussicht auf den Felszirkus des Mont Viso, der sich uns mit seiner von schneebedeckten Bändern und Rissen durchzogenen Westseite von seiner schönsten Seite zeigt.

 ## STRECKENBESCHREIBUNG

| | |
|---|---|
| **km 0,0 (1522 m)** | Von Abriès das Guiltal einwärts nach Ristolas. |
| **km 3,5 (1667 m)** | Von Ristolas im Talboden weiter nach l'Echalp. |
| **km 6,5** | Kurz vor l'Echalp, der Biegung des Flusses folgend, an einem kleinem Parkplatz vorbei, weiter zum großem Parkplatz. |
| **km 9,0 (1740 m)** | Am Parkplatz auf der Brücke über die Guil und weiter zur Schranke. |
| **km 9,5** | Nach der Schranke Wechsel der Straße auf die linke Flussseite, über Kehren mit 14 % Steigung nach oben. |
| **km 11,0** | Nach den Kehren mit zuerst auf 8 % zurückgehender Steigung, dann fast eben taleinwärts weiter bis zum Beginn einer weiteren Talstufe. |
| **km 14,0** | Mit bis auf 14 % zunehmender Steigung die Talstufe hinauf und zum großem Wendeplatz. |
| **km 15,0 (2127 m)** | Ende der Straße beim großem Wendeplatz unterhalb der Westseite des Mont Viso. |

# 37 Parpaillon-Passtunnel-straße, Westseite

**Höchster Punkt:** 2645 m  **Länge:** 29,5 km
**Höhendifferenz:** 1775 Hm  **Zeit:** 3 1/2–5 Std.
**Schwierigkeitsgrad:** schwer

**+33 49 24 46 60 0**, so lautet die Telefonnummer des Hôtel de Ville, des Rathauses an der Place Barthelon in Embrun, dem Ausgangspunkt dieser Tour – über ein eigenes Fremdenverkehrsbüro verfügt der Ort nämlich nicht. Und diese Nummer brauchen Sie, um sich vorher zu erkundigen, ob die Tunnelportale auf der Passhöhe auch geöffnet sind. Denn es wäre wirklich schade, wenn Sie dort oben nach langer Anfahrt und schwerer Auffahrt vor verschlossenen Toren stehen würden. Andererseits, selbst wenn Sie wegen des geschlossenen Tunnels über die gleiche Strecke wieder zurückfahren müssten, wäre diese Tour ihrer ursprünglichen Umgebung wegen den Aufwand immer noch wert.

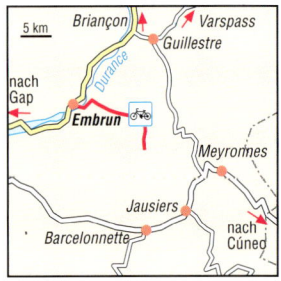

**ANFAHRT** Autobahn Mailand–Turin A 4 und Turin–Susa–Modane A 32, Ausfahrt Oulx Est; weiter auf der N 94 über den Montgenèvrepass bis Briançon; in Briançon auf der N 94 über l'Argentière-la-Bessée– Mont Dauphin– Saint Clément–Châteauroux nach Embrun an der Nordspitze des Lac de Serre Ponçon

**STARTORT** Embrun (870 m)

Im Ort der Beschilderung Saint-André-d'Embrun folgen

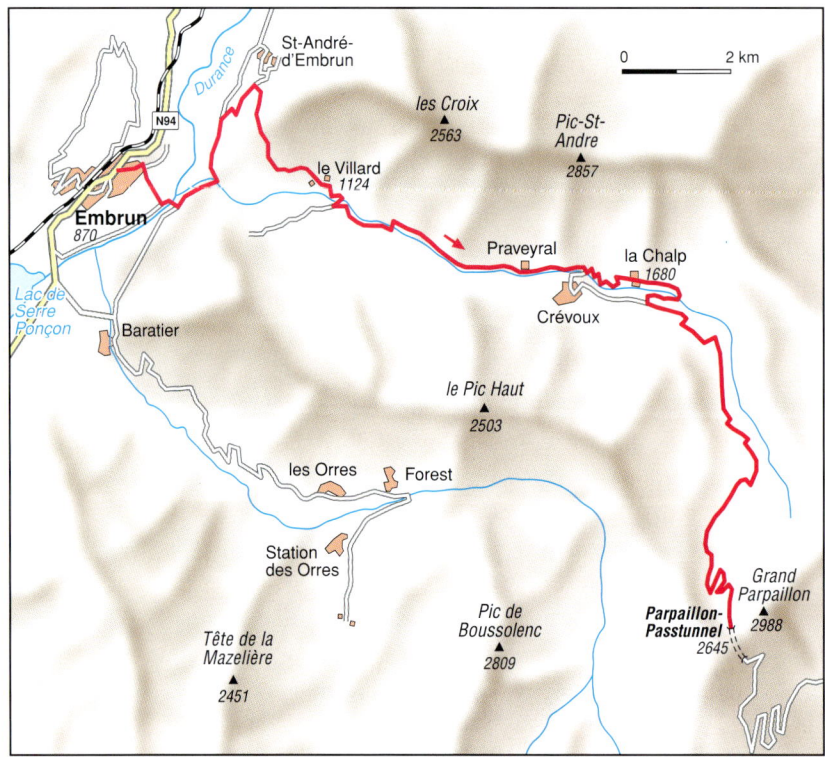

Der Parpaillonpass verbindet die Täler der Durance im Westen und des Ubaye im Süden über den Bergzug des Parpaillon. Es ist ein nur wenig bekannter und kaum benutzter Übergang. Wer ihn auf der Landkarte sucht, wird den Ausgangspunkt Embrun an dem nordöstlichen Ende des

*Die letzen Meter auf der Westseite der Parpaillon-Passtunnelstraße. Der Tunnel auf der Passhöhe ist bereits zu erkennen.*

**SCHWIERIGKEITSGRAD**
Schwere Radtour mit 11 % Höchststeigung auf einem kurzen Abschnitt; außerdem lange Abschnitte mit Steigungen zwischen 8 und 10 %

**LÄNGE**  29,5 km

**HÖHENDIFFERENZ**
1775 m

**ZEIT**  3 1/2–5 Stunden

**BEFAHRBARKEIT**
Die Auffahrt ist in der Regel ab Mitte Juni schneefrei; offiziell ist die Strecke vom 1. Juli bis 30. September geöffnet.

**STRASSENZUSTAND**
Auf den ersten 20,5 km bis zur Pont du Real Asphalt; dann steinige Erdstraße

**HÜTTEN/UNTERKÜNFTE**
Keine

**KARTE**  Carte Topografique 1:100 000, Blatt 54

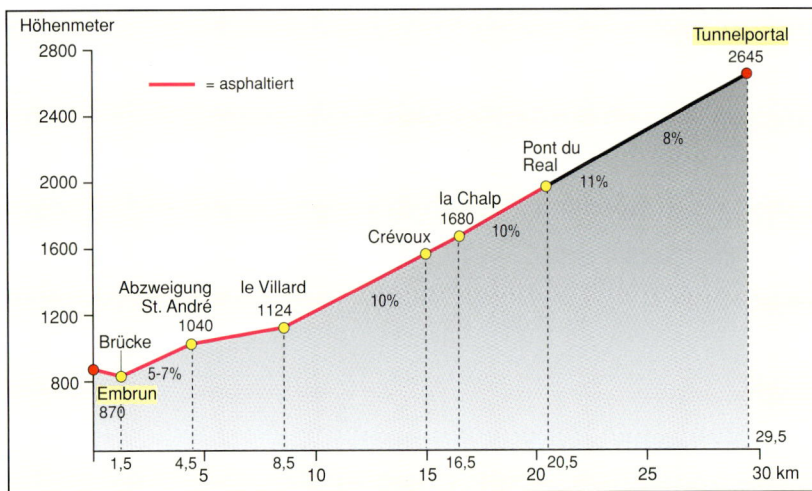

Höhenmeter

= asphaltiert

Tunnelportal
2645

8%

Pont du
Real

11%

la Chalp
1680

10%

Crévoux

10%

Abzweigung
St. André
1040

le Villard
1124

Brücke

5-7%

Embrun
870

29,5

benützt wird. Viel entscheidender ist allerdings, dass seinen Scheitelpunkt ein langer Tunnel bildet, der eher die Bezeichnung Röhre verdient. Der Tunnel ist etwa
500 Meter lang, unbeleuchtet, feucht und
eng, und auch im Hochsommer finden
sich hier Schneereste.

Logisch, dass man mit dem Pkw beque-
mere Übergänge wählt, während von dieser Strecke vor allem sportliche Enduro-
Motorradfahrer richtiggehend angezogen
werden. Auch für Mountainbiker ist die
Tour durchaus interessant, denn zum
einen bildet der Tunnel für uns ja kein
Problem, zum anderen haben wir die
landschaftlich äußerst reizvolle Strecke
fast für uns allein. Sie ist auch nirgends
ausgesetzt oder gefährlich, aber aufgrund
des zu bewältigenden Höhenunterschieds
von fast 1800 Metern anstrengend.

Zwei Dinge empfehlen sich vor Fahrt-
antritt allerdings: zum einen die Mitnahme einer Taschenlampe oder einer Stirnlampe für den Tunnel und zum anderen
ein kurzer Besuch oder Anruf im Rathaus

Lac de Serre Ponçon, des größten Stausees
der Alpen, finden. Der See liegt etwa 18 Kilometer östlich von Gap. In Embrun müssen wir dann nur noch das Hinweisschild
nach Saint-André-d'Embrun ausfindig
machen, dann können wir uns auf dem
Weg hinauf zur Passhöhe eigentlich nicht
mehr verfahren.

So weit zur Lage, nun aber zur Besonderheit des Parpaillonpasses. Dies ist zum
einen die Tatsache, dass er im oberen
Bereich auf beiden Seiten unbefestigt ist
und schon aus diesem Grund kaum noch

*Unmittelbar vor dem Tunnel zeigen sich im Hintergrund die schneebedeckten Spitzen der Pelvouxgruppe über dem Durancetal, nach ihrem höchsten Berg, der 4102 Meter hohen Barre des Ecrins, auch Ecrinsgruppe genannt.*

von Embrun (siehe oben im Einführungs-text), um zu erfahren, ob der Tunnel auch geöffnet ist. Notwendig ist dies freilich nur dann, wenn man vorhat, den Tunnel auch zu durchqueren und die Tour über die Abfahrt auf der Ostseite (siehe Tour 38) fortzusetzen. Offiziell ist der Tunnel zwar zwischen 1. Juli und 30. September geöff-net, aber es kann durchaus vorkommen, dass auch während dieses Zeitraums die Tunneleingänge mit riesigen Stahlporta-len verschlossen sind.

 ## STRECKENBESCHREIBUNG

**km 0,0 (870 m)** In Embrun dem Hinweisschild Saint-André-d'Embrun folgen und auf der Asphaltstraße bis zur Brücke über die Durance abwärts.

**km 1,5** Nach der Brücke mit Steigungen von anfangs bis zu 5 %, dann 7 % weiter bis zur Abzweigung nach Saint-André-d'Embrun.

**km 4,5 (1040 m)** An der Abzweigung vorbei, der Beschilderung »Crévoux« folgend und unschwierig weiter bis le Villard.

**km 8,5 (1124 m)** Von le Villard auf schmaler werdender Straße über Steigungen von bis zu 10 % hinauf nach Crévoux.

**km 15,0** In Crévoux der Beschilderung »la Chalp/Col du Parpaillon« folgen und über Kehren mit 9 % Steigung zum Weiler la Chalp.

**km 16,5 (1680 m)** Durch la Chalp hindurch und über Kehren mit 10 % Steigung hin-auf bis zur Brücke Pont du Real.

**km 20,5** Nach der Brücke Übergang von Asphalt- in Erdstraße, weiter über Kehren mit 9 %, kurz auch 11 % Steigung zu einer Steinhütte.

**km 23,0** Nach der Steinhütte an den Hängen des Grand Parpaillon mit Steigungen von bis zu 8 % zu zwei weiteren kleinen Steinhütten.

**km 27,0** Nach den Steinhütten den Bach auf einer Furt aus Steinquadern überqueren.

**km 27,5** Nach der Bachüberquerung über Kehren mit 8 % Steigung hinauf zum westlichen Tunnelportal.

**km 29,5 (2645 m)** Ende der Auffahrt vor dem Tunnelportal.

# 38 Parpaillon-Passtunnel-straße, Ostseite

**Höchster Punkt:** 2645 m  
**Höhendifferenz:** 1378 Hm  
**Schwierigkeitsgrad:** mittelschwer bis schwer  

**Länge:** 18,0 km  
**Zeit:** 2 1/2–3 1/2 Std.

**ANFAHRT** Autobahn Mailand–Turin A 4 und Turin–Susa–Modane A 32, Ausfahrt Oulx Est; weiter auf der N 94 über den Montgenèvrepass bis Briançon; in Briançon auf der N 94 über l'Argentière-la-Bessée–Mont Dauphin bis zur Abzweigung nach Guillestre; auf der D 902 über Guillestre–Varspass–Saint Paul nach la Condamine-Châtelard (an der D 900)

Alternativ: Autobahn Mailand–Turin A 4 und Turin–Savona A 6, Ausfahrt Fossano; weiter über Fossano auf der S. S. 231 bis Cúneo, dann auf der S. S. 20 bis Borgo San Dalmazzo; dort auf die S. S. 21 und über Demonte–Vinádio–Larchepass/Maddalenapass nach Larche; weiter auf der N 900 bis nach la Condamine-Châtelard (ca. 5 km vor Jausiers)

**STARTORT** la Condamine-Châtelard (1267 m)

Im Ort beim Hotel Le Parpaillon der Beschilderung »Sainte-Anne« folgen

**Für die Ostseite der Parpaillon-Passtunnelstraße gilt das Gleiche wie für die Westseite: Ziehen Sie zuerst Erkundigungen über die Befahrbarkeit des Scheiteltunnels ein – entweder beim Rathaus von Embrun (Telefonnummer siehe Einführungstext zur vorangehenden Tour) oder unter der Nummer +33 49 28 43 04 2, die Sie mit der Mairie, dem Bürgermeisteramt von La Condamine-Châtelard verbindet. Ansonsten ist die Auffahrt zum Parpaillonpass über diese Seite zwar etwas leichter, dafür aber noch etwas ursprünglicher. Und auch hier gilt: Selbst wenn der Tunnel verschlossen sein sollte, unternehmen Sie die Tour trotzdem, fahren Sie dann eben über die gleiche Strecke wieder zurück. Es lohnt sich in jedem Fall.**

Nach la Condamine-Châtelard, dem östlichen Ausgangspunkt zum Parpaillonpass, zu gelangen, ist schon etwas aufwändiger als die Anfahrt zur Tour an der Westseite (Tour 37). Die Ortschaft liegt im Ubayetal, nahe Barcelonnette, das von Bergen eingekesselt nur recht mühsam über windungsreiche Passstraßen zu erreichen ist – von Norden aus den Alpen

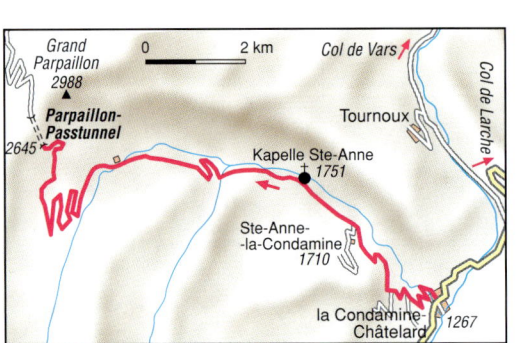

etwa über den Varspass, von Osten aus der Poebene über den Larche- bzw. Maddalenapass oder von der Côte d'Azur über den Restefond-Bonettepass, mit 2802 Meter Höhe immerhin höchster Alpenpass. Von Westen kommend sind zwar keine Pässe zu überwinden, aber die windungsreichen Départementstraßen 954 und 900, die vom Lac de Serre Ponçon nach Barcelonnette führen, erfordern ebenfalls einiges an Kurbelei.

Ist man aber glücklich in la Condamine-Châtelard angelangt, wartet eine Biketour auf uns, die als noch ursprünglicher, ruhiger und schöner anzusehen ist als die westliche Auffahrt zum Parpaillonpass. Da außerdem 400 Höhenmeter weniger zu bewältigen sind, ist diese Tour zudem eine

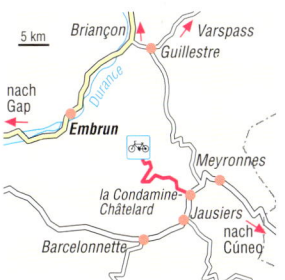

**SCHWIERIGKEITSGRAD**
Mittelschwere bis schwere Radtour mit 12 % Höchststeigung auf einem kurzen Abschnitt im oberen Bereich; sonst meist bei 8 % liegende, kurz auf 10 und 11 % zunehmende Steigung

**LÄNGE** 18,0 km

**HÖHENDIFFERENZ**
1378 m

**ZEIT** 2 1/2–3 1/2 Stunden

**BEFAHRBARKEIT** Die Auffahrt ist in der Regel ab Mitte Juni schneefrei; offiziell ist die Strecke vom 1. Juli–30. September geöffnet.

**STRASSENZUSTAND**
Auf den ersten 5 km bis zum Ortsende von Sainte-Anne Asphalt; dann feste, ab km 11,5 steiniger werdende Erdstraße

**HÜTTEN/UNTERKÜNFTE**
Imbissstand (km 11,5; im Sommer geöffnet)

**KARTE** Carte Topografique 1:100 000, Blatt 54

Stufe leichter einzuschätzen. Den letzten Zivilisationsposten nach elf Kilometer Auffahrt bietet übrigens eine kleine Holzhütte, die sich als Snackbar ausweist, aber verlassen sollte man sich nicht darauf, dass sie auch geöffnet hat.

Ab hier geht es in eine öde, leere Bergregion, die dem Auge wenig Freundliches zu bieten hat – vor allem kahle Berghänge und Geröllbrocken, nur hin und wieder spärliche Grasnarben. Nicht einmal Schafherden, wie man sie auf der Westseite noch angetroffen hat, scheint es hier oben zu geben. Allerdings hat dies auch seine Vorteile, denn man hat die Bergwelt damit so ziemlich für sich allein. Wie auch auf der westlichen Seite zeigt sich das Tunnelportal erst wenige Meter vorher, und auch hier sollte man sich vorher erkundigt

haben, ob es auch offen ist. Wenn der Tunnel auch nicht zu längerem Verweilen anhält, sind die Tropfsteingebilde an der Decke doch recht interessant. Wegen möglicher Schnee- und Eisreste sollte man

Ein besonders angenehmer Aufenthaltsort ist der etwa 500 Meter lange Scheiteltunnel nicht.

*Vom Tunnel abgesehen
gibt es auf dieser Strecke
keine großen Schwierig-
keiten zu überwinden.*

bei der Durchquerung zwar vorsichtig sein, aber allzu schlimm wird es nicht, denn das Licht am anderen Ende ist bereits zu erkennen.

## Hinweis

Wenn Sie vorhaben, den Tunnel zu durchqueren und die Tour über die Abfahrt auf der Westseite fortzusetzen, ist die Mitnahme einer Taschenlampe oder Stirnlampe in jedem Fall empfehlenswert.

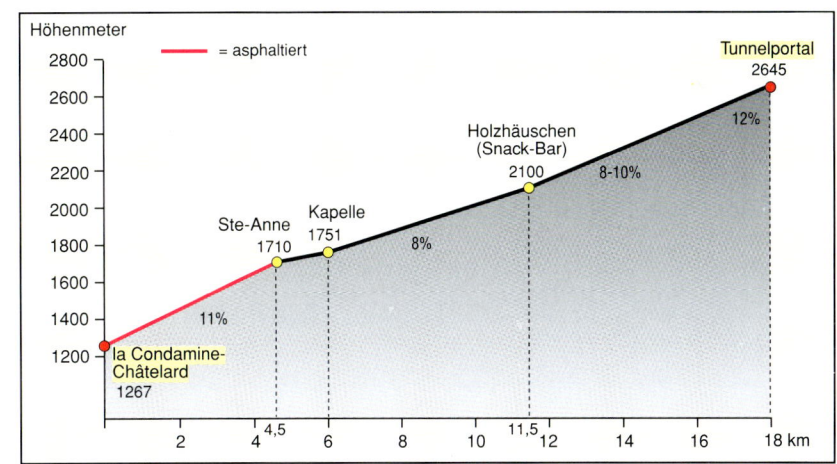

 **STRECKENBESCHREIBUNG**

**km 0,0 (1267 m)**    In la Condamine-Châtelard beim Hotel Parpaillon auf der Richtung »Sainte-Anne« abzweigenden, gut ausgebauten Straße über Kehren mit einer Steigung von bis zu 11 % bis Sainte-Anne.

**km 4,5 (1710 m)**    An der Kreuzung am Ortsanfang von Sainte-Anne rechts haltend (Beschilderung »Kapelle Sainte-Anne/Tunnel de Parpaillon«) weiter zu kleinen Steinchalets.

**km 5,0**    An den Steinchalets vorbei, Übergang von Asphalt- in Erdstraße, weiter bis zur Kapelle Sainte-Anne.

**km 6,0 (1751 m)**    An der Kapelle und dem Steinbrunnen vorbei, bei Steigungen von meist unter 8 % bis zur Brücke.

**km 11,0**    Nach der Brücke zu dem kleinen Holzhäuschen (Snackbar).

**km 11,5 (2100 m)**    Nach dem Holzhäuschen auf nunmehr steiniger werdender Trasse über weit auseinander gezogene Kehren mit Steigungen von bis zu 8 %, kurz auch 10 %, weiter bis zur Biegung.

**km 15,0**    Nach der Biegung auf geradlinig verlaufender, kurz auf 12 % ansteigender Straße bis zu den Kehren.

**km 17,5**    Über zwei Kehren hinauf zum östlichen Tunnelportal.

**km 18,0 (2645 m)**    Ende der Auffahrt vor dem Tunnelportal.

# 39 Colle-de-Mallemort-Festungsstraße

**Höchster Punkt: 2558 m**
**Höhendifferenz: 780 Hm**
**Schwierigkeitsgrad: mittelschwer**

**Länge: 7,5 km**
**Zeit: 1 1/2–2 Std.**

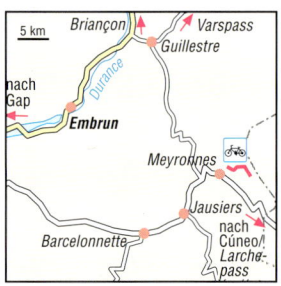

**Sind 40 % Steigung für Sie Anreiz, eine Mountainbiketour zu unternehmen? Die Colle-de-Mallemort-Festungsstraße kann damit aufwarten. Doch bevor Sie nun beginnen, Ihren Trainings- und Ernährungsplan voll und ganz auf die Bewältigung solch extremer Steilstücke umzustellen und an geeigneten Über- beziehungsweise Untersetzungsmöglichkeiten an Ihrem Bike tüfteln, lesen Sie erst die nächsten Absätze. Wenn Sie diese Tour dann trotzdem noch unternehmen wollen, werden Sie es nicht bereuen – in erster Linie der Landschaft wegen, die von einer so grandiosen Wildheit und Ursprünglichkeit ist, wie man sie im Alpenraum nur noch selten findet.**

**ANFAHRT** Autobahn Mailand–Turin A 4 und Turin–Savona A 6, Ausfahrt Fossano; weiter über Fossano auf der S. S. 231 bis Cúneo, dann auf der S. S. 20 bis Borgo San Dalmazzo; dort auf die S. S. 21 und über Demonte–Vinádio–Larchepass/Maddalenapass nach Larche; noch einige Kilometer weiter auf der N 900 bis Certamussat; ca. 1,5 km nach Certamussat rechts ab nach Saint Ours

**STARTORT** Saint Ours (1778 m)

Von der Passhöhe kommend zweigt ca. 1,5 km nach Certamussat bzw. ca. 1 km vor Meyronnes eine 2,5 km lange Asphaltstraße nach Saint Ours ab.

Die Colle-de-Mallemort-Festungsstraße hat den Ruf, die steilste Bergstraße der Alpen zu sein; dies verdankt sie einem Steigungsstück, das auf einer Länge von einem Kilometer immerhin 40 % aufweist.

Wer sich nun aber auf den weiten Weg hinunter nach Saint Ours am Larchepass

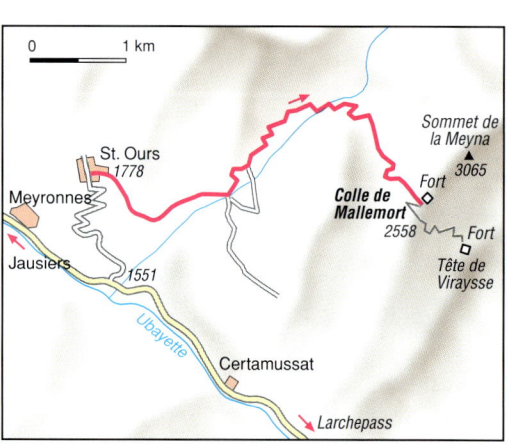

ganz im Norden der französischen Seealpen macht, um dort einmal seine Grenzen und Fähigkeiten auf dem Bike auszuloten, der sollte Folgendes bedenken: Das genannte Steilstück ist nichts anderes als ein steiler Berghang, über den in steilen Kehren eine Trasse gelegt wurde.

Ursprünglich war diese Trasse wohl dazu gedacht, zu Fuß oder vielleicht noch mit Tragtieren Lasten zu den beiden Forts am Colle de Mallemort hochzutransportieren. Später sind dann Fahrer von vierrädrigen Off-Road-Fahrzeugen und Enduromotorrädern auf die Idee gekommen, sich an den Steilrampen zu versuchen. Ob es einigen Fahrern gelungen ist, sie zu bezwingen, ist angesichts des Zustands und der Steilheit der Piste eher fraglich.

*Auf dem Weg zur verfallenen Festungsanlage von Mallemort, etwa in der Mitte der Auffahrtsstrecke gelegen, hat man Steigungsabschnitte bis 40 % hinter sich.*

Der Hang ist nicht gefährlich, man kann vielleicht umfallen, aber nicht abstürzen. Mit dem Bike macht es dort jedoch definitiv keinen Spaß. Man kommt auf diesem Steilstück im Sattel sitzend nämlich nicht einen Meter voran. Sobald man auch nur antritt, kommt das Vorderrad hoch, und wer nicht blitzschnell aus dem Sattel kommt, macht eine Drehung oder einen Salto rückwärts. Die einzige Möglichkeit, dieses Steilstück zu überwinden, heißt schieben. Alternativ kann man es auch einfach umfahren: An der Weggabelung dem geradeaus führenden Weg folgen, der nach ca. 300 Metern links abbiegt und oberhalb des Steilstücks wieder mit der ersten Trassenvariante zusammenführt.

Die Festungsstraße selbst befindet sich in einem ungemein reizvollen, einsamen und überwältigend wilden Berggebiet. Äußerst interessant wird das Sträßchen durch die zwei verfallenen Festungsanlagen, die Kasernen von Mallemort und das oberhalb gelegene Fort auf der Tête de Viraysse. Während die groben Blocksteinquader der Kasernenanlagen mit seinen unzähligen Schießscharten direkt auf unserem Weg liegen, endet die Trasse zum Fort auf der Tête de Viraysse auf einem Grat in 2558 Meter Höhe.

## Hinweis

Die am Ende der Straße bei dem Grateinschnitt gut sichtbare, zum Fort auf der

**SCHWIERIGKEITSGRAD**
Mittelschwere Radtour mit 40 % Höchststeigung auf ca. 1 km Länge; sonst anfangs bei 8 %, dann durchgehend bei 10 % liegende Steigung

**LÄNGE** 7,5 km

**HÖHENDIFFERENZ** 780 m

**ZEIT** 1 1/2–2 Stunden

**BEFAHRBARKEIT**
Die Auffahrt ist in der Regel ab Mitte Juni schneefrei.

**STRASSENZUSTAND**
Überwiegend feste, streckenweise leicht steinige Erdstraße, ab den Kasernenanlagen (km 7,0) im Verfall

**HÜTTEN/UNTERKÜNFTE**
Keine

**KARTE** Carte Topografique 1:100 000, Blatt 54

Die Schießscharten
verdeutlichen, dass es sich
beim Fort Mallemort um
keine Berghütte gehandelt
haben muss.

Tête de Viraysse hochführende Trasse ist aufgrund von Hangabrutschungen nicht mehr befahrbar, doch mit geeignetem Schuhwerk recht gut begehbar.

## Tipp

Übrigens liegt der Parpaillonpass gar nicht weit entfernt vom Ausgangspunkt dieser Tour, und wen es ohnehin in diese Gegend verschlagen hat, der sollte sich den Abstecher dorthin (siehe Tour 37 und 38) nicht entgehen lassen.

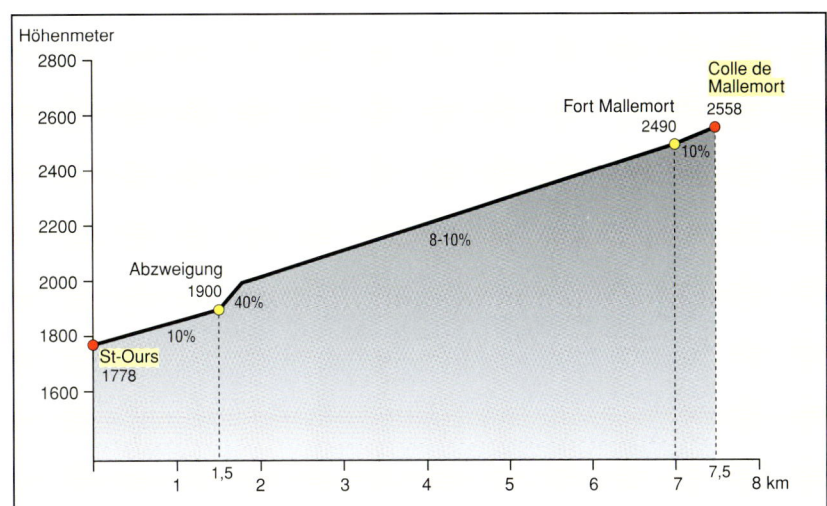

 **STRECKENBESCHREIBUNG**

**km 0,0 (1778 m)** In Saint Ours dem an der Kirche rechts vorbeiführenden Weg folgen, der bald in eine Erdstraße übergeht und bis zu einer Weggabelung kurz auf 10 % ansteigt.

**km 1,5 (1900 m)** An der Weggabelung entweder der mit 40 % Steigung am Hang hochführenden Trasse folgen (Beschilderung »Tête de Viraysse«) oder dem geradeaus führenden Weg, der nach ca. 300 Metern links abbiegt und oberhalb des Steilstücks wieder mit ersten Trassenvariante zusammenführt.

**km 2,5** Von der Straßeneinmündung weiter über Kehren mit 8 % Steigung bis zum Bachbett im Talkessel der Roche Blanche.

**km 4,0** Über das Bachbett auf die rechte Talseite und über Kehren mit 10 % Steigung hinauf zu den verfallenen Kasernenanlagen von Mallemort.

**km 7,0 (2490 m)** Dem hinter den Ruinen nach rechts ziehenden Weg mit einer Steigung von bis zu 10 % zum Grateinschnitt am Colle de Mallemort folgen.

**km 7,5 (2558 m)** Ende der Straße beim Grateinschnitt am Colle de Mallemort.

# 40 Tenda-Passstraße

**Höchster Punkt: 1908 m**  
**Höhendifferenz: 633 Hm**  
**Schwierigkeitsgrad: leicht**

**Länge: 8,0 km**  
**Zeit: 1–2 Std.**

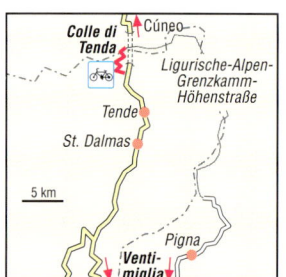

**ANFAHRT** Autobahn Mailand–Turin A 4 und Turin–Savona A 6, Ausfahrt Fossano; weiter über Fossano auf der S. S. 231 bis Cúneo, dann auf der S. S. 20 bis Borgo San Dalmazzo; dort auf die S. S. 20 und über Vernante–Limone Piemonte bis zur südlichen Ausfahrt des Tendatunnels

Alternativ: Autobahn Mailand–Genua A 7 und Genua–Savona–Nizza A 10, Ausfahrt Ventimiglia; weiter nach Ventimiglia; auf der S. S. 20 dann N 204 über Breil sur Roya–Fontan–Saint Dalmas de Tende bis zur Einfahrt des Tendatunnels

**STARTORT** Parkplatz vor der Tunneleinfahrt Süd (1275 m)

Der Parkplatz befindet sich ca. 200 m vor der Tunneleinfahrt an der obersten Kehre der Südauffahrt.

**Mit nicht einmal 650 Höhenmetern auf acht Streckenkilometern ist die Tenda-Passstraße eine leichte Tour. Dafür weist sie allerdings 48 Kehren auf, und wenn man bedenkt, dass das berühmte Stilfser Joch mit nur einer Kehre mehr aufwarten kann, dafür aber mit 28 Kilometern Länge mehr als dreimal so lang ist, erkennt man die Besonderheit der alten Tenda-Passstraße. Die Bewältigung dieser Kehrenstrecke ist dann schon ein ganz besonderes Erlebnis, sowohl in der Auffahrt als auch in der Abfahrt.**

Wer von Turin schnell an die Côte d`Azur, etwa nach San Remo, Menton, Monaco oder Nizza kommen möchte, wird die gut ausgebaute Schnellstraße über den Tendapass wählen. Ein 3,2 Kilometer langer Gipfeltunnel macht diese Straße zwar wintersicher, für Mountainbiker aber völlig uninteressant. Somit gäbe es eigentlich keinen Grund, sich mit dem Tendapass näher zu befassen, wäre da nicht auch noch die alte Passstrecke, die von den Portalen ausgehend, diesen Tunnel schlicht und einfach übergeht.

Vor allem die südliche, also französische Seite dieser alten Passstraße interessiert uns, denn im Gegensatz zur nördlichen italienischen ist sie eine reine Erdstraße. Mit ihren nur acht Kilometer Länge und dem zu überwindenden Höhenunterschied von nicht einmal 650 Metern reißt sie Konditionsbolzen sicherlich nicht vom Sattel, aber diese Straße weist eine Besonderheit auf, die sie von anderen Passstraßen abhebt: Die 48 Kehren der Strecke wurden kunstvoll fast unmittelbar übereinander gelegt – eine echte Straßenbauleistung, die im Alpenraum ihresgleichen sucht.

Die Passstraße von oben zu betrachten ist ein wirklicher Genuss. Bandwurmartig windet sich die Straße den Berg hinab. Am

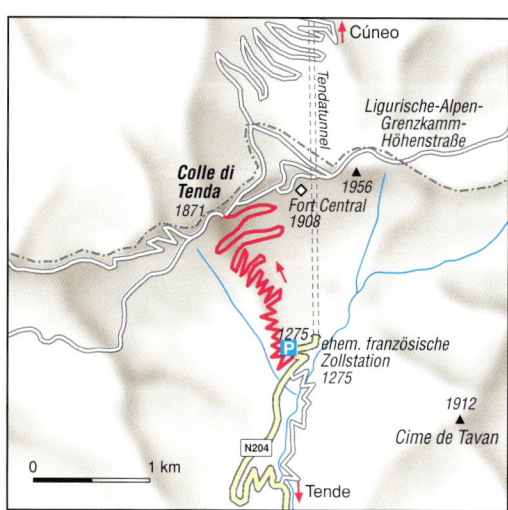

184

*Oben: Die Ortschaft Tenda im Royatal liegt auf dem Weg zur Tenda-Passstraße.*

*Unten: Einmalig im gesamten Alpenraum ist diese Kehrenführung auf der Südseite der Tenda-Pass-straße.*

**SCHWIERIGKEITSGRAD**
Leichte Radtour mit 12 % Höchststeigung auf einem kurzen Abschnitt; sonst fast durchgehend 9 und 10 % Steigung

**LÄNGE** 8,0 km

**HÖHENDIFFERENZ** 633 m

**ZEIT** 1–2 Stunden

**BEFAHRBARKEIT** Die Auffahrt ist in der Regel ab Ende Mai schneefrei; offiziell ist die Strecke vom 15. Mai–31. Oktober geöffnet.

**STRASSENZUSTAND** Feste Erdstraße, nur in den Kehren etwas ausgewaschen und kleinere Schlaglöcher

**HÜTTEN/UNTERKÜNFTE** Keine

**KARTE** Carte Topografique 1:100 000, Blatt 61

*Nur zweimal trifft man auf der Südseite des Tenda-passes auf Häuser. Dieses hier, das obere, ist bereits deutlich in Verfall.*

ehesten ist die Tenda-Passstraße noch mit der alten Straße durch das Val Tremola über den St.-Gotthard-Pass zu verglei-chen, die allerdings befestigt ist.

Zwar ist die alte Tenda-Passstraße für den öffentlichen Verkehr freigegeben – es be-steht lediglich ein Verbot für Fahrzeuge mit über 3,5 Tonnen und eine Geschwin-digkeitsbeschränkung auf 20 Stunden-kilometer – dennoch werden wir hier ziemlich allein unterwegs sein. Vielleicht treffen wir noch einige andere Ausflügler, die das Wandergebiet um die Passhöhe besuchen, oder es kommen uns Moun-tainbiker entgegen, welche die Ligurische-Alpen-Grenzkamm-Höhenstraße (Tour 28) befahren haben, die nach fast 80 Kilome-tern von der Riviera bei Ventimiglia kom-mend, ihr Ende oben auf der Tendapass-höhe findet.

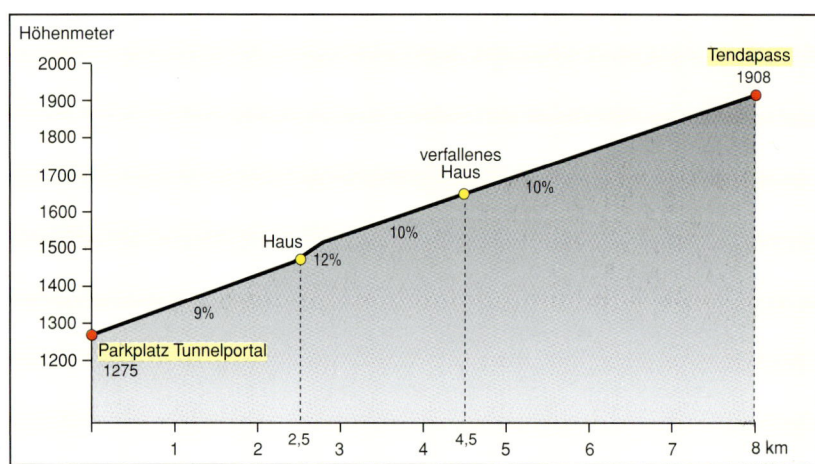

Um auf auf unserem Weg dort hinauf zu gelangen, radeln wir auf fester Erdstraße bei einer recht gleichmäßigen Steigung um 9 bis 10 % – ausgenommen ein kurzes Steigungsstück mit 12 % im unteren Teil, das sogar asphaltiert ist – aufwärts. Beeindruckend ist vor allem immer wieder der Blick zurück auf die Kehrenstrecke, die sich hinter uns beständig Kehre um Kehre verlängert. Man sollte nicht versäumen, unterwegs anzuhalten und dieses einmalige Kurvengeschlängel mit einem Foto zu dokumentieren.

Die Passhöhe selbst ist dagegen weniger aussichtsreich, lediglich das etwas unterhalb gelegene alte Fort wäre hier noch zu erwähnen.

## Tipp

Um zu dem verfallenen Fort zu gelangen, kann der von der Passhöhe abwärts führenden Straße gefolgt werden.

*Den schönsten Blick auf die Kehren des Tendapasses hat man etwas oberhalb der Passhöhe, von der Ligurische-Alpen-Grenzkamm-Höhenstraße (Tour 28), die hier einmündet.*

 **STRECKENBESCHREIBUNG**

**km 0,0 (1275 m)**  Vom Parkplatz über zahlreiche Kehren mit 9 % Steigung bis zu einem Haus.

**km 2,5**  Am Haus vorbei, über ein kurzes Asphaltstück mit 12 % Steigung und weiter über Kehren mit 10 % Steigung bis zu einem verfallenen Haus.

**km 4,5**  Vom Haus dann über Kehren mit 10 % Steigung hinauf zur Passhöhe.

**km 8,0 (1908 m)**  Ende der Straße auf der Tendapasshöhe.

# Verhaltensregeln für Mountainbiker

*Wenn die Karte nicht mehr weiterhilft – Einheimische wissen meist den richtigen Weg.*

## Ein technisch einwandfreies Rad

Beim Mountainbiken sind einwandfrei funktionierende Bremsen eine Lebensversicherung! Überprüfen Sie diese daher vor jeder Tour sorgfältig – ebenso Schaltung, Laufräder und Steuersatz. Und warten Sie Ihr Rad außerdem regelmäßig.

## Eine umweltfreundliche Anfahrt

Wer die sportliche Bewegung in der freien Natur schätzt, sollte dem entsprechend auch schon bei der Anfahrt eine umweltfreundliche Alternative wählen. Dazu gehören Fahrgemeinschaften ebenso wie das richtige Verhältnis von Anfahrtszeit zur tatsächlichen Bikezeit. Und nicht zu vergessen, die Möglichkeit, mit der Bahn anzureisen.

## Sorgfältig planen

Nehmen Sie auf Ihre Touren geeignetes Kartenmaterial mit, und achten Sie schon bei der Planung der Route auf eventuell bestehende Fahrverbote für Mountainbikes.

## Kritische Selbsteinschätzung

Wer sich vor der Auswahl einer Tour über die eigene Kondition und sein fahrerisches Können im Klaren ist, bringt sich nicht unnötig in Gefahr und damit um den Genuss.

## Gut gerüstet an den Start

Wer mit Helm fährt, schützt seinen Kopf bei einem Sturz vor schweren Verletzungen. Und Regenschutzbekleidung sowie Erste-Hilfe-Set sollten Sie auch immer dabei haben - für alle Fälle.

## Nur auf breiten Wegen fahren

Off-Road-Biken birgt ein hohes Verletzungsrisiko, es zerstört auf Dauer Rad und Natur. Mountainbiken findet daher auf mindestens 1,5 Meter breiten Wegen statt.

## Fußgänger, Verkehrsregeln und Wegsperrungen respektieren

Wie im normalen Straßenverkehr haben auch in den Bergen Fußgänger ausnahmslos Vorrang. Rechtzeitiges Klingeln und ein freundlicher Gruß tun das Übrige, um Konflikte zu vermeiden.

## Rücksichtsvoll mountainbiken

Fahren Sie immer auf Sicht und bremsbereit. Als Bergabfahrender sollten Sie innerhalb der halben überschaubaren Strecke anhalten können. Rücksichtnahme heißt außerdem, dass Fußwege und Steige den Wanderern vorbehalten bleiben.

*Bleiben Sie bitte stets auf den Wegen.*

## Weidetiere und Natur schonen

Weidevieh hat zwar meist keine Scheu vor Wanderern, an Radfahrer jedoch ist es nicht gewöhnt. Fahren Sie daher langsam und mit Abstand vorbei, damit die Tiere nicht flüchten müssen. Und auch auf dem Rad an Wildwechsel denken!

## Sich als repektvoller Besucher in der Natur verhalten

Genießen Sie die Natur, ohne als Störenfried aufzutauchen. Das heißt, keine Blumen pflücken und die Wildtiere nicht stören, etwa durch Herumschreien. Das heißt aber auch: Seinen Abfall wieder mit nach Hause nehmen und keine Gewässer verunreinigen!

## Rechtzeitig umkehren

Bergradeln in der Dämmerung oder gar Finsternis ist sehr gefährlich und hat nichts mehr mit Sportlichkeit und Naturerlebnis zu tun. Dennoch sollten Sie zur Sicherheit auf jeder Tour eine Stirnlampe oder eine Klemmlampe dabei haben.

*Wer in unwegsamem Gelände unterwegs ist, sollte darauf achten, dass dies dort wirklich gestattet ist.*

## ÜBERSICHT DER TOUREN NACH SCHWIERIGKEITSGRAD

| Schwierig-keitsgrad | Tourname | Land/Region | Länge | Höhen-differenz | Höchst-steigung | Tournummer (Seite) |
|---|---|---|---|---|---|---|
| leicht | Belvédère-du-Cirque-du-Mont-Viso-Straße | Frankreich/Dauphiné | 15,0 km | 605 Hm | 14 % | 36 (S. 168) |
| leicht | Laguzalpe-Straße | Österreich/Vorarlberg | 9,5 km | 624 Hm | 10 % | 9 (S. 54) |
| leicht | Obere-Firstalm-Straße | Deutschland/Südbayern | 7,5 km | 570 Hm | 13 % | 2 (S. 24) |
| leicht | Plätzwiesesattel-Straße | Italien/Dolomiten | 9,0 km | 560 Hm | 9 % | 16 (S. 84) |
| leicht | Tenda-Passstraße | Frankreich/Provence | 8,0 km | 633 Hm | 12 % | 40 (S. 184) |
| leicht–mittelschwer | Assietta-Kammstraße | Italien/Piemont | 36,0 km | 840 Hm | 13 % | 22 (S. 108) |
| leicht–mittelschwer | Limojoch-Straße, Nordseite | Italien/Südtirol | 7,0 km | 624 Hm | 18 % | 14 (S. 76) |
| leicht–mittelschwer | Vergiel-Bergstraße | Österreich/Nordtirol | 7,5 km | 760 Hm | 12 % | 7 (S. 46) |
| leicht–mittelschwer | Winkel-Hochtalstraße | Österreich/Osttirol | 12,0 km | 600 Hm | 20 % | 4 (S. 34) |
| mittelschwer | Alp-Discholas-Bergstraße | Schweiz/Graubünden | 8,0 km | 842 Hm | 12 % | 29 (S. 138) |
| mittelschwer | Aurafreida-Bergstraße | Schweiz/Graubünden | 10,5 km | 1067 Hm | 12 % | 30 (S. 142) |
| mittelschwer | Brenner-Grenzkamm-Höhenstraße | Italien/Südtirol | 15,5 km | 888 Hm | 11 % | 10 (S. 60) |
| mittelschwer | Colle-De-Mallemort-Festungsstraße | Frankreich/Provence | 7,5 km | 780 Hm | 40 % | 39 (S. 180) |
| mittelschwer | Fimber-Hochtalstraße | Österreich/Westtirol | 14,0 km | 888 Hm | 15 % | 6 (S. 42) |
| mittelschwer | Finestre-Passstraße, Südseite | Italien/Piemont | 16,0 km | 1098 Hm | 12 % | 21 (S. 104) |
| mittelschwer | Helm-Bergstraße | Italien/Südtirol | 12,0 km | 1122 Hm | 15 % | 13 (S. 72) |
| mittelschwer | Kiental- mit Griesalp-Straße | Schweiz/Bern | 14,0 km | 700 Hm | 28 % | 33 (S. 154) |
| mittelschwer | Limojoch-Straße, Südostseite | Italien/Südtirol | 15,0 km | 922 Hm | 24 % | 15 (S. 80) |
| mittelschwer | Mont-Malamot-Gipfelstraße | Frankreich/Savoyen | 9,0 km | 940 Hm | 15 % | 35 (S. 164) |
| mittelschwer | Obermutten-Bergstraße | Schweiz/Graubünden | 10,0 km | 1230 Hm | 20 % | 31 (S. 146) |

## ÜBERSICHT DER TOUREN NACH SCHWIERIGKEITSGRAD

| Schwierig-keitsgrad | Tourname | Land/Region | Länge | Höhen-differenz | Höchst-steigung | Tournummer (Seite) |
|---|---|---|---|---|---|---|
| mittelschwer | Pasúbio-Bergstraße, Westseite | Italien/Venetien | 10,5 km | 766 Hm | 14 % | 18 (S. 92) |
| mittelschwer | Pasúbio-Bergstraße, Ostseite | Italien/ Venetien | 11,0 km | 870 Hm | 15 % | 19 (S. 96) |
| mittelschwer | Rellseck- und Monteneu-Straße | Österreich/ Vorarlberg | 9,0 km | 763 Hm | 14 % | 8 (S. 50) |
| mittelschwer | Rosenlaui- und Schwarzwaldalpstraße | Schweiz/Bern | 16,5 km | 1367 Hm | 14 % | 32 (S. 150) |
| mittelschwer | Schachen-Bergstraße | Deutschland/ Südbayern | 10,5 km | 873 Hm | 14 % | 3 (S. 28) |
| mittelschwer | Schlüsseljoch-Straße | Italien/Südtirol | 9,0 km | 1009 Hm | 15 % | 11 (S. 64) |
| mittelschwer | Varaita-Máira-Kammstraße | Italien/Piemont | 29,5 km | 913 Hm | 10 % | 26 (S. 124) |
| mittelschwer–schwer | Brünnstein-Bergstraße | Deutschland/ Südbayern | 10,0 km | 878 Hm | 28 % | 1 (S. 20) |
| mittelschwer–schwer | Finestre-Passstraße, Nordseite | Italien/Piemont | 19,0 km | 1675 Hm | 14 % | 20 (S. 100) |
| mittelschwer–schwer | Furggen-Passstraße | Schweiz/Wallis | 13,5 km | 1456 Hm | 15 % | 34 (S. 158) |
| mittelschwer–schwer | Parpaillon-Passtunnel-straße, Ostseite | Frankreich/ Dauphiné | 18,0 km | 1378 Hm | 12 % | 38 (S. 176) |
| mittelschwer–schwer | Strickberg-, Markinkele- und Pustertaler-Grenz-kamm-Höhenstraße | Italien/Südtirol | 20,5 km | 1459 Hm | 11 % | 12 (S. 68) |
| mittelschwer–schwer | Venetalm-Bergstraße | Österreich/ Westtirol | 9,0 km | 1115 Hm | 24 % | 5 (S. 38) |
| mittelschwer (schwer) | Tremalzo-Passstraße | Italien/ Lombardei | 17,5 km (26,0 km) | 1172 Hm (1722) Hm | 17 % | 17 (S. 88) |
| schwer | Chaberton-Bergstraße | Italien/Piemont | 14,0 km | 1854 Hm | 18 % | 25 (S. 120) |
| schwer | Jafferau-Bergstraße | Italien/Piemont | 23,5 km | 1701 Hm | 12 % | 24 (S. 116) |
| schwer | Ligurische-Alpen-Grenz-kamm-Höhenstraße | Italien/Ligurien | 79,5 km | 2500 Hm | 15 % | 28 (S. 132) |
| schwer | Máira-Stura-Kammstraße | Italien/Piemont | 39,0 km | 1777 Hm | 11 % | 27 (S. 128) |
| schwer | Parpaillon-Passtunnel straße, Westseite | Frankreich/ Dauphiné | 29,5 km | 1775 Hm | 11 % | 37 (S. 172) |
| schwer | Sommeiller-Bergstraße | Italien/Piemont | 26,5 km | 1728 Hm | 12 % | 23 (S. 112) |

# Register

## Impressum

Der Südwest Verlag ist ein Unternehmen der Econ Ullstein List Verlag GmbH & Co. KG, München
© 2001 Econ Ullstein List Verlag GmbH & Co. KG München
**Redaktion:**
Claudia Schmidt
**Projektleitung:**
Dr. Harald Kämmerer
**Redaktionsleitung:**
Dr. Reinhard Pietsch
**Umschlaggestaltung:**
Jan-Dirk Hansen
**DTP/Satz:**
Maren Scherer, München
**Produktion:**
M. Metzger, A. Aatz
Printed in Slovenia
ISBN 3-517-06347-9

## Bildnachweis

G. Amberg: S. 73; H. Arndt: S. 7, 136/137; A. Bergmann: S. 35; O. Bolch: S. 86; P. Dinter: S. 6, 8, 11, 14, 22, 26, 51, 60, 147 u.; 161; W. Fischer: S. 4. l.; R. Geser: S. 61, 79, 89, 93 (2), 94, 96, 121, 126, 129 u.; 134, 151, 155, 170, 174, 177 o.; 178, 189 o.; St. Herbke: S. 4 r., 21, 25, 43, 44, 47, 62, 66, 189 u.; G. Hirtlreiter: S. 77, 82; E. Höhne: S. 39, 42, 102, 113, 152 (2), 156, 159; E. E. Hüsler: S. 52, 55, 105, 139, 141, 143 u.; P. Krinninger: S. 2, 10, 12, 16, 18/19, 36, 40, 48, 65, 74, 100, 105, 140, 143 o.; 158, 188; I. Kürschner: S. 78; Mutten Tourismus: S. 147; Verkehrsverein Poschiavo: S. 144; R. Schmid: S. 160, 161; D. Seibert: S. 56; Th. Rettstatt: S. 101, 106; A. Zahn: Titelfoto, S. 5 (2), 15, 29, 32/33, 58/59, 67, 69, 70, 81, 85, 90, 97, 98, 109, 110, 114, 117, 118, 122, 125, 129 o.; 130, 162/163, 165, 166, 167, 168, 169, 173, 177 u.; 181, 182, 185 (2), 186 (2), Umschlagrückseite.

## Titelbild

Offroad-Abstecher auf alten Militärstraßen vom Stilfser Joch über die Boccetta Forcola hinab zum Lago di Cancano im Veltlin.
**Umschlagrückseite:**
Unterwegs auf der Sommeiller-Bergstraße.

## Weitere Abbildungen:

Seite 17/18: Diese Gruppe startet in Ellmau zu einer Tour auf das Schachenhaus
Seite 32/33: Die herrliche Landschaft unseres südlichen Nachbarlandes Österreich zeigt sich auf diesem Bild.
Seite 58/59: Am Tremalzopass (Tour 17) hoch über dem Gardasee.
Seite 136/137: Das Matterhorn, zu Stein gewordener Inbegriff der Schönheiten, aber auch der Gefahren der Schweizer Bergwelt.
Seite 162/163: Am Tendapass, der urwüchsig gebliebenen Grenzregion zwischen Frankreich und Italien.

# 1 Brünnstein-Bergstraße

**Höchster Punkt: 1360 m** **Länge: 10,0 km** **Höhendifferenz: 878 Hm** **Zeit: 1 1/4–2 Std.**

▶ Mittelschwere bis schwere Radtour mit 28 % Höchststeigung auf zwei Abschnitten über 700 und 400 m Länge; zudem ein 700 m langer Abschnitt mit bis 26 % Steigung sowie mehrere Abschnitte mit Steigungen zwischen 14 und 18 %

▶ Auffahrt in der Regel ab Anfang April schneefrei; Strecke ab den Parkplätzen bei Km 3,5 für den öffentlichen Verkehr gesperrt

▶ Auf den ersten 3,5 km bis zum Fahrverbot Asphalt; dann, von einem kurzen Asphaltabschnitt durch Rechenau abgesehen, feste Erdstraße mit leichter Kiesauflage

**Hütten/Unterkünfte** Brünnsteinhaus (Km 10,0; ganzjährig geöffnet außer wochentags im November und Dezember, am 24. und 25. Dezember sowie von 15. Januar–1. Februar)

**Karte** KOMPASS Wanderkarte 1:50 000, Blatt 8

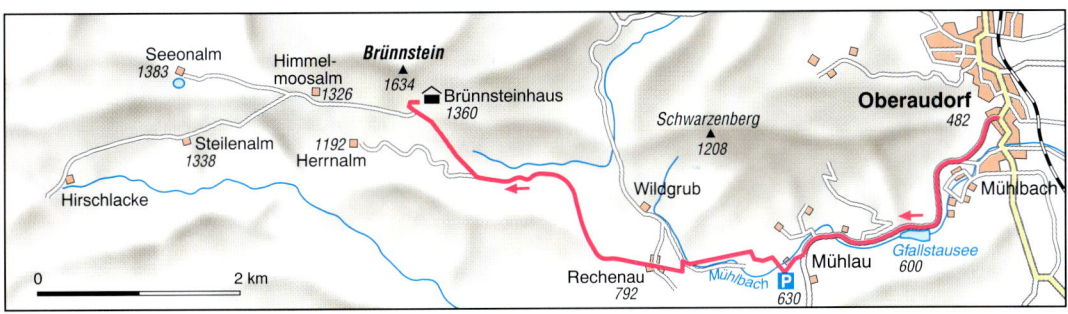

# 2 Obere-Firstalm-Straße

**Höchster Punkt: 1375 m** **Länge: 7,5 km** **Höhendifferenz: 570 Hm** **Zeit: 1–1 3/4 Std.**

▶ Leichte Radtour mit 13 % Höchststeigung auf ca. 2 km Länge bei der Auffahrt vom Spitzingsattel zur Oberen Firstalm

▶ Auffahrt in der Regel ab Anfang April schneefrei; Strecke mit Ausnahme des kurzen Abschnitts auf der Spitzingstraße ab dem Ortsende Neuhaus für den öffentlichen Verkehr gesperrt

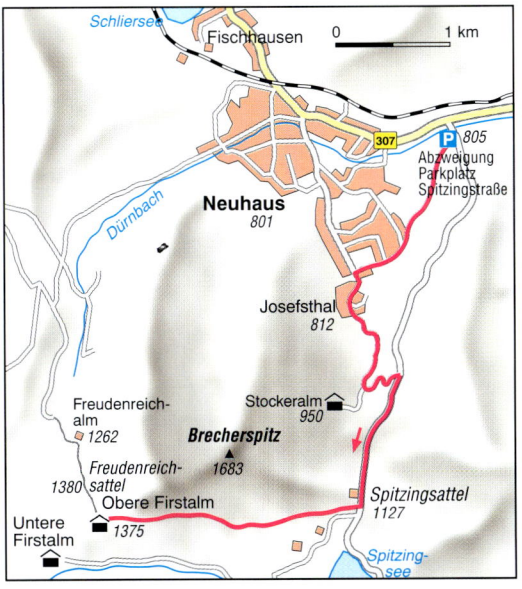

▶ ab Ortsende Neuhaus (Km 2,0), abgesehen von der ca. 1 km langen asphaltierten Auffahrt über die Spitzingstraße, feste Erdstraße mit leichter Kiesauflage

**Hütten/Unterkünfte** Berggasthof Obere Firstalm (Km 7,5; ganzjährig geöffnet)

**Karte** KOMPASS Wanderkarte 1:50 000, Blatt 8

# Streckenverlauf • Brünnstein-Bergstraße

**Km 0,0 (482 m)** In Oberaudorf der Beschilderung »Kiefersfelden« nach, kurz vor dem Ortsende der zum Luegsteinsee abzweigenden Straße folgen.

**Km 1,0** Am See und dem Hotel Grafenburg vorbei, von einem 300 m langen Anstieg mit 16 % Steigung abgesehen unschwierig zum Gfallstausee.

**Km 1,5 (600 m)** Am See vorbei eben bis zu der zum Gasthof Wallerhof abzweigenden Straße.

**Km 3,0** An der zum Gasthof Wallerhof abzweigenden Straße, trotz des Hinweisschilds »Brünnstein«, vorbei, bis zur Wegteilung mit Bushaltestelle.

**Km 3,5 (630 m)** An der Wegteilung der nach rechts abzweigenden, ebenfalls mit »Brünnstein« ausgeschilderten Straße bis zu den Parkplätzen folgen. Über eine kleine Brücke den Mühlbach überqueren und nunmehr auf einer Erdstraße, bei Steigungen meist unter 10 %, zu den Höfen von Rechenau.

**Km 5,5 (792 m)** Der Beschilderung »Brünnstein« folgend auf der mit 14 bis 18 % ansteigenden Trasse weiter bis zur Einmündung in die Forststraße und dieser aufwärts folgen.

**Km 7,5** Nach der Einmündung in die Forststraße 700 m langer Anstieg mit 26 % Steigung bis zur Gabelung. Hier der geradeaus führenden Trasse folgen, die mit 28 % auf 700 Meter Länge ansteigt, bei einem Holzkreuz nur kurz flacher wird, um beim Weiderost nochmals auf 400 Meter Länge mit 28 % anzusteigen.

**Km 8,5** Nach dem Weiderost führen die beiden hier abzweigenden Straßen nach kurzer Fahrzeit wieder zusammen; weiter über Steigungen von 14 bis 16 % zur Bergwachthütte.

**Km 9,5** Ab der Bergwachthütte noch 300 Meter mit bis 16 % Steigung hinauf zum Brünnsteinhaus.
**Alternativ** kann man von der Bergwachthütte der geradeaus führenden Trasse folgen, die sich bald gabelt und zur Seeonalm oder zu den Unterbergalmen führt.

**Km 10,0 (1360 m)** Ende der Auffahrt beim Brünnsteinhaus.

# Streckenverlauf • Obere Firstalmstraße

**Km 0,0 (805 m)** In Neuhaus entweder der Beschilderung »Josefsthal« folgen oder an den Parkplätzen am Anfang der Spitzingstraße beginnen. Von hier in westlicher Richtung an den Tennisplätzen vorbei bis zur Einmündung in die Josefsthalstraße bei der Bäckerei Gritscher.

**Km 1,5 (875 m)** Bei der Einmündung links ab, weiter bis zum Gästehaus Josefsthal und der hier mit 9 % ansteigenden, geradeaus führenden unbefestigten Straße (Beschilderung »Alte Spitzingstraße«) bis zum Wasserreservoir folgen.

**Km 2,5** Am Wasserreservoir vorbei mit etwas geringerer Steigung weiter bis zur Abzweigung.

**Km 3,0** An der Abzweigung nach links weiter bis zur Einmündung in die Spitzingstraße bei einem kleinen Parkplatz.
**Alternativ** kann auch dem rechts abzweigenden Weg zur Stockeralm gefolgt werden (Beschilderung »Spitzingsee«), von wo man über einen Pfad ebenfalls zum Sattel gelangt.

**Km 3,5** Nach der Einmündung in die Spitzingstraße auf der mit 11 % ansteigenden Straße bis zum Sattel.

**Km 4,5 (1127 m)** Am Sattel der für Kfz gesperrten unbefestigten Trasse zum Berggasthof Obere Firstalm folgen, anfangs mit 9 %, dann mit bis auf 13 % zunehmender Steigung.

**Km 7,5 (1375 m)** Ende der Auffahrt bei der Oberen Firstalm.

**Tipp** Wer nicht auf der Auffahrtstrecke zurückradeln will, kann dem Richtung Brecherspitz hochführenden Fahrweg folgen, der nach 300 m am Freudenreichsattel endet. Von dort auf steiler Lifttrasse ca. 100 Hm hinab zur Freudenreichalm schieben/tragen, dann auf der Forststraße bis zum Abzweig des Bodenschneidwegs durch das Dürnbachtal zurück nach Neuhaus fahren.

## 3 Schachen-Bergstraße

**Höchster Punkt: 1876 m**     **Länge: 10,5 km**     **Höhendifferenz: 873 Hm**   **Zeit: 2–2 1/2 Std.**

▶ Mittelschwere Radtour mit 14 % Höchststeigung auf einem kurzen Abschnitt im oberen Streckenteil; sonst längere Abschnitte mit bis 11 % Steigung

▶ Auffahrt in der Regel ab Mitte Mai schneefrei; Strecke für den öffentlichen Verkehr gesperrt

▶ Bis zur Abzweigung vor der Wettersteinalm (Km 5,0) feste Erdstraße mit leichter Kiesauflage; dann steiniger und felsiger werdender Fahrweg

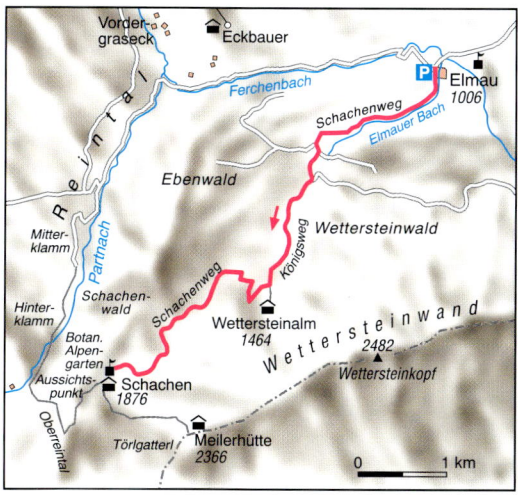

**Hütten/Unterkünfte** Wettersteinalm (Km 5,5; ganzjährig geöffnet außer im November sowie zwischen Ostern und Pfingsten); Schachenhaus (Km 10,5; Anfang Juni–Mitte Oktober geöffnet)

**Karte** KOMPASS Wanderkarte 1:50 000, Blatt 5

## 4 Winkel-Hochtalstraße

**Höchster Punkt: 1886 m**     **Länge: 12,0 km**     **Höhendifferenz: 600 Hm   Zeit: 1 1/4–2 1/4 Std.**

▶ Leichte bis mittelschwere Radtour mit 20 % Höchststeigung auf 200 m Länge; außerdem eine Steigung von 18 % auf ca. 500 m Länge, eine weitere mit 14 % auf ca. 400 m Länge

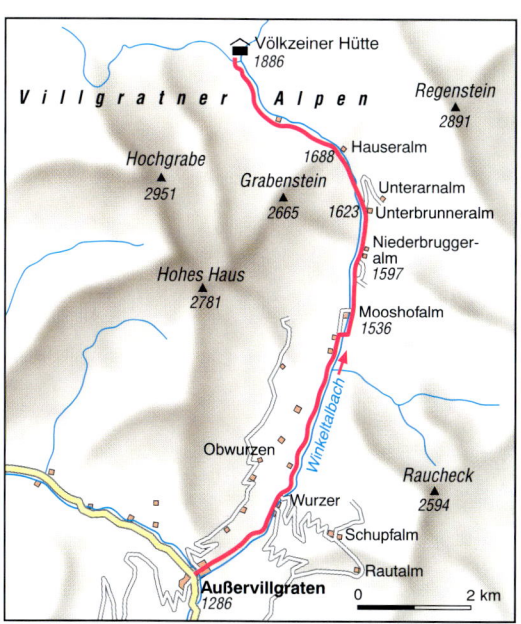

▶ Auffahrt in der Regel ab Mitte Mai schneefrei; Strecke offiziell vom 1. Juni – 31. Oktober geöffnet

▶ Auf den ersten 5,5 km bis zur Mautstelle Asphalt; dann überwiegend feste, streckenweise leicht steinige und kiesige Erdstraße

**Hütten/Unterkünfte** Völkzeiner Hütte (Km 12,0; Mitte Juni–Mitte September geöffnet)

**Karte** KOMPASS Wanderkarte 1:50 000, Blatt 58

## Streckenverlauf • Schachen-Bergstraße

**Km 0,0 (1003 m)**  An den hintersten Parkplätzen von Elmau über eine Schranke ins Tal des Elmauer Bachs und auf anfangs ebener, dann mit bis zu 11 % ansteigender guter Naturstraße bis zur Abzweigung.

**Km 2,5**  An der Abzweigung, dem links mit der Beschilderung »Schachen/Meilerhütte« abzweigenden, mit bis zu 11 % ansteigenden Weg bis zur Wegteilung folgen.

**Km 3,0**  An der Wegteilung rechts ab (Beschilderung »Schachen/Wettersteinalm«), mit Steigungen zwischen 8 und 11 % weiter bis zu einem Holzgatter.

**Km 5,0 (1464 m)**  Nach dem Holzgatter geradeaus, dem an der Abzweigung zur Wettersteinalm vorbeiführenden, steiniger werdenden und mit »Jagdschloss Schachen/Meilerhütte« ausgeschilderten Fahrweg folgen. Auf felsiger und steiniger werdender, bei der Kehrengruppe bis 14 % steiler Trasse bis zum Viehgatter.

**Km 8,5 (1650 m)**  Nach dem Viehgatter 200 m steil abwärts, weiter auf der, von einem kurzen 14%igen Anstieg abgesehen, nur leicht ansteigenden Trasse bis zur Materialseilbahn.

**Km 10,0**  An der Materialseilbahn vorbei, weiter auf der kurz bis 10 % ansteigenden Straße, am Alpengarten vorbei über Serpentinen hinauf zum Schachenhaus.

**Km 10,5 (1876 m)**  Ende der Auffahrt beim Schachenhaus.


## Streckenverlauf • Winkel-Hochtalstraße

**Km 0,0 (1286 m)**  In Außervillgraten der Beschilderung »Winkeltal« folgend auf leicht ansteigender asphaltierter Trasse am Bach entlang taleinwärts.

**Km 2,0**  Nach einem 300 Meter langen Anstieg mit bis zu 13 % Steigung weiter auf leicht steigender Trasse bis zur Mautstelle.

**Km 5,5 (1536 m)**  Nach der Mautstelle über den Winkeltalbach; ab hier Erdstraße mit Steigungen meist um 7 %, kurz auch 10 %, weiter bis zur Talstufe.

**Km 9,5**  Über der Talstufe mit bis 18 % Steigung, einmal auf ca. 200 Meter Länge auf 20 % zunehmend, weiter bis zu den Almhütten.

**Km 10,5**  An den Almhütten vorbei ca. 500 Meter in die Talweitung abwärts, dann mit Steigung bis 14 % auf 400 Meter Länge bis zum Wendeplatz am Winkeltalbach.

**Km 12,0 (1886 m)**  Ende der Straße am Wendeplatz am Winkeltalbach nahe der Völkzeiner Hütte.

# 5 Venetalm-Bergstraße

**Höchster Punkt:** 1994 m    **Länge:** 9,0 km    **Höhendifferenz:** 1115 Hm    **Zeit:** 1 1/2–2 1/2 Std.

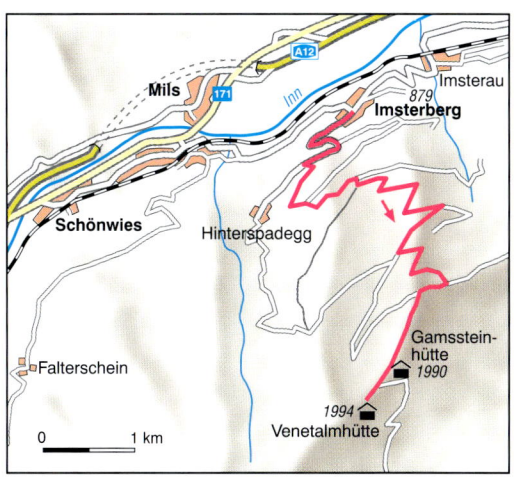

▸ Mittelschwere bis schwere Radtour mit 24 % Höchststeigung auf ca. 300 m Länge im unteren Streckenteil; sonst längere Abschnitte mit Steigungen zwischen 14 und 18 %

▸ Auffahrt in der Regel ab Mitte Mai schneefrei

▸ Auf den ersten 2,5 km Asphalt; dann feste, im oberen Bereich etwas steiniger werdende Erdstraße

**Hütten/Unterkünfte** Gamssteinhütte (Km 8,0; Ende Juni–15. September geöffnet); Venetalmhütte (Km 9,0)

**Karte** KOMPASS Wanderkarte 1:50 000, Blatt 42

---

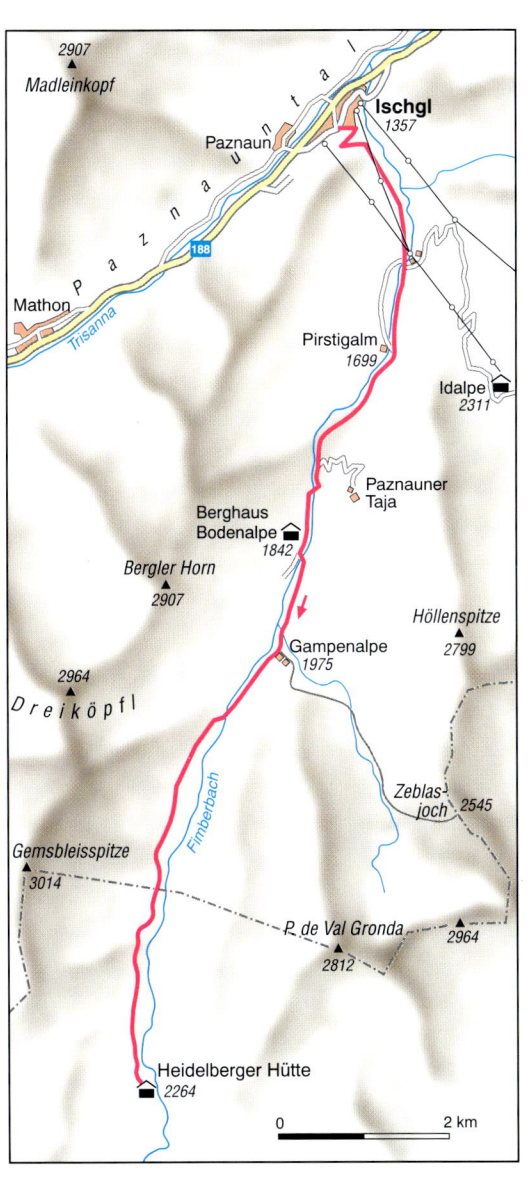

# 6 Fimber-Hochtalstraße

**Höchster Punkt:** 2264 m    **Länge:** 14,0 km
**Höhendifferenz:** 888 Hm    **Zeit:** 1 1/2–2 1/2 Std.

▸ Mittelschwere Radtour mit 15 % Höchststeigung auf den ersten 1,5 km; im oberen Streckenbereich 14 % Steigung auf 300 m Länge

▸ Auffahrt in der Regel ab Anfang Juni schneefrei; Strecke bis zum Fahrverbot beim Berghaus Bodenalpe (Km 6,5) offiziell vom 1. Juni–31. Oktober geöffnet; Auffahrt zum Berghaus Bodenalpe ab Ortsende Ischgl für den öffentlichen Verkehr zwischen 9 und 17 Uhr gesperrt

▸ Auf den ersten 2,5 km bis zur Mittelstation der Silvrettaseilbahn Wechsel zwischen Asphalt und Erdstraße; dann bis zum Berghaus Bodenalpe (Km 6,5) durchgehend Asphalt; ab Berghaus Bodenalpe leicht steinige Erdstraße

**Hütten/Unterkünfte** Berghaus Bodenalpe (Km 6,5; 20. Dezember– 15. Mai sowie 15. Juni–15. Oktober geöffnet); Heidelberger Hütte (Km 14,0; 20. Februar–20. Mai, 1. Juli–30. September geöffnet)

**Karte** KOMPASS Wanderkarte 1:50 000, Blatt 41

## Streckenverlauf • Venetalm-Bergstraße

**Km 0,0 (879 m)** In der Ortsmitte von Imsterberg an der Einmündung der von Schönwies heraufführenden Straße den Hinweisen »Venet/Höfle/Spadegg« folgen. Weiter auf sechs Kehren mit 9 % Steigung über einen Wiesenhang, alle abzweigenden Wege ignorierend, bis zum Gehöft.

**Km 2,0 (1074 m)** Beim Gehöft zwischen Stallungen und Wohngebäuden hindurch, nunmehr auf knapp einspurigem Fahrweg auf mit bis zu 20 % ansteigender Trasse zur Gartlesebene.

**Km 3,0** Am Spielplatz Gartlesebene vorbei, nunmehr auf fester Erdstraße der geradeaus mit »Venet/Plattenrain« ausgeschilderten Straße folgen und über ein 300 Meter langes Stück mit bis zu 24 % Steigung weiter bis zur Abzweigung.

**Km 3,5** An der Abzweigung entweder der nach links über eine Kehre abgehenden, mit »Plattenrain« beschilderten Trasse mit Steigungen zwischen 14 und 18 % folgen und dabei alle abzweigenden Wege, auch den bei Km 5,5 nach Plattenrain, außer Acht lassen. Oder einfacher der über den Weiderost geradeaus führenden Straße folgen, die mit nicht über 10 % Steigung bis zu einer Lichtung führt.

**Km 6,0 (1629 m)** Bei der Lichtung kommen beide Wege wieder zusammen, weiter mit Steigungen zwischen 14 und 16 %, auf 300 Meter Länge bis 18 %, zur Gamssteinhütte.

**Km 8,0 (1990 m)** An der Gamssteinhütte geradlinig vorbei und auf 10 % und weiter zurückgehender Steigung bis zur Venetalm.

**Km 9,0 (1994 m)** Ende der Straße bei der Venetalm.

## Streckenverlauf • Fimber-Hochtalstraße

**Km 0,0 (1357 m)** In Ischgl am Gemeindehaus nahe der Dorfkirche vorbei, den Hinweisschildern zur Heidelberger Hütte folgend auf der bis zu 15 % steilen Straße über eine Kehre aus dem Ort heraus zur Mittelstation der Silvrettaseilbahn.

**Km 2,5 (1665 m)** An der Seilbahnstation vorbei, die kurz danach rechts abzweigende Trasse bleibt trotz der Beschilderung »Heidelberger Hütte/Bodenalpe« unbeachtet, geradeaus weiter zur Kreuzung.

**Km 3,0 (1699 m)** An der Kreuzung geradeaus, nicht der Abzweigung zur Idalpe folgen, an der Kapelle vorbei, bei anfangs 6%iger, dann auf 9 % zunehmender Steigung, weiter ins Fimbertal zum Berghaus Bodenalpe.

**Km 6,5 (1842 m)** Kurz nach dem Berghaus Bodenalpe Übergang von Asphalt- in Erdstraße, an der folgenden Abzweigung links halten, zur Talstation der Gampenbahn.

**Km 7,5** An der Talstation der Gampenbahn vorbei, auf mit 8 % ansteigender Trasse höher, weiter auf der taleinwärts führenden Straße mit Steigungen bis 14 %, von flacheren Abschnitten und kurzen Abfahrten abgelöst, bis zur Heidelberger Hütte.

**Km 14,0 (2264 m)** Ende der Straße bei der Heidelberger Hütte.

## 7 Vergiel-Bergstraße

**Höchster Punkt: 2330 m   Länge: 7,5 km   Höhendifferenz: 760 Hm   Zeit: 1 1/4–2 Std.**

▶ Leichte bis mittelschwere Radtour mit 12 % Höchststeigung an kurzen Abschnitten im obersten Streckenbereich; außerdem lange Steigungsabschnitte zwischen 9 und 11 %

▶ Auffahrt in der Regel ab Anfang Juni schneefrei; Strecke ab dem Stafaliweiher (Km 1,5) für den öffentlichen Verkehr zwischen 9 und 18 Uhr gesperrt

▶ Anfangs feste, dann etwas steiniger werdende Erdstraße

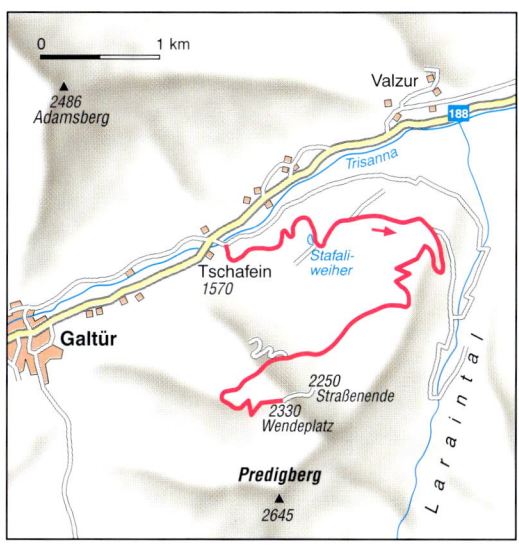

**Hütten/Unterkünfte** keine

**Karte** KOMPASS Wanderkarte 1:50 000, Blatt 41

## 8 Rellseck- und Monteneu-Straße

**Höchster Punkt: 1850 m   Länge: 9,0 km   Höhendifferenz: 763 Hm   Zeit: 1 1/4–2 Std.**

▶ Mittelschwere Radtour mit 14 % Höchststeigung auf 500 m Länge auf den ersten 500 m; sonst kurzer Anstieg mit bis zu 13 % sowie längere Abschnitte zwischen 9 und 11 % Steigung

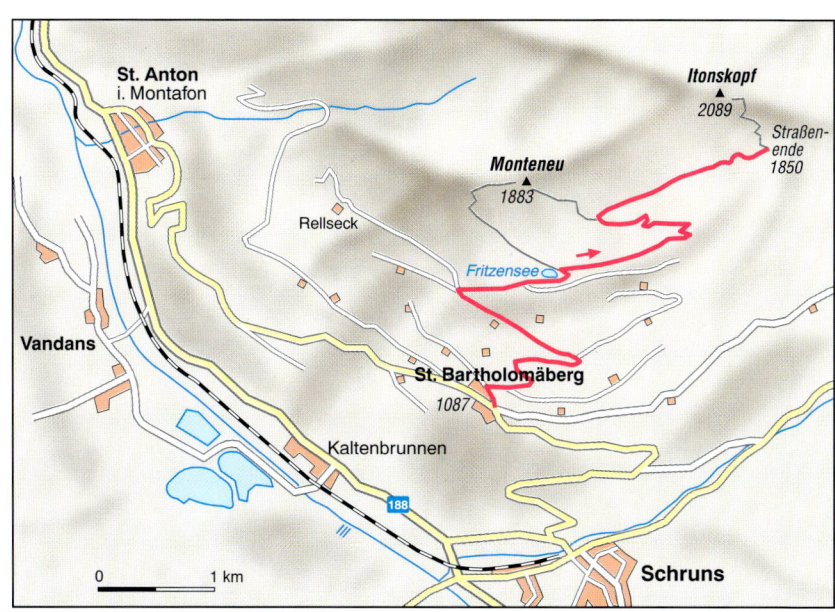

▶ Auffahrt in der Regel ab Ende Mai schneefrei

▶ Auf den ersten 3,5 km bis zum Kreuzungspunkt Goritschang Asphalt; dann leicht steinige Erdstraße

**Hütten/Unterkünfte** keine

**Karte** KOMPASS Wanderkarte 1:50 000, Blatt 32

## Streckenverlauf • Vergiel-Bergstraße

**Km 0,0 (1570 m)** Vom Parkplatz der nach rechts abzweigenden, mit »Höhenweg Laraintal/Stafaliweiher« ausgeschilderten Trasse mit 10 % Steigung zu den Parkplätzen am Stafaliweiher folgen.

**Km 1,5 (1650 m)** Am Stafaliweiher vorbei und weiter bis zu einer unbeschilderten Abzweigung.

**Km 2,0** An der unbeschilderten Abzweigung vorbei, mit 10 % Steigung weiter bis zur Gabelung.

**Km 2,5** An der Gabelung dem rechts abzweigenden Sträßchen mit der Beschilderung »Laraintal/Predigberg« folgen und über Kehren mit Steigungen zwischen 9 und 11 % nach oben.

**Km 6,0** An stählernen Lawinenverbauungen vorbei über Kehren mit meist bei 9 %, kurz auch bei 12 % liegender Steigung bis zum kleinen Wendeplatz.

**Km 7,5 (2330 m)** Ende der Auffahrt am Wendeplatz.

**Hinweis** Das vom Wendeplatz weiterführende Sträßchen fällt ca. 80 Hm ab und endet nach 400 m.

## Streckenverlauf • Rellseck- und Monteneu-Straße

**Km 0,0 (1087 m)** In St. Bartholomäberg der direkt gegenüber der Kirche abzweigenden, anfangs mit 14 %, dann über Kehren mit 11 % ansteigenden Mautstraße bis zur Abzweigung nach Sassellen folgen. Die immer wieder abzweigenden Straßen, beschildert mit einem weißen Balken auf blauem Grund, werden ignoriert.

**Km 2,0** An der Abzweigung nach Sassellen vorbei auf mit 9 % ansteigender Straße durch ein Viehgatter und über einen Weiderost zum Kreuzungspunkt Goritschang.

**Km 3,5 (1350 m)** Am Kreuzungspunkt Goritschang der rechts Richtung »Monteneu/Itonskopf oder Kristberg« ausgeschilderten Trasse mit kurz 13 % Steigung bis zur Kreuzung beim Fritzensee folgen.

**Km 4,0** An dem kleinen See links vorbei zur Abzweigung Lippaloch.

**Km 4,5 (1500 m)** An der Abzweigung Lippaloch nicht dem links zum Itonskopf abzweigenden Weg folgen, sondern geradeaus der Beschilderung »Monteneu über Raschibella/Schwarzensee/Obere Wies« nach und über Kehren mit 9 %, kurz auch 11 % Steigung weiter zum Kreuzungspunkt Raschibella.

**Km 7,5 (1750 m)** Am Kreuzungspunkt Raschibella nicht dem links abzweigenden Bergpfad folgen, sondern geradeaus, auf anfangs leicht, dann bis auf 11 % ansteigender Trasse bis zum Ende der Straße.

**Km 9,0 (1850 m)** Ende der Straße in den Latschenhängen ca. 200 Hm unterhalb des Itonskopfs.

## 9 Laguzalpe-Straße

**Höchster Punkt: 1600 m** **Länge: 9,5 km** **Höhendifferenz: 624 Hm** **Zeit: 1–2 Std.**

▸ Leichte Radtour mit 10 % Höchststeigung auf ca. 1,5 km nach der Mautstelle; sonst meist um 6 %, auf 2 km Länge zwischen 7 und 9 % liegende Steigung

▸ Auffahrt in der Regel ab Ende Mai schneefrei; Strecke offiziell vom 15. Mai–15. Oktober geöffnet, ab den Parkplätzen vor der Laguzalpe (Km 9,0) für den öffentlichen Verkehr gesperrt

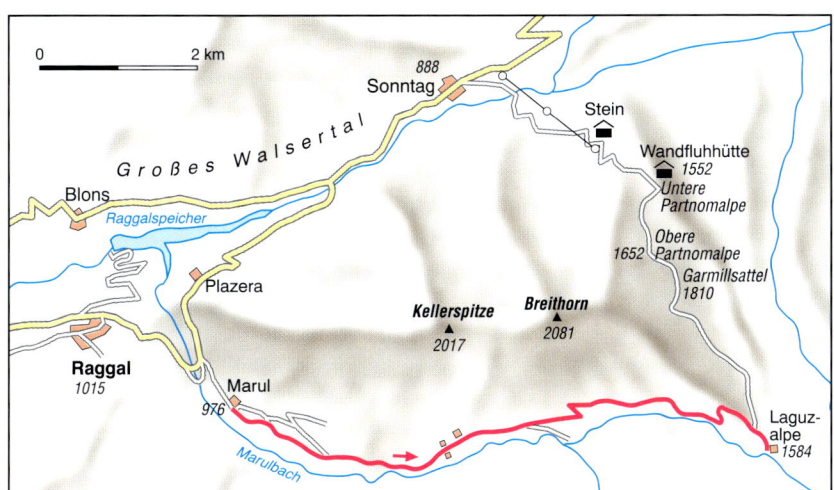

▸ Auf den ersten 1,5 km Asphalt; dann, von einem 1 km langen Abschnitt zwischen Km 5 und 6 abgesehen, feste Erdstraße mit leichter Kiesauflage; asphaltierte Auffahrt zum Garmilsattel, durch losen Kies und Splittauflage aber kaum von einer Erdstraße zu unterscheiden

**Hütten/Unterkünft** Laguzalpe (Km 9,5)

**Karte** KOMPASS Wanderkarte 1:50 000, Blatt 32

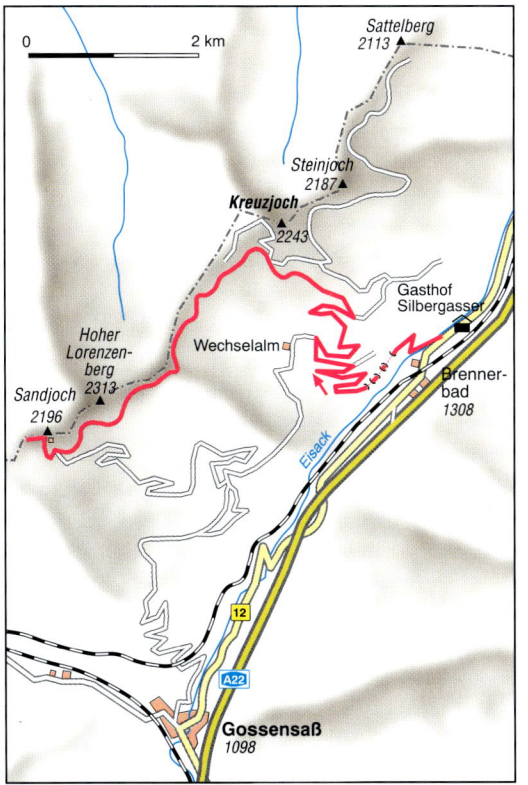

## 10 Brenner-Grenzkamm-Höhenstraße

**Höchster Punkt: 2196 m** **Länge: 15,5 km**
**Höhendifferenz: 888 Hm** **Zeit: 2 1/2–3 1/2 Stunden**

▸ Mittelschwere Biketour mit 11 % Höchststeigung auf ca. 1 km Länge im oberen Bereich; zudem lange Abschnitte mit 10 % Steigung

▸ Auffahrt in der Regel ab Mitte Juni schneefrei

▸ Auf den ersten 9 km Wechsel von schadhaftem Asphalt und steiniger, grobschottriger Erdstraße; im Kammbereich abgesehen von einem ca. 1 km langen asphaltierten Abschnitt durchgehend Erdstraße

**Hütten/Unterkünfte** keine

**Karte** KOMPASS Wanderkarte 1:50 000, Blatt 44

## Streckenverlauf • Laguzalpe-Straße

**Km 0,0 (976 m)**  In Marul, an der Kirche vorbei der Beschilderung zur Mautstraße folgen, auf der mit bis zu 6 % ansteigenden Asphaltstraße hinauf zum Gasthof Alpenfrieden.

**Km 1,5**  Am Gasthof Alpenfrieden vorbei und nach einem kurzen Aufschwung mit bis zu 7 % Steigung fast eben bis zur Mautstelle.

**Km 4,5 (1100 m)**  Der links an der Mautstelle vorbeiführenden Trasse folgen, über Kehren mit bis zu 10 % Steigung nach oben, dann bei nachlassender Steigung weiter bis zum höchsten Punkt der Straße bei den Parkplätzen.

**Km 9,0 (1600 m)**  Von den Parkplätzen leicht abwärts zur Laguzalpe.

**Km 9,5 (1584 m)**  Ende der Straße bei der Laguzalpe.

**Tipp**  Für den Rückweg empfiehlt es sich, der von den Parkplätzen links Richtung »Partnom/Steris« abzweigenden Straße zu folgen. Über Steigungen von 10 %, zwei Mal kurz 14 % und ein Mal auf einer Länge von 300 m auch 18 %, wird nach 1,5 km der Garmilsattel erreicht. Wer will, kann von dort über die Oberen und Unteren Partnom-Alpen nach Sonntag im Großen Walsertal abfahren und von dort über die ca. 6 km lange und nochmals knapp 100 Hm hinaufführende Strecke zurück zum Ausgangspunkt radeln.

## Streckenverlauf • Brenner-Grenzkamm-Höhenstraße

**Km 0,0 (1308 m)**  Dem teilweise asphaltierten, teilweise grobschottrigen Sträßchen über Kehren mit 8 % Steigung nach oben folgen.

**Km 1,5**  Beginn eines 500 Meter langen, immer wieder unterbrochenen Tunnels, durch diesen hindurch.

**Km 4,5 (1640 m)**  An der Einmündung der von den Wechselalmen heraufführenden Straße geradeaus und über Kehren mit bis zu 10 % Steigung weiter nach oben.

**Km 7,0 (1884 m)**  An der Straßenkreuzung der geradeaus hochführenden Straße folgen und an Lawinenverbauungen vorbei zu einer Kehre mit Wendeplatz.

**Km 8,0**  Nach der Kehre vorbei an im Berghang eingemauerten Unterkünften, weiter bis zur Straßenkreuzung.

**Km 9,0 (2029 m)**  An der Straßenkreuzung nach links abbiegen und an einem größeren verfallen Fort vorbei, abwärts zu einer Straßenkreuzung mit einer kleinen Holzhütte.
**Alternativ** der an der Straßenkreuzung nach rechts abzweigenden Straße folgen, die nach ca. vier Kilometern auf unschwieriger, teilweise fallender Trasse zu einem verfallenen Fort unterhalb der Kuppe des Sattelbergs führt.

**Km 9,5**  An der Straßenkreuzung bei der Holzhütte der links leicht ansteigenden Straße folgen, die mit 8 % Steigung zu einem kleinen Bunker führt.

**Km 11,5**  Am Bunker vorbei, auf der kurz auf 8 % ansteigenden, dann abfallenden Straße weiter bis zur Straßenkreuzung.

**Km 13,0 (2100 m)**  An der Straßenkreuzung weiter geradeaus, unterhalb des Sandjochs kurz etwas abfahrend, dann auf der wieder mit 11 % ansteigenden Straße um den Bergrücken herum zu einem weiteren Bunker.

**Km 15,0**  Auch an diesem Bunker vorbei und weiter bis zum nächsten Bunker am Grabjoch.

**Km 15,5 (2196 m)**  Ende der Straße bei der Bunkeranlage unterhalb des Grabjochs.

**Tipp**  Wer vom Endpunkt der Tour aus wieder zum vorherigen Bunker bei Km 15,0 zurückradelt und dort dem ca. 100 m vorher, leicht zu übersehenden, nach links abzweigenden Sträßchen folgt, kann noch ca. 2,5 km auf ebener Trasse zum Portjoch radeln (2110 m).

# 11 Schlüsseljoch-Straße
**Höchster Punkt: 2209 m     Länge: 9,0 km     Höhendifferenz: 1009 Hm Zeit: 1 1/2–2 1/2 Std.**

▸ Mittelschwere Radtour mit 15 % Höchststeigung auf ca. 2,5 km Länge; sonst längere Abschnitte zwischen 9 und 11 %, auf mehrere 100 m Länge auch mit 12 % Steigung

▸ Auffahrt in der Regel ab Mitte Juni schneefrei; Strecke bis zum Gasthof Ziroger Alm offiziell vom 15. Mai–31. Oktober geöffnet

▸ Auf den ersten 4 km bis zur Ziroger Alm leicht steinige Erdstraße; ab Ziroger Alm bis Km 5,0 Asphaltstraße in äußerst schlechtem Zustand; ab der Enzianhütte (Km 6,0) im Verfall befindliche Erdstraße, teilweise mit Geröll und Felsbrocken durchsetzt

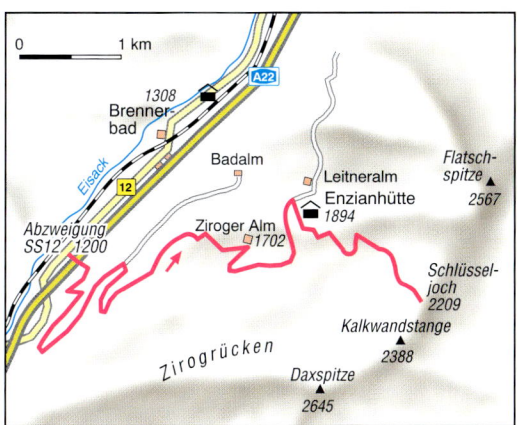

**Hütten/Unterkünfte** Ziroger Alm (Km 4,0; ganzjährig geöffnet); Enzianhütte (Km 6,0; ganzjährig geöffnet)

**Karte** KOMPASS Wanderkarte 1:50 000, Blatt 44

# 12 Strickberg-, Markinkele- und Pustertaler-Grenzkamm-Höhenstraße
**Höchster Punkt: 2546 m     Länge: 20,5 km     Höhendifferenz: 1459 Hm Zeit: 2 1/2–4 Std.**

▸ Mittelschwere bis schwere Radtour mit 11 % Höchststeigung auf einem kürzeren Abschnitt im unteren sowie einem längeren Abschnitt im oberen Streckenbereich; sonst längere Steigungsabschnitte zwischen 7 und 9 %

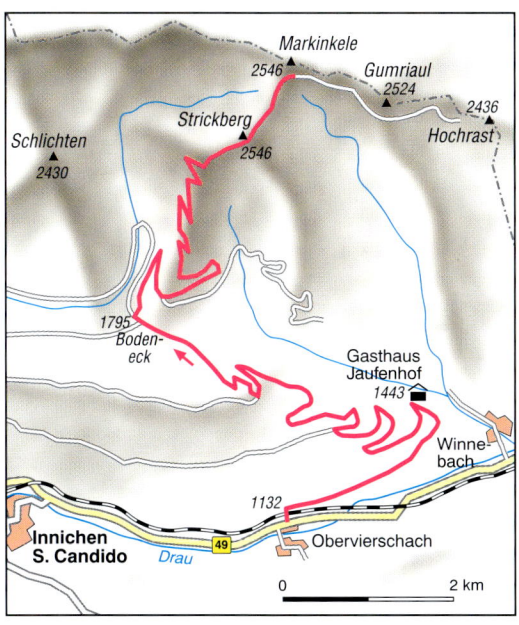

▸ Auffahrt in der Regel ab Mitte Juni schneefrei; Strecke offiziell vom 15. Juli–15. Oktober geöffnet

▸ Auf den ersten 6 km Asphalt; dann feste, ab Bodeneck (Km 11,5) steiniger werdende Erdstraße

**Hütten/Unterkünfte** Gasthof Jaufen (Km 4,5; ganzjährig geöffnet)

**Karte** KOMPASS Wanderkarte 1:50 000, Blatt 58

## Streckenverlauf • Schlüsseljoch-Straße

**Km 0,0 (1200 m)** Unter der Unterführung hindurch dem mit ca. 9 %, kurz auch mit 11 % ansteigenden Erdsträßchen über Kehren zum Gasthof Ziroger Alm folgen.

**Km 4,0 (1762 m)** Am Gasthof Ziroger Alm vorbei, auf nunmehr schlechter Asphaltstraße mit 10 % Steigung weiter bis zur Weggabelung.

**Km 5,0** An Weggabelung dem links abzweigenden, anfangs leicht fallenden, dann auf 10 % ansteigenden Fahrweg zur Enzianhütte folgen.

**Km 6,0 (1894 m)** Am Abzweig zur Enzianhütte nicht vorbeifahren, sondern dem Weg hinter der etwas oberhalb des Fahrwegs gelegenen Hütte folgen. Über Kehren, mehrmals eine Skilifttrasse kreuzend, auf schlechtem, teils einem gerölldurchsetzten Bachbett gleichenden Weg, teils schiebend und tragend, ca. 2,5 Kilometer nach oben.

**Km 8,5** Bei einer kleinen Steinabstützung auf nunmehr wieder befahrbarem Weg weiter und über einige Biegungen hinauf bis zum Joch.

**Km 9,0 (2209 m)** Ende der Straße bei einem kleinem Holzkreuz am Schlüsseljoch, einer Einsattelung zwischen Flatschspitze und Kalkwandstange.

## Streckenverlauf • Strickberg-, Markinkele- und Pustertaler-Grenzkamm-Höhenstraße

**Km 0,0 (1132 m)** Unmittelbar gegenüber der Bahnstation durch eine kleine Unterführung unter der Staatsstraße 49 hindurch und auf der meist bei 8 % Steigung liegenden, kurz auch 11 % steilen asphaltierten Jaufenstraße hinauf zum Gasthaus Jaufenhof.

**Km 4,5 (1443 m)** Vom Gasthaus Jaufenhof aus weiter auf guter Asphaltstraße mit 7 % Steigung.

**Km 6,0** Hier das nach rechts abzweigende Erdsträßchen mit den Hinweisschildern »Markinkele Corneto/Silvester Kap./ S. Silvestro« nicht übersehen und darauf über Kehren mit 8 % Steigung weiter nach oben bis zur Abzweigung des nach Innichen führenden Fußwegs.

**Km 10,0 (1840 m)** An der Abzweigung vorbei und leicht abwärts bis zur Wegteilung am Bodeneck.

**Km 11,5 (1795 m)** Bei der Wegteilung am Bodeneck an einer Hausruine vorbei, weiter leicht abwärts und dem geradeaus führenden, nun steiniger und schlechter werdenden, anfangs mit 9 %, dann in einer Kehrengruppe auf 11 % ansteigenden Weg folgen.

**Km 19,5 (2546 m)** Wenig unterhalb des Strickberggipfels entlang leicht abwärts bis zu einem kleinen Wendeplatz bei verfallenen Militäranlagen unterhalb des Markinkelegipfels.

**Km 20,5 (2546 m)** Vom Wendeplatz aus kann der leicht fallenden Pustertaler-Grenzkamm-Höhenstraße gefolgt werden, die nach ca. vier Kilometern bei der verfallenen Zollhütte unterhalb der Hochrast endet.

## 13 Helm-Bergstraße

**Höchster Punkt: 2438 m**   **Länge: 12,0 km**   **Höhendifferenz: 1122 Hm**   **Zeit: 2–3 Std.**

▶ Mittelschwere Radtour mit 15 % Höchststeigung auf längeren Abschnitten; sonst längere Abschnitte mit Steigungen zwischen 11 und 14 %

▶ Auffahrt ist in der Regel ab Mitte Juni schneefrei; Strecke bis zum Fahrverbot beim Prünsterhof (Km 4,5) offiziell vom 1. Juni–31. Oktober geöffnet

▶ Auf den ersten 4,5 km bis zum Prünsterhof Asphalt; dann überwiegend feste, streckenweise leicht steinige Erdstraße

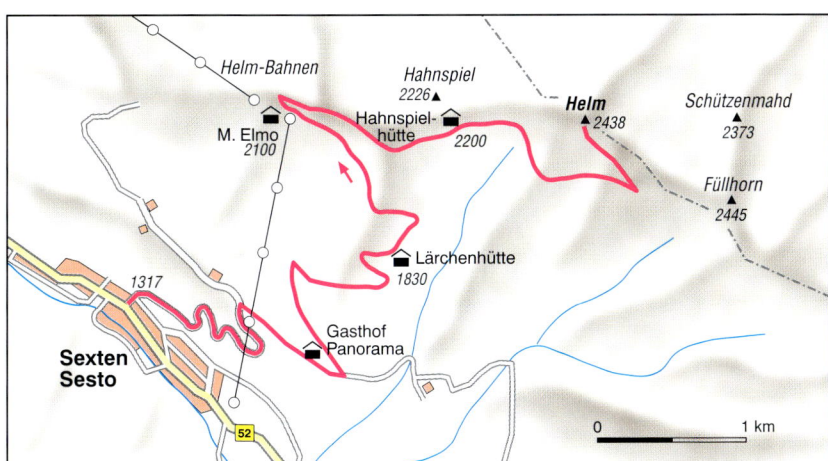

**Hütten/Unterkünfte** Lärchenhütte (Km 6,0); Helm-Restaurant (Km 8,0; Weihnachten–Ostern und Juni–Anfang Oktober keine Nächtigung); Hahnspielhütte (Km 9,5; Juni–Oktober sowie 20. Dezember–Ostern geöffnet)

**Karte** KOMPASS Wanderkarte 1:50 000, Blatt 58

## 14 Limojoch-Straße, Nordseite

**Höchster Punkt: 2172 m**   **Länge: 7,0 km**   **Höhendifferenz: 624 Hm**   **Zeit: 1 1/2–2 Std.**

▶ Leichte bis mittelschwere Radtour mit 18 % Höchststeigung auf ca. 300 m Länge im obersten Streckenbereich; außerdem mehrere kurze Abschnitte mit Steigungen zwischen 14 und 16 %

▶ Auffahrt in der Regel ab Anfang Juni schneefrei; Strecke für den öffentlichen Verkehr ab dem Gasthaus Pederù gesperrt

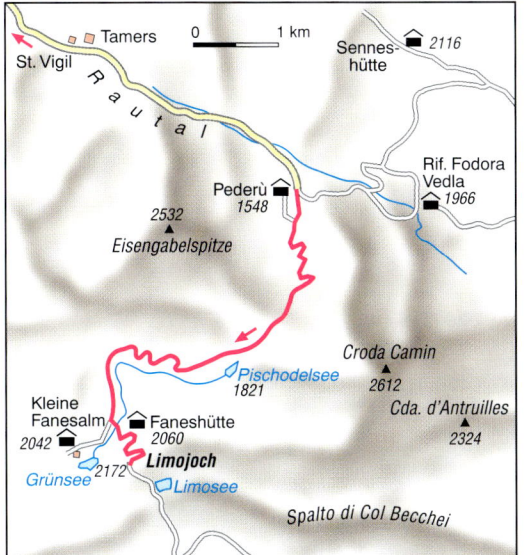

▶ Von St. Vigil bis Gasthaus Pederù Asphalt; von Pederù bis zur Faneshütte (Km 6,0) feste, danach steinige bis felsige Erdstraße, teilweise mit grobem losen Schotter

**Hütten/Unterkünfte** Faneshütte (Km 6,0; 1. Dezember–30. April und 30. Juni–30. September geöffnet)

**Karte** KOMPASS Wanderkarte 1:50 000, Blatt 55

## Streckenverlauf • Helm-Bergstraße

**Km 0,0 (1316 m)**  In Sexten beim Verkehrsamt dem direkt gegenüber dem Café Post abzweigenden St.-Veit-Weg folgen. An der Kirche vorbei und weiter auf einer einspurigen Asphaltstraße mit 11 % Steigung, kurz auch auf 14 % zunehmend, hinauf zum Gasthof Panorama.

**Km 3,0**  An der verfallenen Festung Mitterberg vorbei der nach links abzweigenden Straße folgen, die mit 11 % Steigung zum Prünsterhof hinaufführt.

**Km 4,5 (1700 m)**  Vom Prünsterhof aus weiter auf der nun für den öffentlichen Verkehr gesperrten, bald in eine Erdstraße übergehenden Straße, über Kehren mit 11 % Steigung bis zur Lärchenhütte.

**Km 6,0**  An der etwas im Wald versteckten Hütte vorbei und über die Skitrasse hinauf zum Helmrestaurant bei der Bergstation der Helmseilbahn.

**Km 8,0 (2100 m)**  An der Bergstation der Helmseilbahn vorbei auf der mit bis zu 14 % ansteigenden Trasse zur Hahnspielhütte.

**Km 9,5 (2200 m)**  An der Hahnspielhütte vorbei und mit nunmehr bis 15%iger Steigung dem schmäler werdenden Weg an den baumfreien Hängen unterhalb des Hahnspiels bis zu einem Aussichtspunkt mit Rastbank folgen.

**Km 10,5**  Am Aussichtspunkt vorbei auf einer Trasse mit Steigungen bis 15 %, auf dem Kammrücken links haltend und weiter in Richtung Gipfelkreuz.

**Km 12,0 (2438 m)**  Ende der Straße ca. 150 Meter unterhalb des Helmgipfels bei der verfallenen alten Helmhütte.

## Streckenverlauf • Limojoch-Straße, Nordseite

**Km 0,0 (1548 m)**  Vom Gasthaus Pederù nicht der links steil zur Sennesalpe hochführenden, sondern der geradeaus führenden Erdstraße folgen, die bald ansteigt und über Kehren auf 16 % Steigung zunehmend nach oben führt; weiter bis zum Pischodelsee.

**Km 3,0 (1821 m)**  Am Pischodelsee vorbei auf 500 Meter Länge leicht abwärts rollend, dann wieder über Kehren mit Steigungen zwischen 14 und 16 % durch Zirbenwald nach oben. Verzweigungen des Wegs führen jeweils nach kurzer Fahrzeit wieder zusammen.

**Km 5,0**  An einem kleinen Holzkreuz vorbei, bei auf 9 % zurückgehender Steigung an Holzhütten vorbei, weiter bis zum Abzweig zur Kleinen Fanesalm.

**Km 6,0 (2060 m)**  An der Abzweigung zur Kleinen Fanesalm vorbei und über kurzen Aufschwung mit bis zu 14 % Steigung weiter zur Faneshütte.

**Km 6,2**  Hinter der Faneshütte den zunehmend schlechter werdenden, grobschottrigen, in der Steigung von 14 auf 18 % zunehmenden Weg hochfahren bzw. -schieben.

**Km 7,0 (2172 m)**  Scheitelpunkt des Wegs am Limojoch. Hier Rückfahrt oder Abfahrt über die Südostseite des Limojochs (siehe Tour 15).

**Variante**  Alternativ kann man das Auto bereits in St. Vigil (1193 m) stehen lassen und die 13 km und gut 350 Hm von dort bis zum Gasthaus Pederù auf Asphaltstraße mit einer Höchststeigung von 7 % mit dem Rad zurücklegen. Sehr flotte Biker schaffen dies in einer halben Stunde, aber wer sich länger Zeit lässt, kann die Naturschönheiten um die Alpe Tamers oder den Kleinen Kreidesee, der etwas versteckt im Lärchenwald liegt, umso länger und unbeschwerter genießen.

## **15** Limojoch-Straße, Südostseite

**Höchster Punkt: 2172 m      Länge: 15,0 km      Höhendifferenz: 922 Hm    Zeit: 2–3 Std.**

▸ Mittelschwere Radtour mit 24 % Höchststeigung an zwei kurzen Abschnitten; außerdem mehrere kurze Abschnitte mit Steigungen zwischen 14 und 20 %

▸ Auffahrt in der Regel ab Anfang Juni schneefrei; Strecke für den öffentlichen Verkehr gesperrt

▸ Auf den ersten 2,5 km Asphalt; dann sehr steinige Erdstraße, streckenweise mit losem Kies und grobem losem Schotter

**Hütten/Unterkünfte**  Große Faneshütte (Km 13,0; unbewirtschaftet)

**Karte**  KOMPASS Wanderkarte 1:50 000, Blatt 55

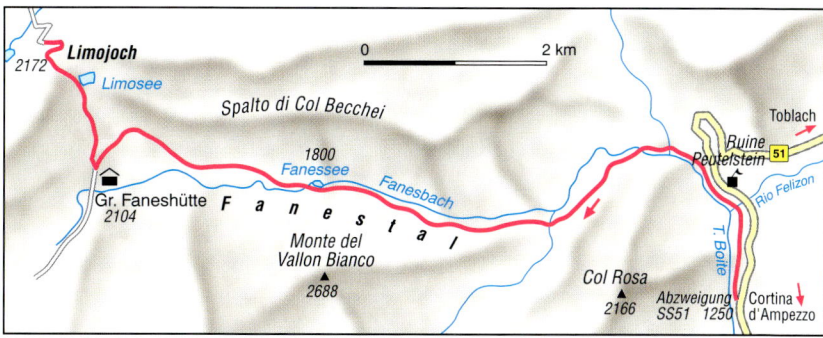

## **16** Plätzwiesesattel-Straße

**Höchster Punkt: 1997 m      Länge: 9,0 km      Höhendifferenz: 560 Hm   Zeit: 1 1/2–2 Std.**

▸ Leichte Radtour mit 9 % Höchststeigung auf langen Abschnitten

▸ Auffahrt in der Regel ab Ende Mai schneefrei; Strecke für den öffentlichen Verkehr gesperrt

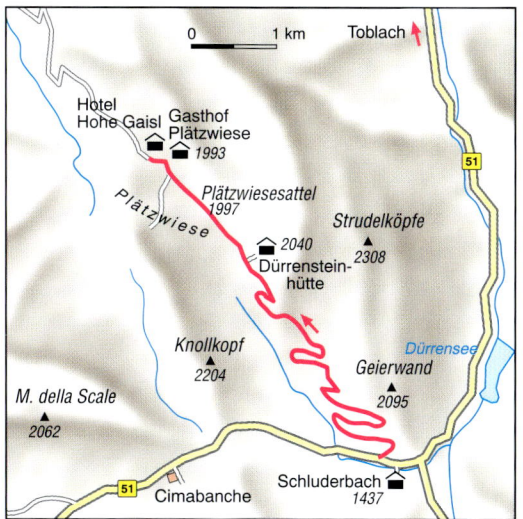

▸ Im unteren Teil auf 300 m und 1,8 km Länge Asphalt; sonst feste, im oberen Bereich leicht steinige Erdstraße

**Hütten/Unterkünfte**  Dürrensteinhaus (Km 8,0; ganzjährig geöffnet); Hotel Hohe Gaisl und Berggasthof Plätzwiese (Km 9,0; ganzjährig außer im November geöffnet)

**Karte**  KOMPASS Wanderkarte 1:50 000, Blatt 55

## Streckenverlauf • Limojoch-Straße, Südostseite

**Km 0,0 (1520 m)** Von der Abzweigung auf guter Asphaltstraße bis zu einem kleinen Parkplatz leicht abwärts.

**Km 1,0** Nach der Schranke weiter auf abwechselnd leicht ansteigender und leicht fallender Asphaltstraße.

**Km 2,5** Nach der zweiten Holzbrücke geht der Asphalt in eine Erdstraße mit losem Kies und grobem Schotter über, die mit bis zu 12 % ansteigt.

**Km 4,0** Nach einer weiteren Holzbrücke auf besserem Untergrund mit Steigungen von bis zu 11 % und dazwischen flacheren Abschnitten weiter bis zur Kreuzung.

**Km 4,5** An der Kreuzung links abbiegen und über steile Rampen mit Steigungen zwischen 14 und 20 %, zwei kurze Asphaltabschnitte auch mit 24 %, nach oben.

**Km 6,5** Auf der Höhe des Travenanzesbachs bei, von zwei kurzen Abschnitten mit 18 % Steigung abgesehen, zurückgehender Steigung zum Fanessee.

**Km 8,0 (1800 m)** Auf einem kleinen Betonwehr über den See zu Schranke.

**Km 8,5** Nach der Schranke noch ca. 500 Meter eben, dann erneut über Steigungen von bis zu 18 % weiter bis zur Holzbrücke.

**Km 10,5** Nach der Holzbrücke an der Abzweigung zur Kleinen Fanesalm vorbei und bei auf 8 % zurückgehender Steigung weiter zur Großen Faneshütte.

**Km 13,0 (2104 m)** Unmittelbar vor der Hütte dem schwarfwinkelig nach rechts abzweigenden, kurz mit bis zu 16 % ansteigenden Weg bis zum Militärgebäude folgen.

**Km 14,0** Nach dem Militärgebäude zurückgehendeSteigung, weiter zum Limosee.

**Km 14,5** Am Limosee vorbei zum Limojoch.

**Km 15,0 (2172 m)** Ende der Auffahrt am Limojoch bei einem Holzkreuz mit Aussichtsbank.

---

## Streckenverlauf • Plätzwiesesattel-Straße

**Km 0,0 (1437 m)** Von der Parkbucht aus den Beschilderungen »Dürrensteinhütte/Plätzwiese« folgen, an einer Schranke vorbei, mit 8 % Steigung weiter nach oben.

**Km 1,5** Über einen 300 Meter und knapp zwei Kilometer langen Asphaltabschnitt mit 9 % Steigung bis zum Gatter.

**Km 3,5** Nach dem Gatter nunmehr auf einer Erdstraße bei gleich bleibender Steigung weiter bis zur Steinböschung.

**Km 5,5** Nach der Steinböschung über Kehren mit teilweise auf 6 % zurückgehender Steigung bis zur Schranke.

**Km 7,5 (1997 m)** Nach der Schranke Ende der Steigungsstrecke, weiter auf ebener Trasse unterhalb des verfallenen Forts vorbei zum Hotel Hohe Gaisl und Berggasthof Plätzwiese.

**Km 9,0 (1993 m)** Ende der Straße beim Berggasthof Plätzwiese.

# 17 Tremalzo-Passstraße

**Höchster Punkt:** 1800 m   **Länge:** 17,5 km (26,0 km)   **Höhendifferenz:** 1172 Hm (1722 Hm)   **Zeit:** 2 1/2–3 1/2 Std. (3–4 Std.)

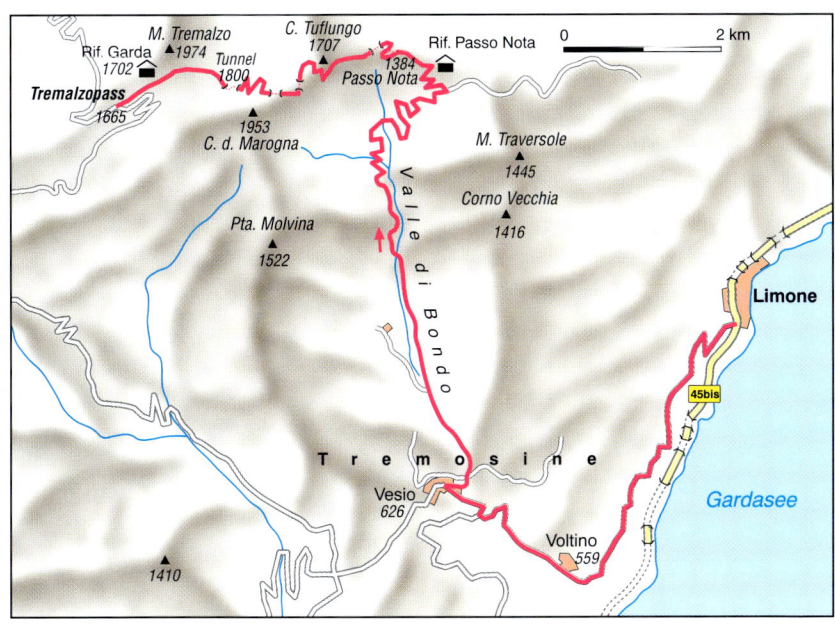

▸ Ab Vesio mittelschwere, ab Limone schwere Radtour mit 17 % Höchststeigung auf ca. 200 m Länge; sonst längere Abschnitte mit Steigungen zwischen 10 und 12 %, einmal kurz 14 %

▸ Auffahrt in der Regel ab Anfang Mai schneefrei; Strecke offiziell vom 15. Mai–31. Oktober geöffnet, ab Vesio für Motorradfahrer gesperrt

▸ Von Limone bis Vesio (Km 8,5) Asphalt; ab Vesio steinige, streckenweise mit grobem Schotter und leichter Kiesauflage bedeckte Erdstraße

**Hütten/Unterkünfte** Rifugio Garda auf der Nordseite des Passes, vom Tremalzotunnel (Endpunkt der Tour) noch ca. 2 km abfahrend (ganzjährig geöffnet)

**Karte** KOMPASS Wanderkarte 1:50 000, Blatt 102

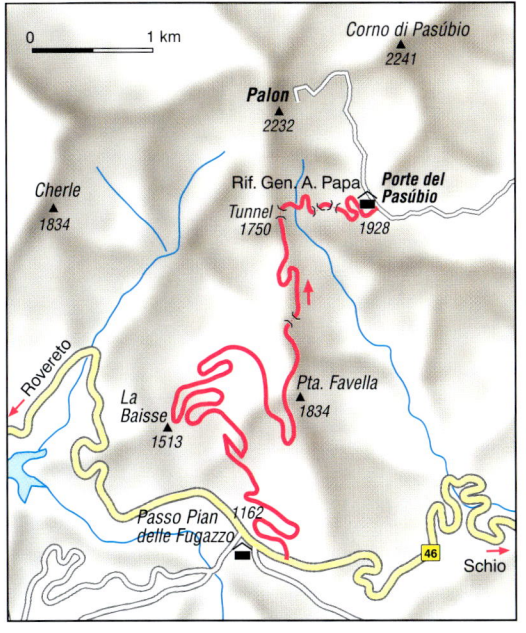

# 18 Pasúbio-Bergstraße, Westseite

**Höchster Punkt:** 1928 m   **Länge:** 10,5 km
**Höhendifferenz:** 766 Hm **Zeit:** 1 1/2–3 Std.

▸ Mittelschwere Radtour mit 14 % Höchststeigung auf ca. 2 km Länge; sonst längere Abschnitte mit Steigungen zwischen 7 und 9 %

▸ Auffahrt in der Regel ab Mitte Juni schneefrei; Strecke für den öffentlichen Verkehr gesperrt

▸ Erdstraße mit grobem losen Schotter, im oberen Bereich sehr steinig, in den Kehren asphaltiert

**Hütten/Unterkünfte** Rifugio Generale A. Papa auf der Passhöhe (1. Juli bis 20. September geöffnet)

**Karte** KOMPASS Wanderkarte 1:50 000, Blatt 101

## Streckenverlauf • Tremalzo-Passstraße

**Km 0,0 (78 m)** In Limone, der Beschilderung »Tremosine« folgend, auf der mit bis zu 14 % ansteigenden Asphaltstraße bis Voltino.

**Km 5,0 (559 m)** In Voltino geradeaus an der Grundschule vorbei, bis zum Restaurant leicht abwärts, dann bei auf 7 % ansteigender Trasse bis zur Einmündung in die von Salo heraufführende Straße nach Vesio, weiter nach Vesio.

**Km 7,5** Nach dem Ortsschild von Vesio über zwei Kehren mit 8 % Steigung in den Ort.

**Km 8,5** Im Ort der scharf rechts abzweigenden Straße, Beschilderung »Tremalzo/Pso. Nota«, folgen.

**Km 8,5/0,0 (628 m)** Beginnt man in Vesio beim Parkplatz vor dem Albergo Sole, folgt man der in Blickrichtung zum Gasthaus stehenden, rechts aus dem Ort herausführenden Straße.

**Km 9,0/0,5** Am Ortsende geht die geradeaus weiterführende Trasse in eine Erdstraße über, weiter auf leicht fallender Trasse bis zu einer unbeschilderten Straßengabelung.

**Km 10,5/2,0** An der Straßengabelung der geradeaus, fast eben am Waldrand der rechten Talseite entlangführenden Straße bis zu einer kleinen Brücke folgen.

**Km 12,5/4,0 (711 m)** Nach der Brücke über Kurven und Kehren mit Steigungen zwischen 8 und 10 % weiter bis zur Lichtung.

**Km 18,0/9,5 (1208 m)** An der Lichtung dem spitzwinklig nach links abzweigenden, an einer gemauerten Feuerstelle vorbeiführenden und mit »Pso. Pra della Rosa« beschilderten Sträßchen folgen, auf der mit bis zu 10 % ansteigenden Trasse weiter zu einem kurzen Felstunnel und durch diesen hindurch.

**Km 20,0/11,5** Nach dem Tunnel zunächst 200 Meter mit 17 % Steigung hinauf, dann über Kehren mit 12 % Steigung weiter, an der Abzweigung zum Passo Pra della Rosa vorbei und durch zwei weitere kurze Felstunnel.

**Km 21,0/12,5 (1446 m)** Nach den Tunneln um eine Felsnase herum und unterhalb des Bergkamms eben zu einem weiteren Felstunnel.

**Km 22,0/13,5** Nach dem Felstunnel über eine Kehrenstrecke mit 11 % Steigung, kurz auf 14 % ansteigend, zu einem 100 Meter langen Tunnel und durch diesen hindurch.

**Km 24,5/16,0** Nach dem Tunnel über eine Kehrenstrecke mit 10 % Steigung bis zum 120 Meter langen Gipfeltunnel.

**Km 26,0/17,5 (1800 m)** Ende der Auffahrt am Gipfeltunnel, alternativ ab hier ca. zwei Kilomter abwärts zum Rifugio Garda.

## Streckenverlauf • Pasúbio-Bergstraße, Westseite

**Km 0,0 (1162 m)** Von der Abzweigung über neun enge Kehren mit Steigungen zwischen 7 und 9 % auf grobem losen Schotter nach oben.

**Km 5,0** Nach Kehrenstrecke geht der Laubwald zurück, die Steigung nimmt bis zu einer weiteren Kehre bis 14 % zu.

**Km 7,0** Nach der Kehre bei nur geringfügig zurückgehender Steigung weiter und durch einen 100 Meter langen Tunnel.

**Km 8,0 (1750 m)** Nach dem Tunnel über eine Kehrengruppe mit 9 % Steigung an einer Felswand ca. 500 Meter nach oben. Dann bei zurückgehender Steigung durch mehrere unmittelbar aufeinander folgende Felstunnel leicht abwärts bis zu einer Felsnadel.

**Km 9,5** Nach der Felsnadel auf ausgesetzter, leicht ansteigender Trasse weiter, durch einen kurzen Felstunnel, an einer weiteren Felsnadel vorbei und durch den letzten Felstunnel auf der Auffahrtsstrecke.

**Km 10,0** Nach dem Tunnel über zwei Kehren mit 5 % Steigung zum Rifugio Generale A. Papa.

**Km 10,5 (1928 m)** Ende der Tour beim Rifugio Generale A. Papa.

**Tipp** Beim Rifugio Generale A. Papa kann man noch dem zum Gipfelplateau führenden Sträßchen folgen, das nach ca. drei Kilometern auf 2200 Meter Höhe in den Geröllfeldern der Cima Palon endet.

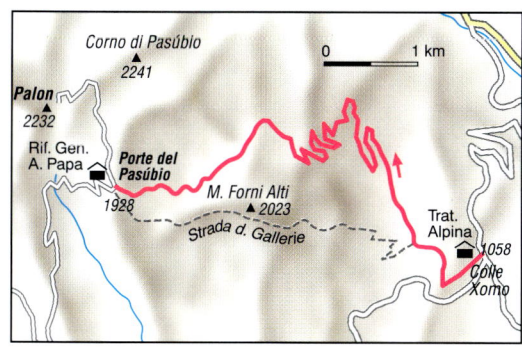

# 19 Pasúbio-Bergstraße, Ostseite

**Höchster Punkt:** 1928 m **Länge:** 11,0 km
**Höhendifferenz:** 870 Hm **Zeit:** 2–3 Std.

▸ Mittelschwere Radtour mit 15 % Höchststeigung auf ca. 1,5 km Länge; außerdem längere Abschnitte mit Steigungen zwischen 10 und 12 %, ein Mal kurz 14 %

▸ Auffahrt in der Regel ab Ende Mai schneefrei

▸ Erdstraße mit grobem losen Schotter, in den Kehren teilweise asphaltiert

**Hütten/Unterkünfte** Rifugio Generale A. Papa auf der Passhöhe (1. Juli–20. September geöffnet)

**Karte** KOMPASS Wanderkarte 1:50 000, Blatt 101

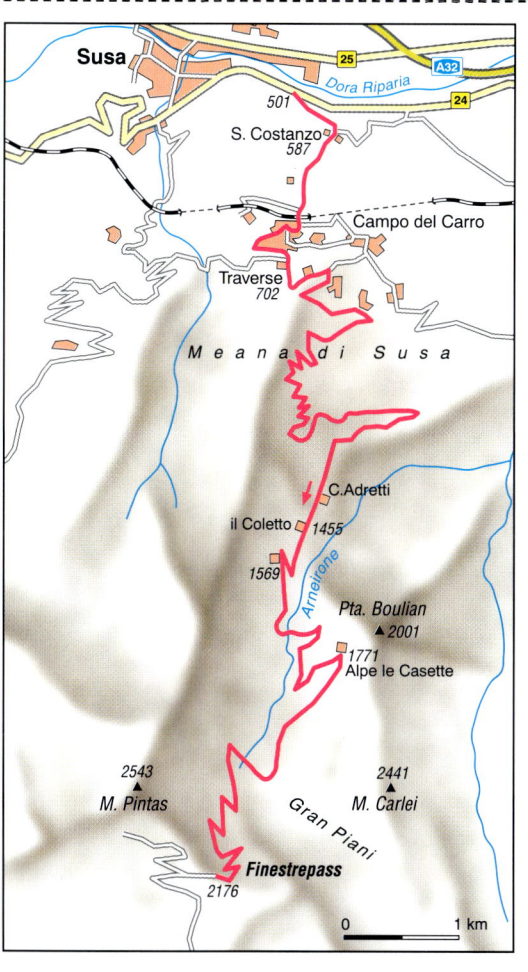

# 20 Finestre-Passstraße, Nordseite

**Höchster Punkt:** 2176 m **Länge:** 19,0 km
**Höhendifferenz:** 1675 Hm **Zeit:** 2 1/2–4 Std.

▸ Mittelschwere bis schwere Radtour mit 14 % Höchststeigung auf 500 m Länge im unteren Abschnitt; sonst längere Abschnitte mit Steigungen zwischen 9 und 11 %

▸ Auffahrt in der Regel ab Ende Mai schneefrei; Strecke offiziell vom 1. Juni–30. September geöffnet

▸ Auf den ersten 11 km bis zur »Quota 1455 m« Asphalt; dann feste Erdstraße

**Hütten/Unterkünfte** Alpe Le Casette (Km 14,5)

**Karte** Istituto Geografico Centrale, Torino, 1:50 000, Blatt 1

## Streckenverlauf • Pasúbio-Bergstraße, Ostseite

**Km 0,0 (1058 m)**  Von der Xomopasshöhe auf steiniger, ausgewaschener Erdstraße mit 11 % Steigung bis zu einem kleinen Parkplatz.

**Km 1,5 (1216 m)**  Nach dem Parkplatz auf der geradeaus führenden Straße leicht abwärts, dann an Almwiesen vorbei und auf der kurz bis zu 14 % ansteigenden Straße zu einer Kehrengruppe.

**Km 3,0**  Über die Kehrengruppe mit 12 % Steigung auf losem, grob schottrigem Untergrund nach oben.

**Km 7,0**  Nach einem 100 Meter langen Flachstück über weitere Kehren mit 10 % Steigung, kurz auch ein Mal auf 15 % zunehmend, zur Felswand.

**Km 8,0**  Nach der Felswand eben weiter bis zu einem kurzen Felstunnel; durch diesen hindurch.

**Km 8,5 (1720 m)**  Nach dem Felstunnel auf anfangs leicht, dann bis zu 9 % ansteigender Trasse hinauf zum Sattel.

**Km 11,0 (1928 m)**  Ende der Tour beim Rifugio Generale A. Papa.

**Tipp**  Beim Rifugio Generale A. Papa kann man noch dem zum Gipfelplateau führenden Stäßchen folgen, das nach ca. 3 km auf 2200 m Höhe in den Geröllfeldern der Cima Palon endet.

## Streckenverlauf • Finestre-Passstraße, Nordseite

**Km 0,0 (301 m)**  Vom Abzweig auf der mit 8 bis 10 % ansteigenden Asphaltstraße nach Meana.

**Km 1,0**  Im Ort durch eine enge Eisenbahnunterführung.

**Km 1,5**  Nach der Eisenbahnunterführung ein 500 Meter langer Abschnitt mit 14 % Steigung, dann auf mit 11 % steigender Trasse weiter durch dichten Mischwald kurvig und kehrenreich nach oben.

**Km 8,0 (1150 m)**  Beim Haus mit der Aufschrift »Quota 1150 m« endet die Kehrengruppe, weiter über Steigungen von maximal 9 % bis zum Haus mit der Höhenangabe »1455 m«.

**Km 11,0 (1455 m)**  Nach diesem Haus wird die Arneirone überquert, der Asphalt geht in eine feste Erdstraße über, weiter mit 9%iger Steigung zur Alpe Le Casette.

**Km 14,5 (1771 m)**  Nach der Alpe in großen Bögen dem Talverlauf folgend bei gleich bleibender Steigung in Richtung des Passeinschnitts fahren.

**Km 17,0**  Beginn einer letzten Gruppe von Kehren, die in immer kürzer werdenden Abständen mit 9 % Steigung zur Passhöhe hochführen.

**Km 19,0 (2176 m)**  Ende der Auffahrt am Scheitelpunkt.

# 21 Finestre-Passstraße, Südseite

**Höchster Punkt: 2176 m**    **Länge: 16,0 km**    **Höhendifferenz: 1098 Hm**    **Zeit: 2 1/2–3 1/2 Std.**

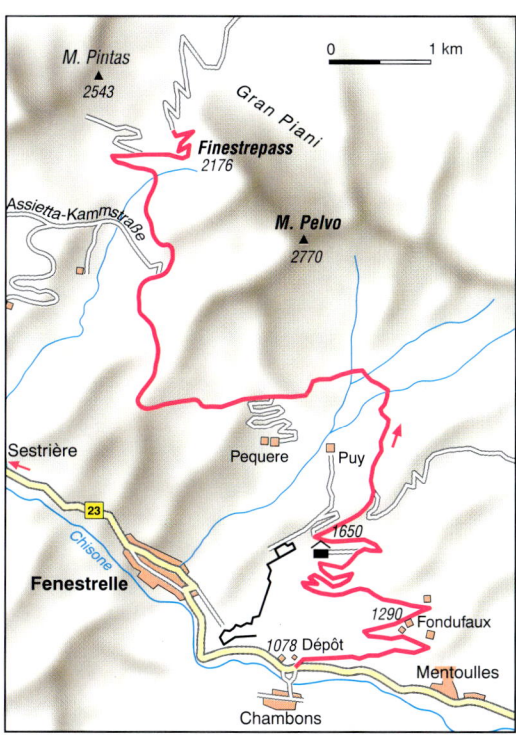

▶ Mittelschwere Radtour mit 12 % Höchststeigung auf einem ca. 1,5 km langen sowie einem 200 m langen Abschnitt; außerdem lange Abschnitte mit 8 % Steigung

▶ Auffahrt in der Regel ab Ende Mai schneefrei; Strecke offiziell vom 1. Juni–30. September geöffnet

▶ Auf den ersten 9 km Asphalt; dann feste Erdstraße

**Hütten/Unterkünfte** keine

**Karte** Istituto Geografico Centrale, Torino, 1:50 000, Blatt 1

# 22 Assietta-Kammstraße

**Höchster Punkt: 2566 m**    **Länge: 36,0 km**    **Höhendifferenz: 840 Hm**    **Zeit: 2 1/2–4 Std.**

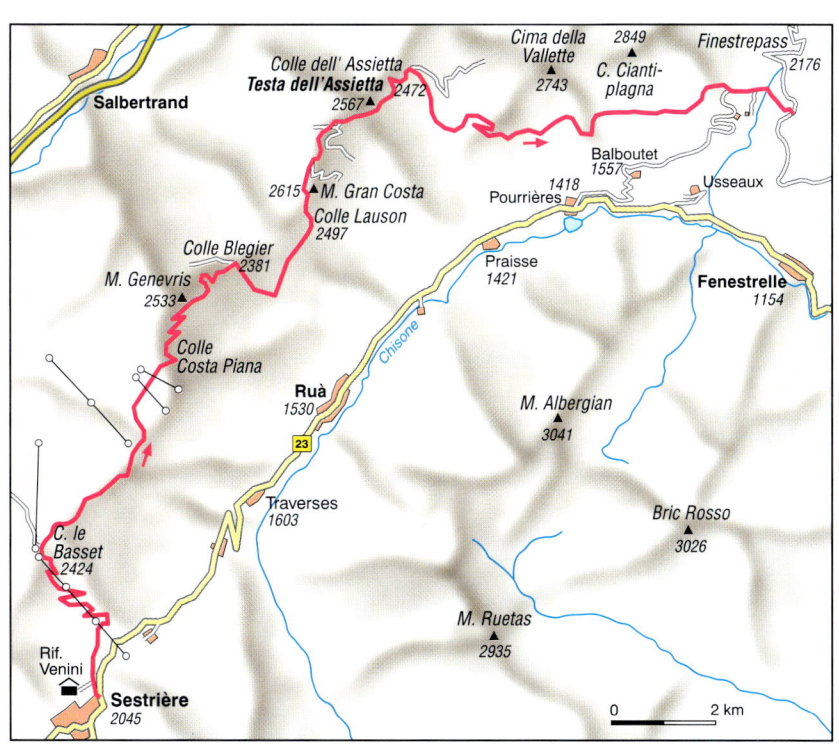

▶ Leichte bis mittelschwere Radtour mit 13 % Höchststeigung auf ca. 100 m Länge am Colle di Lauson; sonst lange Abschnitte mit Steigungen zwischen 6 und 8 %

▶ Auffahrt in der Regel ab Anfang Juni schneefrei; Strecke offiziell vom 15. Juni– 13. September geöffnet

▶ Auf den ersten 23 km bis zur Testa dell'Assietta feste; dann steiniger werdende Erdstraße

**Hütten/Unterkünfte** keine

**Karte** Istituto Geografico Centrale, Torino, 1:50 000, Blatt 1

# Streckenverlauf • Finestre-Passstraße, Südseite

**Km 0,0 (1078 m)** In Dépôt der Beschilderung »Colle delle Finestre« folgen und auf anfangs breiter Asphaltstraße mit Steigungen von bis zu 9 % an den Hängen der nördlichen Talseite nach oben.

**Km 3,0** Auf schmäler und kurviger werdender Straße weiter bis zum Schild mit Aufschrift »3 Tornante«.

**Km 4,5** Über die auf dem Schild bezeichnete Kehrengruppe mit Steigungen von bis zu 12 % zur Feriensiedlung Prato Catinat.

**Km 6,0 (1670 m)** Am Ortsausgang geht die Steigung zurück, eben weiter bis zum Picknickplatz von Prato Catinat.

**Km 8,0** Nach dem Picknickplatz geht der Asphalt in eine feste Erdstraße über, weiter anfangs noch eben, dann mit 8%iger Steigung zur verfallenen Festungsanlage Serre Marie.

**Km 11,5 (1890 m)** Am Fort vorbei auf ca. 200 Meter Länge ein Anstieg mit 12 % Steigung, dann auf nur leicht ansteigender Trasse weiter zur Pian dell'Alpe, wo die Assietta-Kammstraße einmündet.

**Km 13,5 (1970 m)** An der Einmündung der Assietta-Kammstraße vorbei und über Steigungen von bis zu 8 % hinauf zur Passhöhe.

**Km 16,0 (2176 m)** Ende der Auffahrt am Scheitelpunkt.

# Streckenverlauf • Assietta-Kammstraße

**Km 0,0 (2030 m)** In Sestrière der zum Colle Basset abzweigenden Erdstraße bis zur ersten Abzweigung folgen.

**Km 0,5** An der ersten Abzweigung der geradlinig mit 8 % ansteigenden Trasse (Beschilderung »Colle delle Finestre/Colle dell'Assietta«) bis zur Mittelstation einer Seilbahn folgen.

**Km 2,5** An der Seilbahnstation vorbei über Kehren mit 8 % Steigung entlang der Lifttrasse zur Bergstation.

**Km 5,5 (2450 m)** Von der Bergstation bis zu einem kleinen Einschnitt am Colle Basset abwärts. Auf der gleichen Hangseite bleibend, an einer kleinen Lifthütte vorbei, weiter abwärts zum Colle Bourget.

**Km 6,5 (2424 m)** Unterhalb des Bergkamms entlang, leicht abwärts bis zum Abzweig zu einer kleinen Lifthütte.

**Km 7,0** Am Abzweig vorbei auf anfangs weiter leicht, dann stärker abfallender Trasse zum Colle Bourget.

**Km 9,5 (2299 m)** Ca. 500 Meter nach dem Colle Bourget wechselt der Weg auf die nördliche Kammseite über, weiter auf abwechselnd leicht fallender und steigender Trasse zum Colle Costa Piana.

**Km 12,5 (2313 m)** Am Colle Costa Piana, wieder auf der südlichen Talseite, über eine Kehrengruppe mit 8 % Steigung zum Mont Genevris mit zwei Holzkreuzen.

**Km 15,5 (2533 m)** Vom Mont Genevris über Kehren mit anfangs stärkerem, bis 15%igem Gefälle abwärts zum Colle Blegier.

**Km 17,0 (2381 m)** Vom Colle Blegier weiter auf der südlichen Talseite mit einer Steigung von bis zu 6 %, dann kurz auf 13 % zunehmend, zum Colle di Lauson.

**Km 20,0 (2497 m)** Vom Colle di Lauson unschwierig zur Testa dell'Assietta mit steinernem Adler und Obelisk.

**Km 23,0 (2567 m)** Von der Testa dell'Assietta auf steiniger werdender Straße abwärts zum Colle dell'Assietta.

**Km 24,5 (2472 m)** An der Abzweigung am Colle dell'Assietta rechts (im Berichtsjahr mit »Colle Finestre« ausgeschildert), lange abfahrend bis zur Abzweigung nach Balbouet.

**Km 34,0** An der Abzweigung geradeaus weiter bis zur Abzweigung nach Don Bosco.
**Alternativ** kann man auch der Abzweigung nach Balbouet folgen und nach Pourriéres im Chisonetal abfahren, von dort sind es bis Sestrière 15 Kilometer.

**Km 35,0** An der nach Don Bosco abzweigenden Straße vorbei und auf mit 8 % ansteigender Straße bis Pian dell'Alpe.

**Km 36,0 (1970 m)** Ende der Kammstraße an der Einmündung in die Finestre-Passstraße (Pian dell'Alpe). Hier entweder noch die 2,5 Kilometer hoch zum Finestrepass oder 13,5 Kilometer nach Dépôt im Chisonetal (Streckenbeschreibung siehe Tour 21) abfahren.

# 23 Sommeiller-Bergstraße

**Höchster Punkt:** 3040 m    **Länge:** 26,5 km    **Höhendifferenz:** 1728 Hm    **Zeit:** 3–4 1/2 Std.

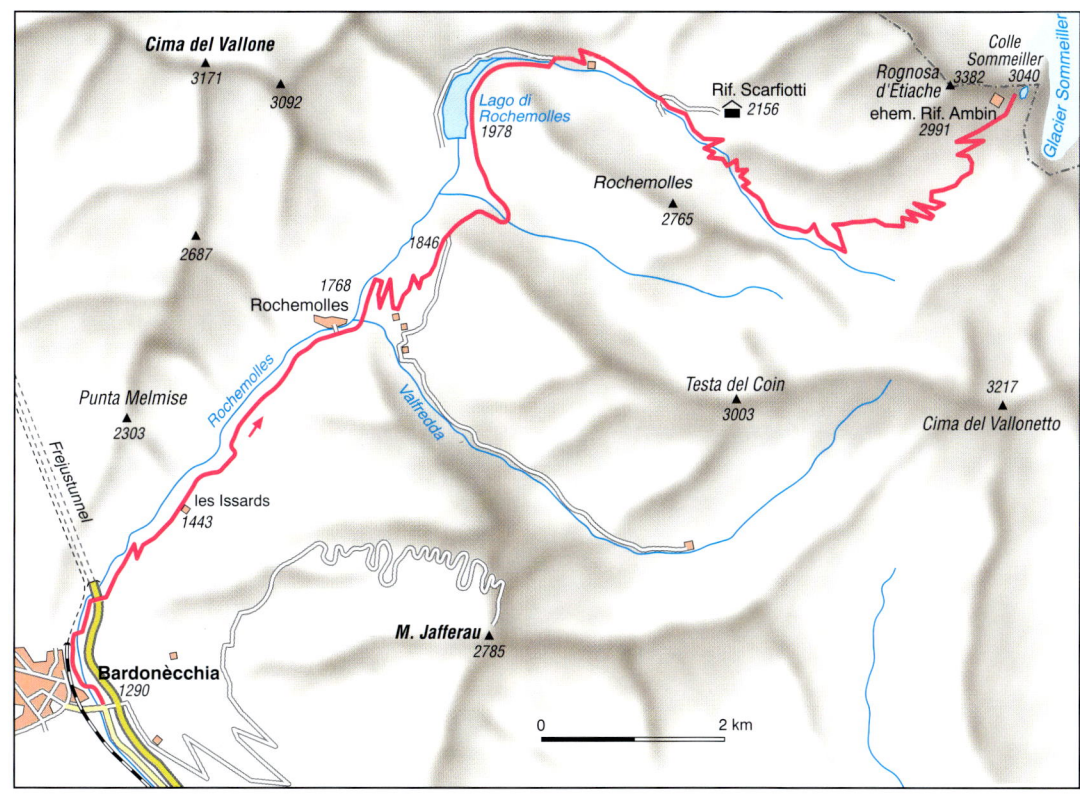

▶ Schwere Radtour mit 12 % Höchststeigung auf 1,5 km Länge im unteren Teil der Strecke; sonst lange Abschnitte mit Steigungen zwischen 8 und 10 %

▶ Auffahrt in der Regel ab Ende Juni schneefrei

▶ Auf den ersten 6 km bis Rochemolles Asphalt; dann steinige Erdstraße, teilweise mit losem Schotter bedeckt

**Hütten/Unterkünfte**
Rifugio Scarfiotti (Km 14,0; 1. Juli–30. September geöffnet)

**Karte** Istituto Geografico Centrale, Torino, 1:50 000, Blatt 1

# 24 Jafferau-Bergstraße

**Höchster Punkt:** 2801 m    **Länge:** 23,5 km    **Höhendifferenz:** 1701 Hm    **Zeit:** 3–4 1/2 Std.

▶ Schwere Radtour mit maximal 12 % Höchststeigung auf einigen kurzen Abschnitten; außerdem lange Abschnitte mit Steigungen zwischen 8 und 11 %

▶ Auffahrt in der Regel ab Ende Juni schneefrei; Strecke offiziell vom 1. August–30. September geöffnet

▶ Auf den ersten 2,5 km bis Moncellier Asphalt; dann Erdstraße mit teilweise sandigem, kiesigem und grobschottrigem Untergrund, auf den letzten 2,5 km sehr steinig

**Hütten/Unterkünfte** keine

**Karte** Istituto Geografico Centrale, Torino, 1:50 000, Blatt 1

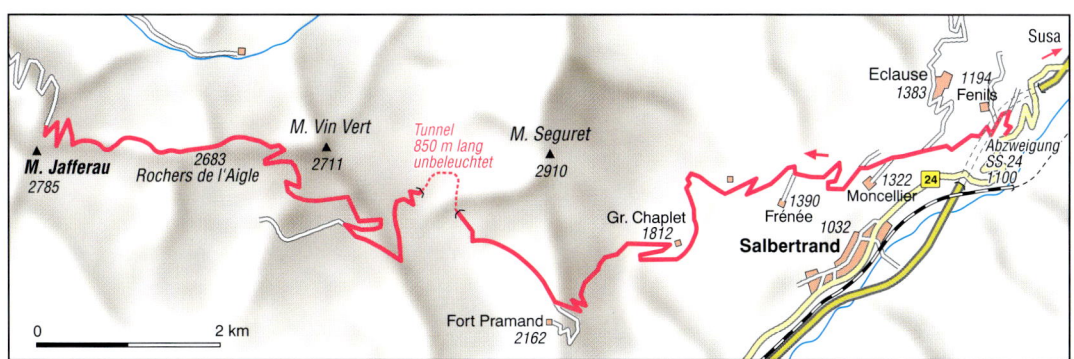

## Streckenverlauf • Sommeiller-Bergstraße

**Km 0,0 (1312 m)**  In Bardonècchia dem Hinweisschild »Rochemolles« folgend zwischen dem Eisenbahntunnel und den Betonabstützungen der Autobahn entlang, dann unter dieser hindurch und auf asphaltierter Straße über eine Kehrengruppe mit 12 % Steigung nach oben.

**Km 2,5**  Nach der Kehrengruppe bei zurückgehender Steigung auf ebener Strecke weiter bis Rochemolles.

**Km 6,0 (1768 m)**  Am Ort vorbei, nunmehr auf einer Erdstraße, über Kehren mit einer Steigung von bis zu 10 % zu den Almhütten von Grand Mouchecuite.

**Km 8,0**  Nach den Almhütten über kurze Anstiege mit bis zu 10 % Steigung, unterbrochen von flacheren Abschnitten, weiter zum Lac di Rochemolles.

**Km 12,5 (1978 m)**  Am See-Ende über eine Brücke auf die linke Talseite und anfangs über Kehren mit bis zu 10 % Steigung, dann bei nachlassender Steigung in den Talkessel um das Rifugio Scarfiotti.

**Km 14,0 (2156 m)**  An der Abzweigung zum Rifugio Scarfiotti vorbei und über eine Kehrengruppe mit 8 % Steigung in ein weiteres Hochtal.

**Km 18,5**  Über weitere Kehrengruppen bis zu 8 % Steigung beständig aufwärts zum Gipfelhang.

**Km 21,5**  Auf weiteren Kehren mit 8 % Steigung über den Gipfelhang hinauf bis zur verfallenen Talstation einer ehemaligen Sommerskistation.

**Km 26,5 (3040 m)**  Ende der Straße auf dem Hochplateau bei der aufgelösten Sommerskistation.

## Streckenverlauf • Jafferau-Bergstraße

**Km 0,0 (1100 m)**  Auf der mit »Eclause/Frénée/Pramand« beschilderten Strecke über Kehren mit 11 % Steigung bis zur Abzweigung.

**Km 1,0**  Weiter geradeaus Richtung Fenils an einer alten Kasernenanlage vorbei und mit 8 % Steigung bis zur nächsten Abzweigung.

**Km 2,0**  An der Abzweigung der Beschilderung »Pramand/Frénée« folgend nach Moncellier.

**Km 2,5 (1322 m)**  In Moncellier nunmehr auf einer Erdstraße über Kehren mit 8 % Steigung bis zur Abzweigung nach Frénée.

**Km 4,0 (1390 m)**  An der Abzweigung vorbei auf kurz abfallender, dann auf 8 %, kurz auch bis auf 12 % ansteigender Trasse bis zu einem kurzen Felstunnel und durch diesen hindurch.

**Km 9,0**  Nach dem Tunnel hinauf zu einem Hochplateau mit Wendeplatz.

**Km 11,0 (2100 m)**  Am Wendeplatz an der zum Fort Pramand abzweigenden Straße vorbei und auf leicht ansteigender Straße zu einem weiteren kurzen Felstunnel und durch diesen hindurch.

**Km 12,5**  Noch durch einen weiteren, 850 Meter langen unbeleuchteten Tunnel und weiter bis zu einem verfallenen Haus.

**Km 13,5**  Nach dem verfallenen Haus auf anfangs noch ansteigender, dann abfallender Straße zur Straßenbiegung.

**Km 14,5**  Nach der Biegung auf der mit 11 % ansteigenden Straße weiter bis zur Abzweigung.

**Km 15,5 (2305 m)**  An der Abzweigung vorbei, über eine Kehrengruppe mit bis zu 10 % Steigung zum Berggrat am Rochers de l'Aigle.

**Km 18,5 (2638 m)**  Vom Berggrat auf ebener, teils fallender Trasse zur Senke.

**Km 21,0 (2600 m)**  Von der Senke auf der wieder mit bis zu 8 % ansteigenden Straße bis zum Fort Jafferau.

**Km 23,5 (2801 m)**  Ende der Straße beim Fort Jafferau.

**Tipp**  Für diejenigen, die der lange unbeleuchtete Tunnel bei Km 12,5 allzu sehr abschreckt, bietet sich eine interessante Alternative an. Von Westen führt eine relativ neue, ebenfalls unbefestigte Trasse nach oben. Sie nimmt ihren Ausgangspunkt in der Ortschaft Savoulx (1120 m), zwischen Oulx und Bardonècchia an der S. S. 335 gelegen, wo man den Hinweisschildern zu den Weilern »Clots« und »Coustaus« folgt. 1680 Hm mit Steigungen bis zu 20 % sind dabei bis zum Gipfel zu überwinden.

# 25 Chaberton-Bergstraße

**Höchster Punkt:** 3130 m **Länge:** 14,0 km **Höhendifferenz:** 1854 Hm **Zeit:** 3 1/2–5 1/2 Std.

▸ Schwere Radtour mit 18 % Höchststeigung auf wenigen kurzen Abschnitten; sonst meist zwischen 11 und 13 % liegende, doch immer wieder auch kurze 14- bis 15%ige Steigungen

▸ Auffahrt in der Regel ab Ende Juni schneefrei

▸ Ab dem Ortsende von Fenils (Km 1,0) Erdstraße mit Kies und grobem losen Schotter, durch Hangabrutschungen im Berichtsjahr für Autos nicht mehr befahrbar; Strecke im oberen Bereich im Verfall

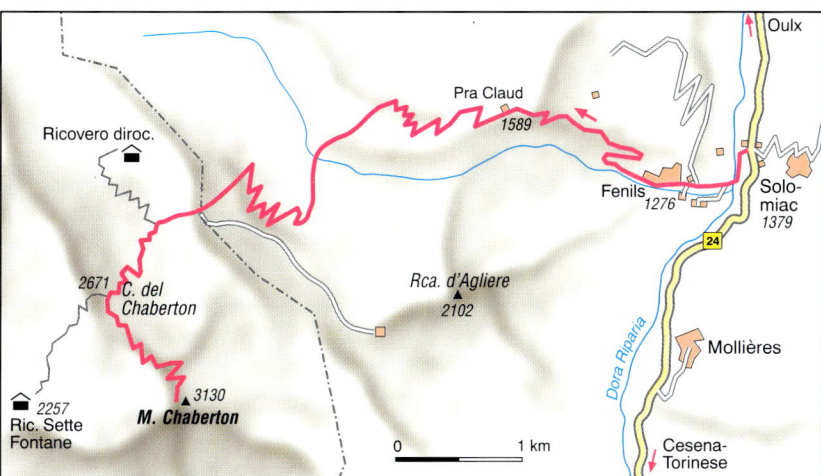

**Hütten/Unterkünfte** keine

**Karte** Istituto Geografico Centrale, Torino, 1:50 000, Blatt 1

# 26 Varaita-Máira-Kammstraße

**Höchster Punkt:** 2310 m **Länge:** 29,5 km **Höhendifferenz:** 913 Hm **Zeit:** 2 1/2–4 Std.

▸ Mittelschwere Radtour mit 10 % Höchststeigung auf ca. 1,5 km Länge am Beginn der Auffahrt; sonst lange Abschnitte mit Steigungen zwischen 6 und 8 %

▸ Auffahrt in der Regel ab Mitte Juni schneefrei

▸ Auf den ersten 6,5 km Asphalt; dann steinige Erdstraße, teilweise mit grobem losen Schotter

**Hütten/Unterkünfte** keine

**Karte** Istituto Geografico Centrale, Torino, 1:50 000, Blatt 7 und 6

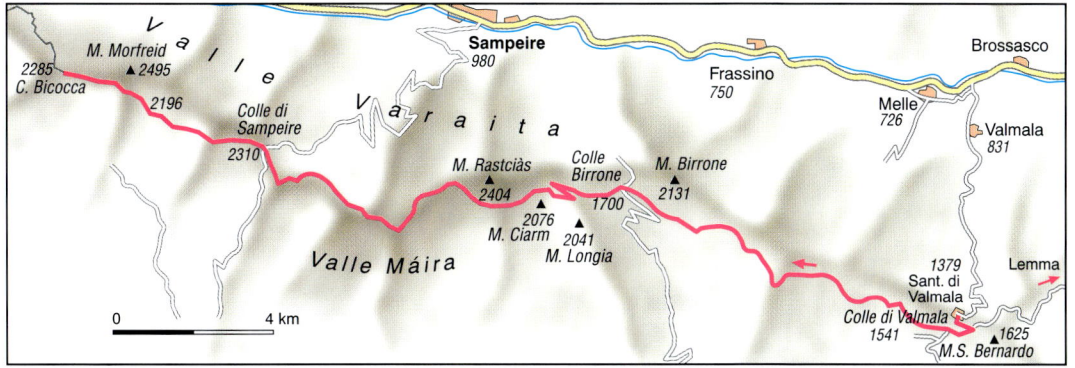

## Streckenverlauf • Chaberton-Bergstraße

**Km 0,0 (1276 m)** Auf der von der Bushaltestelle abzweigenden Asphaltstraße (Beschilderung »Fenils«) 200 Meter weit bis zum Fluss hinunter. Über die Brücke und an dem einmündenden Bach entlang am Ortsrand durch Fenils.

**Km 1,0** Am Ortsende Übergang von Asphalt in Erdstraße, über Steigungen von bis zu 12 % bis zur Kapelle Notre-Dame du Bonne Secour.

**Km 3,0** Hinter der Kapelle verzweigt sich der Weg, beide Wege führen aber nach ca. 500 Meter wieder zusammen, wobei die rechte Trasse mit bis zu 13 %, die linke etwas gemächlicher zur Almhütte von Pra Claud ansteigt.

**Km 3,5 (1689 m)** Nach der Hütte verzweigt sich der Weg nochmals, wieder führen die Wege nach kurzer Zeit zusammen; weiter über enge Kehren mit Steigungen um 11 %, kurz auch auf 15 % zunehmend, bis zur Abzweigung.

**Km 7,5 (2105 m)** An der Abzweigung dem rechts abbiegenden Weg folgend über Kehren mit ständig schlechter werdendem Untergrund bei 10 % Steigung zum »Gespaltenen Fels«.

**Km 9,5** Am »Gespaltenen Fels« vorbei und auf teilweise mit Holzbohlen abgestützter Trasse in den Talkessel. Dann über Kehren und Rampen mit Steigungen von bis zu 14 %, kurz auch 18 %, bis zum Beginn des Gipfelgrats.

**Km 11,5** Über Serpentinen wieder mit Steigung von bis zu 14 % bis zu den Grundmauern eines verfallenen Hauses.

**Km 12,0 (2671 m)** Am Hausfundament vorbei und den Gipfelhang über Kehren mit bis zu 10 %, kurz auch 14 % Steigung hinauf bis zu einem verfallenen Haus.

**Km 13,0** Von diesem verfallenem Haus aus über enge Kehren hinauf zum Gipfelplateau.

**Km 14,0 (3130 m)** Ende der Straße bei der verfallenen Festung am Gipfelplateau.

## Streckenverlauf • Varaita-Máira-Kammstraße

**Km 0,0 (1379 m)** In Sant. di Valmala an einem Steinbrunnen der links abbiegenden, leicht ansteigenden Asphaltstraße bis zur Lichtung folgen.

**Km 1,5** Bei der Lichtung der scharf rechts abknickenden Straße folgen, sie führt anfangs mit 10 %, dann mit nachlassender Steigung bis zur Kammhöhe am Colle di Valmala.

**Km 6,5 (1541 m)** Am Colle di Valmala nun auf einer Erdstraße fast eben bis zu einer Almhütte.

**Km 8,0** Nach der Almhütte Wechsel auf die rechte, nördliche Kammseite und leicht abfallend weiter zum Wiesensattel des Colle di Melle mit Holzkreuz.

**Km 14,5 (1873 m)** Mit anfangs 8%iger, dann auf 6 % zurückgehender Steigung auf schlechter werdender Trasse über Kehren zu einem kleinen Einschnitt am Bergkamm.

**Km 20,5** Über den Einschnitt auf die südliche Kammseite wechseln und mit einer Steigung von anfangs bis zu 7 %, dann geringer hinauf zum Colle di Sampeire.

**Km 29,5 (2310 m)** Ende der Auffahrt am Colle di Sampeire.

**Tipp** Am Endpunkt der Straße kann der 6,5 km langen, leicht abfallenden Trasse zum Wendeplatz bei einer Hausruine am Colle Bicocca, am Fuße der Pelvo d'Elva, gefolgt werden (2285 m). Interessanter als die Ruine ist dort allerdings eine steinerne Panoramatafel, die uns über die Bergspitzen der Umgebung informiert.

# 27 Máira-Stura-Kammstraße

**Höchster Punkt: 2437 m** **Länge: 39,0 km** **Höhendifferenz: 1777 Hm** **Zeit: 4–5 1/2 Std.**

▸ Schwere Radtour mit 11 % Höchststeigung auf einem kurzen Abschnitt unterhalb der Gardettapasshöhe; sonst lange Abschnitte mit Steigungen zwischen 8 und 10 %

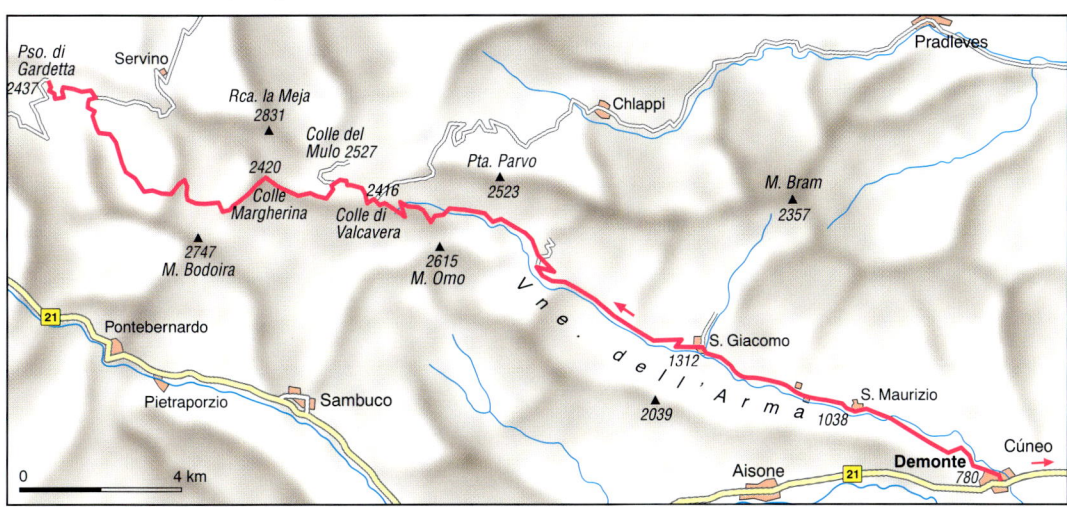

▸ Auffahrt in der Regel ab Mitte Juni schneefrei

▸ auf den ersten 14,5 km Asphalt; dann extrem steinige Erdstraße mit grobem losen Schotter

**Hütten/Unterkünfte** keine

**Karte** Istituto Geografico Centrale, Torino, 1:50 000, Blatt 7

---

# 28 Ligurische-Alpen-Grenzkamm-Höhenstraße

**Höchster Punkt: 2225 m** **Länge: 79,5 km** **Höhendifferenz: 2500 Hm** **Zeit: 8–11 Std.**

▸ Schwere Radtour mit 15 % Höchststeigung auf einem kurzen Stück am Passo Tanarello; im ersten Viertel der Strecke langer Abschnitt mit bis zu 10 % Steigung, dann Wechsel zwischen Anstiegen von bis zu 8 % und flacheren Abschnitten

▸ Auffahrt in der Regel ab Mitte Juni schneefrei

▸ Auf den ersten 19,5 km bis zur Bar Alllavena Asphalt; dann sehr steinige Erdstraße, teils mit grobem losen Schotter

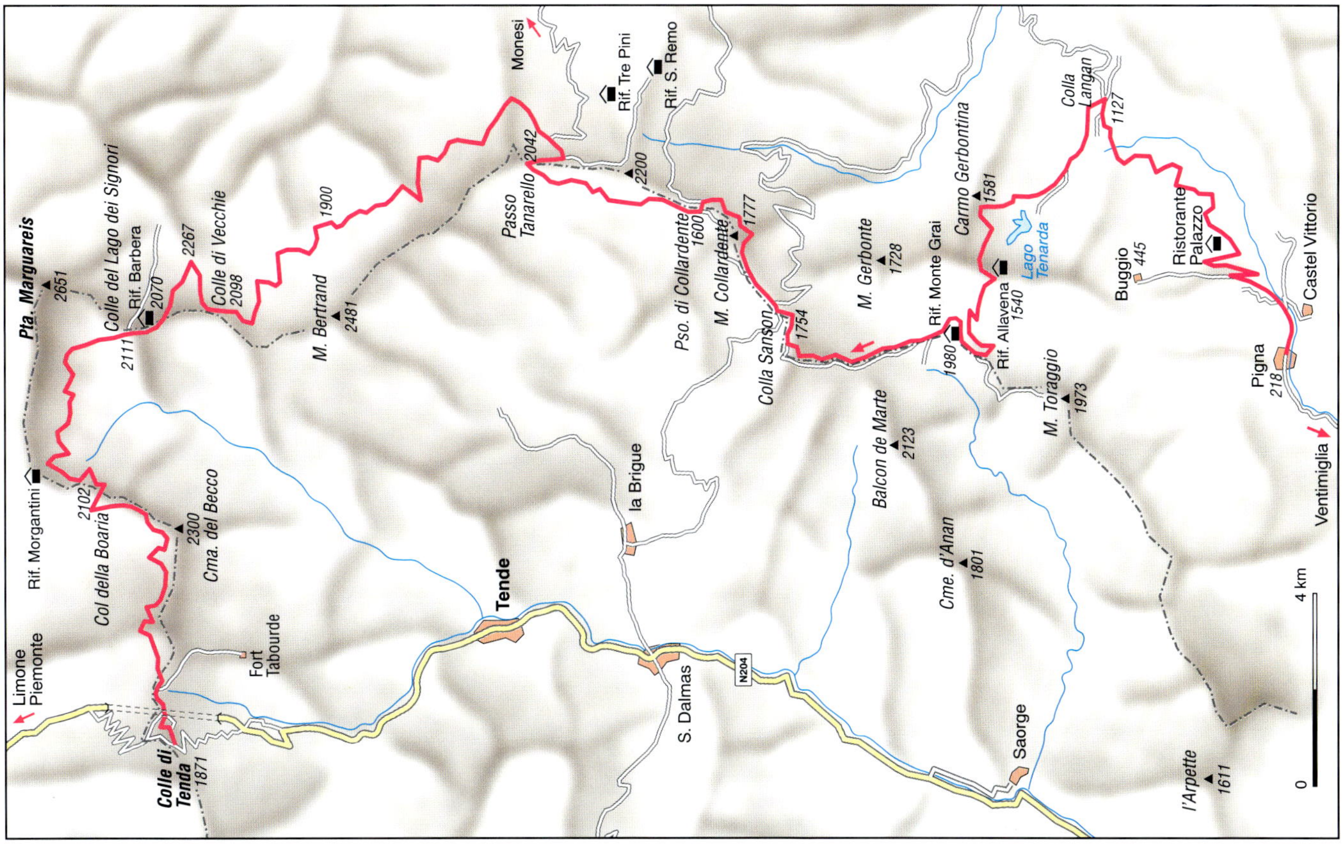

## Streckenverlauf • Máira-Stura-Kammstraße

**Km 0,0 (780 m)** Der Beschilderung »Fedio/Trinita/S. Giacomo« folgend auf einer Asphaltstraße ins Vallone dell'Arma mit Steigungen von maximal 10 %, meist jedoch darunter, bis San Giacomo.

**Km 9,5 (1312 m)** Durch San Giacomo hindurch und weiter der asphaltierten Straße folgen.

**Km 14,5** Der Asphalt geht in grobschottrige Erdstraße über, weiter mit einer Steigung von max. 8 % bis zur Wegverzweigung.

**Km 15,5** Beide Wege sind möglich – sie führen nach ca. einem Kilometer wieder zusammen –, dann bis zu einer Gabelung.

**Km 16,5** An der Gabelung dem nach links führenden Weg zur Alm folgen.

**Km 17,0** An der Alm vorbei auf grobem losen Schotter mit 8 % Steigung hoch zum Kammeinschnitt am Colle di Valcavera.

**Km 23,0 (2416 m)** Vom Kammeinschnitt wieder abwärts, an der Einmündung der vom Máiratal hochführenden Trasse vorbei und über eine Kehre hinab in den Talkessel.

**Km 23,5** Dem leicht ansteigenden Weg am rechten Rand des Talkessels bis zur Wegteilung folgen.

**Km 25,0** An der Wegteilung links haltend weiter bis zu verfallenen Militärunterkünften.

**Km 25,5** An den Militärunterkünften vorbei und auf leicht ansteigender Trasse zum Colle Margherina mit Wendeplatz und einem Kilometerstein mit Aufschrift »30«.

**Km 30,5 (2420 m)** Vom Colle Margherina leicht abwärts bis zur Brücke.

**Km 35,5 (2300 m)** Bei der Brücke der zum Gardettapass hinauf anfangs mit 6 %, dann mit bis zu 11 % ansteigenden Trasse folgen, an verfallenen Militärunterkünften vorbei, über Hangabrutschungen hinauf zum Gardettapass.

**Km 39,0 (2437 m)** Ende der Auffahrt am Gardettapass.

**Hütten/Unterkünfte** Ristorante Palazzo (Km 5,5; ganzjährig geöffnet); Ristorante am Passo Langan (Km 12,5; ganzjährig geöffnet); Bar Allavena an der Colla Melosa (Km 19,5; ganzjährig geöffnet); Rifugio Monte Grai (Km 24,5; unbewirtschaftet; nur mit Schüssel zugänglich, Schlüssel im Restaurant an der Colla Melosa, Tel. +184/20 10 32 erhältlich)

**Karte** Istituto Geografico Centrale, Torino, 1:50 000, Blatt 14 und 8

## Streckenverlauf • Ligurische-Alpen-Grenzkamm-Höhenstraße

**Km 0,0 (280 m)** Der Straße durch Pigna bis zur Abzweigung folgen.

**Km 1,0** An der Abzweigung erst der Beschilderung »Molini di Triora/Buggio/Colla Langan«, dann der nach »Colla Melosa/Molini di Triora« abbiegenden Straße folgen und über vier Kehren mit 10 % Steigung hinauf zum Ristorante Palazzo.

**Km 5,5** Am Ristorante Palazzo vorbei und auf der weiter mit 10 % ansteigenden Straße zum Passo Langan.

**Km 12,5 (1127 m)** Am Passo Langan der links zur Colla Melosa abzweigenden Straße mit Steigungen von bis zu 10 %, meist jedoch deutlich darunter, bis zu einer kleinen Bar folgen.

**Km 19,5 (1540 m)** 200 Meter nach der Bar Übergang von Asphalt- in Erdstraße, weiter über 8 % Steigung hinauf zum Rifugio Grai.

**Km 24,5** Am Rifugio Grai vorbei, an den beiden dann kurz hintereinander folgenden Abzweigungen jeweils die rechts abwärts führende Trasse wählen und abwärts bis zur Straßenteilung an der Bassa Sanson.

**Km 30,0 (1694 m)** An der Straßenteilung der rechts mit »Triora/Monesi« ausgeschilderten Straße folgen, dann Achtung: den nach ca. 4,5 Kilometer an der linken Böschung abzweigenden Weg nicht übersehen. Wer erst beim Rifugio Domingo Fornara abbremst, muss die gut 1,5 Kilometer dort hinunter zur Abzweigung wieder zurück.

**Km 34,5** An der Abzweigung links hoch zum Passo Collardente.

**Km 35,0 (1599 m)** Von dort über grobschottrige Trasse mit 8 % Steigung, einmal kurz auch 15 %, hinauf zum Passo Tanarello.

**Km 40,5 (2042 m)** Vom Passo Tanarello über Kehren abwärts zur Straßenteilung.

**Km 43,5 (1840 m)** An der Straßenteilung links ab zu einem kleinen Anwesen und an diesem vorbei nun auf lange, nur mäßig ansteigender Trasse, dann mit 8 % Steigung zum Colle di Vecchie.

**Km 56,0 (2048 m)** Vom Colle di Vecchie abfahrend zum Colle del Lago dei Signori.

**Km 62,0 (2111 m)** Über abwechselnd leicht ansteigende und abfallende Trasse mit grobem losen Schotter zum Colle della Boaria.

**Km 71,5** Vom dort zuerst eine kurze Abfahrt, dann ein kurzer leichter Anstieg bis zu den Skihängen über dem Tendapass.

**Km 74,0** An der Bergstation eines Schlepp- und Sessellifts vorbei, und von einem kurzen Gegenanstieg bei einem verfallenen Fort abgesehen abwärts bis zum großen Parkplatz an der Einmündung in die Nordseite der Tenda-Passstraße.

**Km 79,5 (1804 m)** Ende der Grenzkamm-Höhenstraße beim Parkplatz an der Einmündung in die Tenda-Passstraße.

# 29 Alp-Discholas-Bergstraße
**Höchster Punkt:** 2073 m  **Länge:** 8,0 km  **Höhendifferenz:** 842 Hm  **Zeit:** 1 1/2–2 Std.

▶ Mittelschwere Radtour mit 12 % Höchststeigung auf ca. 1 km Länge am Beginn der Tour; sonst lange Abschnitte mit bis zu 10 % Steigung, auf dem letzten Kilometer bis auf 11 % zunehmende Steigung

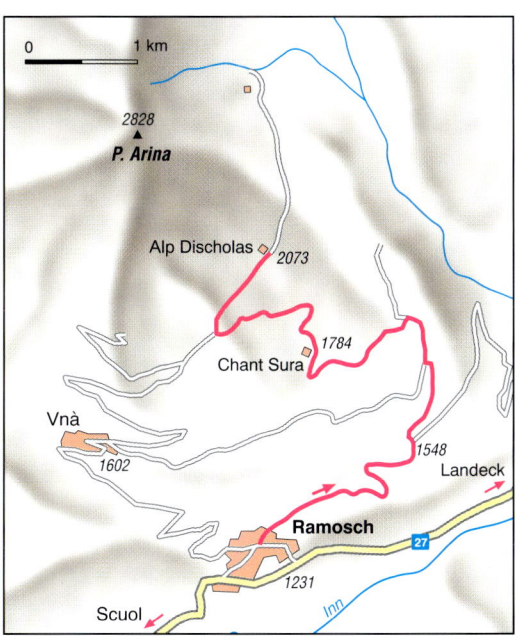

▶ Auffahrt in der Regel ab Anfang Juni schneefrei; Befahren der Strecke für den öffentlichen Verkehr nur mit Ausnahmeerlaubnis gestattet

▶ Feste Erdstraße, teilweise mit leichter Kiesauflage

**Hütten/Unterkünfte**  Alp Discholas (Km 8,0; keine öffentliche Bewirtschaftung)

**Karte**  Landeskarte der Schweiz 1:100 000, Blatt 39

---

# 30 Aurafreida-Bergstraße
**Höchster Punkt:** 2160 m  **Länge:** 10,5 km  **Höhendifferenz:** 1067 Hm  **Zeit:** 1 1/2–2 1/2 Std.

▶ Mittelschwere Radtour mit 12 % Höchststeigung auf ca. 1,5 km Länge im mittleren Teil sowie auf einem kurzen Abschnitt am Ende der Auffahrtsstrecke; sonst lange Abschnitte mit Steigungen zwischen 10 und 11 %

▶ Auffahrt in der Regel ab Anfang Juni schneefrei

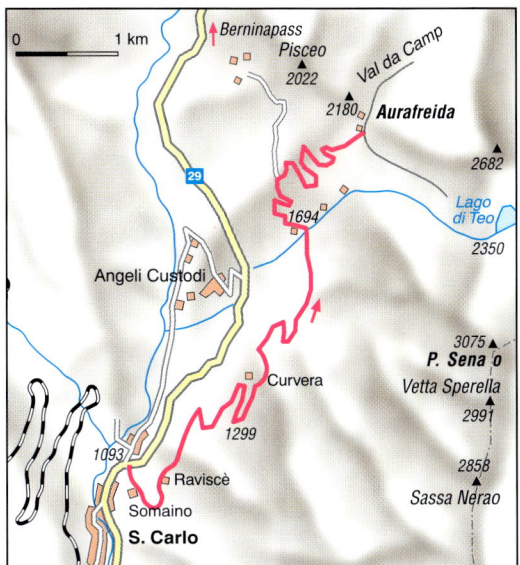

▶ Auf den ersten 2 km bis Raviscè Asphalt; dann leicht steinige, sandige und schottrige Erdstraße

**Hütten/Unterkünfte**  keine

**Karte**  Landeskarte der Schweiz 1:100 000, Blatt 44

## Streckenverlauf • Alp-Discholas-Bergstraße

**Km 0,0 (1231 m)**  Am Dorfbrunnen von Ramosch nicht der Beschilderung »Vnà« folgen, sondern in entgegengesetzter Richtung zur Abzweigung vor dem Café Heinrich radeln. An der Abzweigung aufwärts, bis zur nächsten Abzweigung, an dieser rechts ab. An den nun beginnenden zwei Erdstraßen der weniger ansteigenden folgen. Diese führt, bald kräftiger ansteigend (12 %), zur ersten Kehre.

**Km 1,5 (1548 m)**  Über eine weitere Kehre weiter bis zur Einmündung des von Seraplana heraufführenden Wegs.

**Km 2,5**  An der Einmündung vorbei und bei nachlassender Steigung durch Wiesen bis zur Abzweigung.

**Km 3,5**  An der Abzweigung geradeaus der Beschilderung »Tschlin/Vnà« folgend bis zur nächsten Abzweigung.

**Km 4,0**  An der Abzweigung links (kleine gelbe Hinweispfeiler mit Aufschrift »Alp Discholas«) und auf mit bis zu 10 % ansteigender Straße bis zur Abzweigung.

**Km 5,5**  An der Abzweigung rechts haltend über den Bach und über Kehren mit 10 % Steigung weiter bis zur nächsten Abzweigung.

**Km 7,0**  Dem geradeaus führenden Weg folgen und über Steigungen von bis zu 11 % hinauf zur Alp Discholas.

**Km 8,0 (2073 m)**  Ende der Straße bei der Alp Discholas.

**Hinweis**  Der hinter der Alp Discholas weiterführende Weg ist nicht befahrbar und endet nach gut 3 km bei der Hütte Marangun in ca. 2600 m Höhe.

## Streckenverlauf • Aurafreida-Bergstraße

**Km 0,0 (1093 m)**  Vom Berninapass kommend der am Ortseingang von San Carlo abzweigenden Asphaltstraße nach Somaino folgen und über Kehren mit 11 % Steigung am Ort vorbei, weiter nach Raviscè.

**Km 2,0**  In Raviscè bei der Abzweigung der Beschilderung »Aurafreida/Urezza« folgend auf nunmehr leicht steiniger und sandiger Erdstraße nach Curvera.

**Km 3,0 (1299 m)**  Am Ort vorbei über weit auseinander gezogene Kehren mit gleichmäßigen 9 % Steigung weiter bis zur Brücke.

**Km 5,5**  Nach der Brücke auf mit bis zu 12 % ansteigender Trasse an einem großen Ferienhaus vorbei bis zu einer Straßeneinmündung.

**Km 7,0 (1694 m)**  An der einmündenden Straße vorbei und bei etwas zurückgehender Steigung über Kehren hinauf zu einem burgähnlichen Chalet mit einem kleinen Steinturm.

**Km 8,0**  Am Chalet vorbei und über Kehren mit 10 % Steigung hinauf nach Aurafreida.

**Km 10,0**  Durch den Ort hindurch, am obersten Haus nochmals kurz auf 12 % zunehmende Steigung.

**Km 10,5 (2160 m)**  Ende der Straße in den Bergwiesen etwas oberhalb von Aurafreida.

# 31 Obermutten-Bergstraße

**Höchster Punkt: 2050 m     Länge:10,0 km     Höhendifferenz: 1230 Hm  Zeit: 2–3 Std.**

▶ Mittelschwere Radtour mit 20 % Höchststeigung auf den letzten 500 m der Auffahrt; sonst lange Abschnitte mit Steigungen zwischen 12 und 18 %

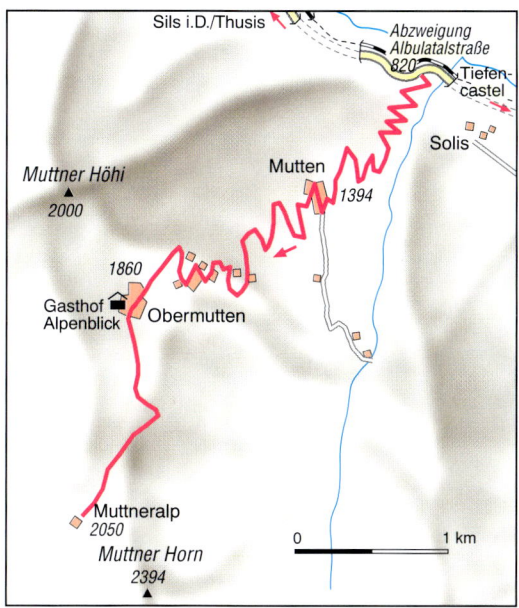

▶ Auffahrt in der Regel ab Ende Mai schneefrei; Strecke bis Obermutten für den öffentlichen Verkehr befahrbar, ab Obermutten Fahrverbot für Kfz

▶ Auf den ersten 7,5 km bis Obermutten feste, dann etwas steiniger werdende Erdstraße

**Hütten/Unterkünfte** Gasthof Alpenblick in Obermutten (Km 7,5; ganzjährig geöffnet)

**Karte** Landeskarte der Schweiz 1:100 000, Blatt 38

# 32 Rosenlaui- und Schwarzwaldalp-Straße

**Höchster Punkt: 1962 m     Länge: 16,5 km     Höhendifferenz: 1367 Hm  Zeit: 2–3 Std.**

▶ Mittelschwere Radtour mit 14 % Höchststeigung auf 500 m Länge; anfangs längere Strecke mit bis zu 11 % Steigung, ab der Schwarzwaldalp maximal 9 %

▶ Auffahrt in der Regel ab Ende Mai schneefrei; Strecke bis zum Gasthaus Schwarzwaldalp für den öffentlichen Verkehr ganzjährig befahrbar, ab der Schwarzwaldalp Fahrverbot für Kfz

▶ Anfangs auf längeren Abschnitten Wechsel zwischen Asphalt und fester Erdstraße; ab der Schwarzwaldalp (Km 11,0) durchgehend Asphalt

**Hütten/Unterkünfte** Gasthof Zwirgi (Km 3,0), Restaurant Kaltenbrunen (Km 6,0), Hotel Rosenlaui (Km 8,5), alle ganzjährig geöffnet; Berghotel Große Scheidegg (Km 16,5; Mai–Oktober geöffnet)

**Karte** Landeskarte der Schweiz 1:100 000, Blatt 37

## Streckenverlauf • Obermutten-Bergstraße

**Km 0,0 (820 m)** Von der Abzweigung an der Albulatalstraße der Beschilderung »Mutten« folgend und auf der mit 16 % ansteigenden Erdstraße über enge Kehren hinauf nach Mutten.

**Km 3,5 (1394 m)** Durch den Ort über Steigungen von bis zu 14 % zur Dorfkirche.

**Km 4,5** An der Dorfkirche vorbei und über weit auseinander gezogene Kehren mit Steigungen zwischen 12 und 16 % zu einer Siedlung mit alten Holzhäusern.

**Km 6,5** In zwei Kehren durch die Siedlung und mit 12 % Steigung weiter nach Obermutten.

**Km 7,5 (1860 m)** In Obermutten dem an der Kirche vorbeiführenden Fahrweg folgen und über Rampen und Kehren mit Steigungen von bis zu 20 % zum Wasserspeicher.

**Km 8,5** Am Wasserspeicher vorbei und bei zurückgehender Steigung weiter zur Muttneralp.

**Km 10,0 (2050 m)** Ende der Straße bei der Muttneralp.

## Streckenverlauf • Rosenlaui- und Schwarzwaldalp-Straße

**Km 0,0 (595 m)** Vom Ausgangspunkt gegenüber dem Hotel Lammi der mit »Schwarzwaldalp/Rosenlaui« ausgeschilderten Straße folgen und bei anfangs 10%iger, dann auf 6 % zurückgehender Steigung bis zur Einmündung der von Willigen heraufführenden Straße.

**Km 2,0** An der Einmündung vorbei zum Gasthof Zwirgi.

**Km 3,0** Am Gasthof Zwirgi (Reichenbachfälle) vorbei und mit 11 % Steigung über vereinzelte Kehren hinauf zum Restaurant Kaltenbrunnen.

**Km 6,0 (1223 m)** Am Restaurant Kaltenbrunnen vorbei, bei auf 9 % und weiter zurückgehender Steigung zum Hotel Rosenlaui.

**Km 8,5 (1328 m)** Nach dem Hotel Rosenlaui über den Weißbach zum Eingang zur Rosenlauischlucht (gegen Gebühr zu besichtigen) und auf der mit bis zu 8 % ansteigenden Straße zum Chalet Schwarzwaldalp.

**Km 11,0 (1454 m)** Nach dem Chalet Schwarzwaldalp auf der nunmehr für den öffentlichen Verkehr gesperrten, durchgehend asphaltierten Straße über ein 500 Meter langes Stück mit einer Steigung von bis zu 14 %, dann über eine Kehrengruppe mit 9 % Steigung zum Berghotel Große Scheidegg.

**Km 16,5 (1962 m)** Ende der Auffahrt beim Berghotel Große Scheidegg.

# 33 Kiental- mit Griesalp-Straße

**Höchster Punkt:** 1407 m **Länge:** 14,0 km **Höhendifferenz:** 700 Hm **Zeit:** 1 1/2–2 1/2 Std.

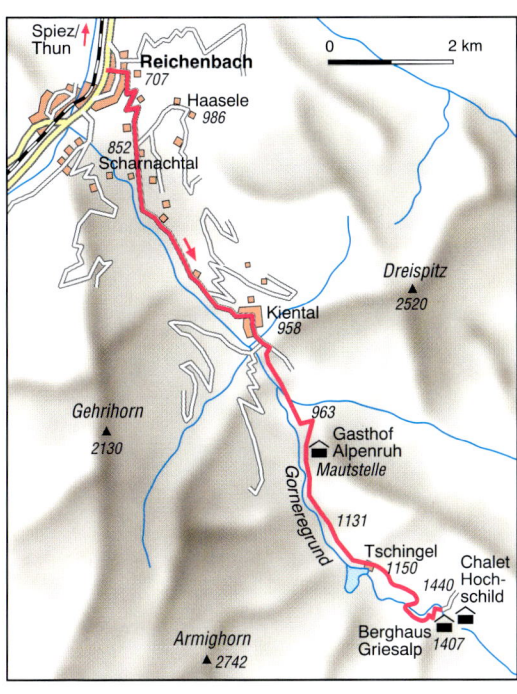

▸ Mittelschwere Radtour mit 28 % Höchststeigung auf ca. 100 m Länge im obersten Bereich, davor 24 % Steigung auf ca. 1,5 km Länge; sonst Wechsel der Steigungen zwischen 10 und 12 %

▸ Auffahrt in der Regel ab Ende Mai schneefrei; Strecke offiziell von Ostern–31. Oktober geöffnet

▸ Auf den ersten 12 km bis Tschingel Asphalt, dann feste Erdstraße, in den Kehren teilweise asphaltiert

**Hütten/Unterkünfte** Gasthof Alpenruh (Km 10,0); Chalet Hochschild und Berghaus Griesalp (Km 14,0; Mai–Oktober und Dezember–April geöffnet)

**Karte** Landeskarte der Schweiz 1:100 000, Blatt 36, 37 und 42

# 34 Furggen-Passstraße

**Höchster Punkt:** 2451 m **Länge:** 13,5 km **Höhendifferenz:** 1456 Hm **Zeit:** 2–3 1/2 Std.

▸ Mittelschwere bis schwere Radtour mit 15 % Höchststeigung auf ca. 2 km Länge im unteren Teil der Auffahrt; im weiteren Verlauf immer wieder, auch längere, Abschnitte mit Steigungen zwischen 12 und 14 %

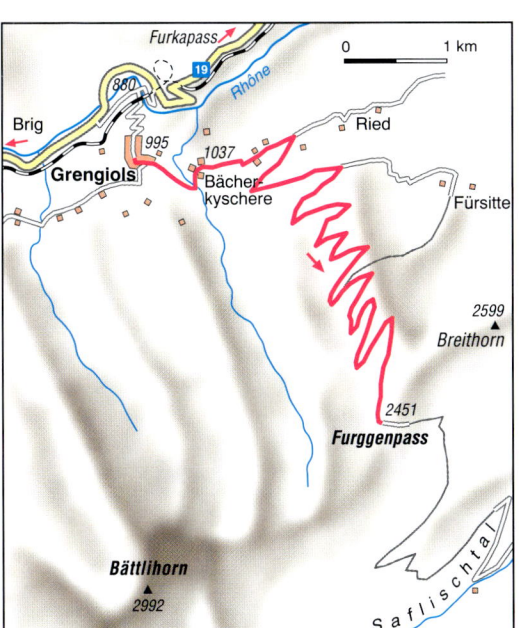

▸ Auffahrt in der Regel ab Mitte Juni schneefrei

▸ Auf den ersten 2,5 km Asphalt; dann feste Erdstraße

**Hütten/Unterkünfte** keine

**Karte** Landeskarte der Schweiz 1:100 000, Blatt 42

## Streckenverlauf • Kiental- mit Griesalp-Straße

**Km 0,0 (707 m)** In Reichenbach an der Kreuzung beim Gasthof Bären der Beschilderung »Kiental/Scharnachtal« folgen und über neun Kehren mit 10 % Steigung nach Scharnachtal.

**Km 1,0** In Scharnachtal anfangs mit 8 % Steigung hinauf, dann weniger steil weiter bis Kiental.

**Km 5,5 (958 m)** In Kiental der Beschilderung »Gorneren/Griesalp« folgend abwärts zu einem kleinen Bach.

**Km 7,0 (920 m)** Über den Bach und bei anfangs 12%iger, dann zurückgehender Steigung bis zur Mautstelle beim Gasthof Alpenruh.

**Km 10,0** Nach der Mautstelle mit bis zu 10 % Steigung weiter bis zum Schild mit der Aufschrift »Tschingel«.

**Km 12,0 (1150 m)** Nach dem Schild Übergang von Asphalt- in Erdstraße, weiter über enge, teils asphaltierte Kehren mit 24 % Steigung, auf den letzten 100 Metern auf 28 % zunehmend, hinauf zum Berghaus Griesalp.

**Km 14,0 (1407 m)** Ende der Auffahrt beim Gasthaus Griesalp.

## Streckenverlauf • Furggen-Passstraße

**Km 0,0 (995 m)** In Grengiols bei der Sennerei in der Ortsmitte der Beschilderung »Hochmatten/Bächernhäusern« folgen und über eine Kehre mit 9 % Steigung zum Fußballplatz.

**Km 1,0** Am Fußballplatz vorbei fast eben weiter bis zur Abzweigung.

**Km 2,5 (1037 m)** Der an der Abzweigung nach rechts führenden, mit »Salfisch« und »Breithorn« beschilderten, mit bis zu 15 % ansteigenden Erdstraße bis zur Abzweigung folgen.

**Km 4,5** An der Abzweigung dem rechts abbiegenden Weg folgen und über Kehren mit Steigungen zwischen 12 und 15 % weiter bis zur Waldlichtung. (Der geradeaus führende Weg mündet zwar wieder in unsere Auffahrtsstrecke, ist aber im oberen Teil verfallen.)

**Km 8,5** Nach der Waldlichtung über Kehren mit 10 % Steigung, an kurzen Abschnitten auch etwas darüber, bis zur Einmündung der von Fürsitte heraufführenden Trasse.

**Km 9,5** Nach der Einmündung bei Steigungen zwischen 10 und 12 % über die Waldgrenze und an Lawinenverbauungen vorbei bis zum höchsten Punkt.

**Km 13,5 (2451 m)** Ende der Straße am Scheitelpunkt zwischen Breithorn und Bättlihorn.

**Tipp** Ab dem Scheitelpunkt kann noch dem leicht abfallenden Weg noch ca. 500 m bis zu einigen Almhütten gefolgt werden.

# 35 Mont-Malamot-Gipfelstraße

**Höchster Punkt:** 2914 m     **Länge:** 9,0 km     **Höhendifferenz:** 940 Hm   **Zeit:** 2–3 Std.

▶ Mittelschwere Radtour mit 15 % Höchststeigung im oberen Bereich auf ca. 1,5 km Länge, am Beginn 200 m langer Anstieg mit 14 % Steigung; sonst meist bei 9 % liegende, kurz auch auf 12 % zunehmende Steigung

▶ Auffahrt in der Regel ab Mitte Juni schneefrei; Strecke für den öffentlichen Verkehr gesperrt

▶ Steinige Erdstraße, teilweise mit losem Schotter

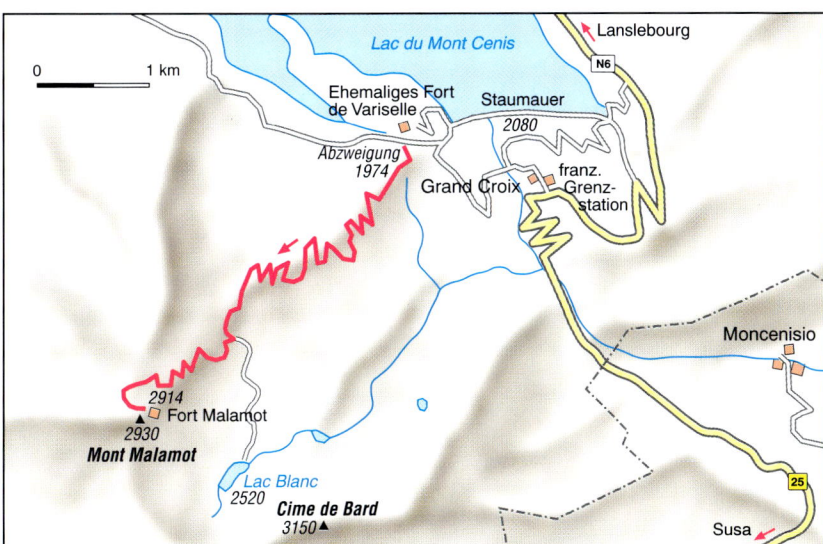

**Hütten/Unterkünfte**  keine

**Karte**  Carte Topografique 1:100 000, Blatt 53

---

# 36 Belvédère-du-Cirque-du-Mont-Viso-Straße

**Höchster Punkt:** 2127 m     **Länge:** 15,0 km     **Höhendifferenz:** 605 Hm   **Zeit:** 1 1/2–2 Std.

▶ Leichte Radtour mit 14 % Höchststeigung auf zwei ca. 1 km langen Abschnitten im Mittelteil sowie am Ende der Auffahrt; sonst meist nur mäßig ansteigende Straße

▶ Auffahrt in der Regel ab Mitte Juni schneefrei

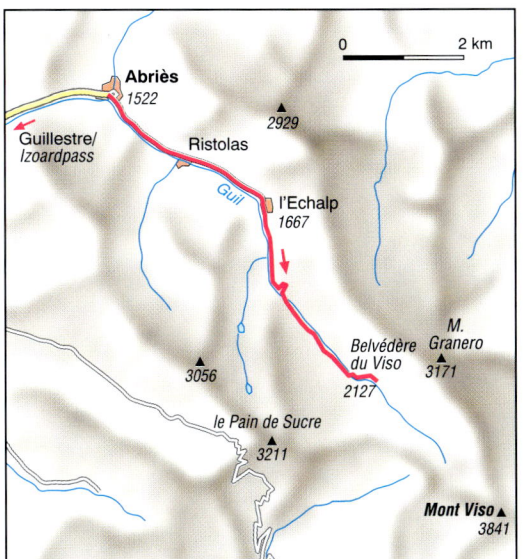

▶ Durchgehend Asphalt, ab den Parkplätzen bei Km 9,0 in schadhaftem Zustand

**Hütten/Unterkünfte**  Imbissstand (Km 9,0; im Sommer geöffnet)

**Karte**  Carte Topografique 1:100 000, Blatt 54

## Streckenverlauf • Mont-Malamot-Gipfelstraße

**Km 0,0 (1974 m)**  Vom Ausgangspunkt am Westende der Staumauer auf der mit 9 %, kurz auch bis auf 12 % ansteigenden Erdstraße über Kehren mit Steinböschung bis zu verfallenen Steinhütten.

**Km 6,0**  An den verfallenen Steinhütten vorbei zur Weggabelung.

**Km 6,5 (2520 m)**  An der Gabelung der nach rechts abbiegenden Straße folgen, die nach links führende Trasse endet nach zwei Kilometern am Lac Blanc, und an verfallenen Militärunterkünften vorbei über Kehren mit Steigungen von bis zu 15 % hinauf zum Grat.

**Km 8,0 (2850 m)**  Am Grat entlang und mit auf 6 % zurückgehender Steigung bis zum Fort.

**Km 9,0 (2941 m)**  Ende der Straße beim verfallenen Fort Malamot.

## Streckenverlauf • Belvédère-du-Cirque-du-Mont-Viso-Straße

**Km 0,0 (1522 m)**  Von Abriès das Guiltal einwärts nach Ristolas.

**Km 3,5 (1667 m)**  Von Ristolas im Talboden weiter nach l'Echalp.

**Km 6,5**  Kurz vor l'Echalp, der Biegung des Flusses folgend, an einem kleinem Parkplatz vorbei, weiter zum großem Parkplatz.

**Km 9,0 (1740 m)**  Am Parkplatz auf der Brücke über die Guil und weiter zur Schranke.

**Km 9,5**  Nach der Schranke Wechsel der Straße auf die linke Flussseite, über Kehren mit 14 % Steigung nach oben.

**Km 11,0**  Nach den Kehren mit zuerst auf 8 % zurückgehender Steigung, dann fast eben taleinwärts weiter bis zum Beginn einer weiteren Talstufe.

**Km 14,0**  Mit bis auf 14 % zunehmender Steigung die Talstufe hinauf und zum großem Wendeplatz.

**Km 15,0 (2127 m)**  Ende der Straße beim großem Wendeplatz unterhalb der Westseite des Mont Viso.

## 37 Parpaillon-Passtunnelstraße, Westseite

**Höchster Punkt:** 2645 m **Länge:** 29,5 km **Höhendifferenz:** 1775 Hm **Zeit:** 3 1/2–5 Std.

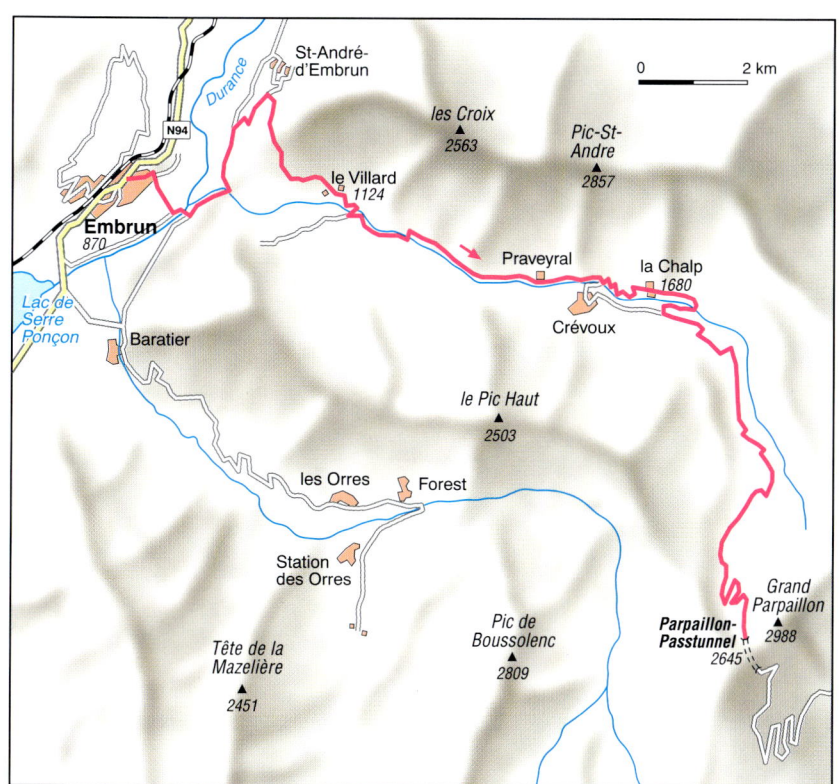

▸ Schwere Radtour mit 11 % Höchststeigung auf einem kurzen Abschnitt; außerdem lange Abschnitte mit Steigungen zwischen 8 und 10 %

▸ Auffahrt in der Regel ab Mitte Juni schneefrei; Strecke offiziell vom 1. Juli–30. September geöffnet

▸ Auf den ersten 20,5 km bis zur Pont du Real Asphalt; dann steinige Erdstraße

**Hütten/Unterkünfte** keine

**Karte** Carte Topografique 1:100 000, Blatt 54

## 38 Parpaillon-Passtunnelstraße, Ostseite

**Höchster Punkt:** 2645 m **Länge:** 18,0 km **Höhendifferenz:** 1378 Hm **Zeit:** 2 1/2–3 1/2 Std.

▸ Mittelschwere bis schwere Radtour mit 12 % Höchststeigung auf einem kurzen Abschnitt im oberen Bereich; sonst meist bei 8 % liegende, kurz auf 10 und 11 % zunehmende Steigung

▸ Auffahrt in der Regel ab Mitte Juni schneefrei; Strecke offiziell vom 1. Juli–30. September geöffnet

▸ Auf den ersten 5 km bis zum Ortsende von Sainte-Anne Asphalt; dann feste, ab Km 11,5 steiniger werdende Erdstraße

**Hütten/Unterkünfte** Imbissstand (Km 11,5; im Sommer geöffnet)

**Karte** Carte Topografique 1:100 000, Blatt 54

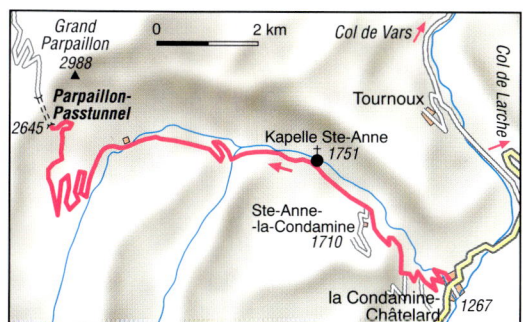

## Streckenverlauf • Parpaillon-Passtunnelstraße, Westseite

**Km 0,0 (870 m)**  In Embrun dem Hinweisschild Saint-André-d'Embrun folgen und auf der breiten Asphaltstraße bis zur Brücke über die Durance abwärts.

**Km 1,5**  Nach der Brücke mit Steigungen von anfangs bis zu 5 %, dann 7 % weiter bis zur Abzweigung nach Saint-André-d'Embrun.

**Km 4,5 (1040 m)**  An der Abzweigung vorbei, der Beschilderung »Crévoux« folgend und unschwierig weiter bis le Villard.

**Km 8,5 (1124 m)**  Von le Villard auf schmaler werdender Straße über Steigungen von bis zu 10 % hinauf nach Crévoux.

**Km 15,0**  In Crévoux der Beschilderung »la Chalp/Col du Parpaillon« folgen und über Kehren mit 9 % Steigung zum Weiler la Chalp.

**Km 16,5 (1680 m)**  Durch la Chalp hindurch und über Kehren mit 10 % Steigung hinauf bis zur Brücke Pont du Real.

**Km 20,5**  Nach der Brücke Übergang von Asphalt- in Erdstraße, weiter über Kehren mit 9 %, kurz auch 11 % Steigung zu einer Steinhütte.

**Km 23,0**  Nach der Steinhütte an den Hängen des Grand Parpaillon mit Steigungen von bis zu 8 % zu zwei weiteren kleinen Steinhütten.

**Km 27,0**  Nach den Steinhütten den Bach auf einer Furt aus Steinquadern überqueren.

**Km 27,5**  Nach der Bachüberquerung über Kehren mit 8 % Steigung hinauf zum westlichen Tunnelportal.

**Km 29,5 (2645 m)**  Ende der Auffahrt vor dem Tunnelportal.


## Streckenverlauf • Parpaillon-Passtunnelstraße, Ostseite

**Km 0,0 (1267 m)**  In la Condamine-Châtelard beim Hotel Parpaillon auf der Richtung »Sainte-Anne« abzweigenden, gut ausgebauten Straße über Kehren mit einer Steigung von bis zu 11 % bis Sainte-Anne.

**Km 4,5 (1710 m)**  An der Kreuzung am Ortsanfang von Sainte-Anne rechts haltend (Beschilderung »Kapelle Sainte-Anne/Tunnel de Parpaillon«) weiter zu kleinen Steinchalets.

**Km 5,0**  An den Steinchalets vorbei, Übergang von Asphalt- in Erdstraße, weiter bis zur Kapelle Sainte-Anne.

**Km 6,0 (1751 m)**  An der Kapelle und dem Steinbrunnen vorbei, bei Steigungen von meist unter 8 % bis zur Brücke.

**Km 11,0**  Nach der Brücke zu dem kleinen Holzhäuschen (Snackbar).

**Km 11,5 (2100 m)**  Nach dem Holzhäuschen auf nunmehr steiniger werdenden Trasse über weit auseinander gezogene Kehren mit Steigungen von bis zu 8 %, kurz auch 10 %, weiter bis zur Biegung.

**Km 15,0**  Nach der Biegung auf geradlinig verlaufender, kurz auf 12 % ansteigender Straße bis zu den Kehren.

**Km 17,5**  Über zwei Kehren hinauf zum östlichen Tunnelportal.

**Km 18,0 (2645 m)**  Ende der Auffahrt vor dem Tunnelportal.


**Hinweis**  Wenn Sie vorhaben, den Tunnel zu durchqueren und die Tour über die Abfahrt auf der Westseite fortzusetzen, ist die Mitnahme einer Taschenlampe oder Stirnlampe in jedem Fall empfehlenswert.

# 39 Colle-de-Mallemort-Festungsstraße

**Höchster Punkt:** 2558 m    **Länge:** 7,5 km    **Höhendifferenz:** 780 Hm    **Zeit:** 1 1/2–2 Std.

▶ Mittelschwere Radtour mit 40 % Höchststeigung auf ca. 1 km Länge; sonst anfangs bei 8 %, dann durchgehend bei 10 % liegende Steigung

▶ Auffahrt in der Regel ab Mitte Juni schneefrei

▶ Überwiegend feste, streckenweise leicht steinige Erdstraße, ab den Kasernenanlagen (Km 7,0) im Verfall

**Hütten/Unterkünfte** keine

**Karte** Carte Topografique 1:100 000, Blatt 54

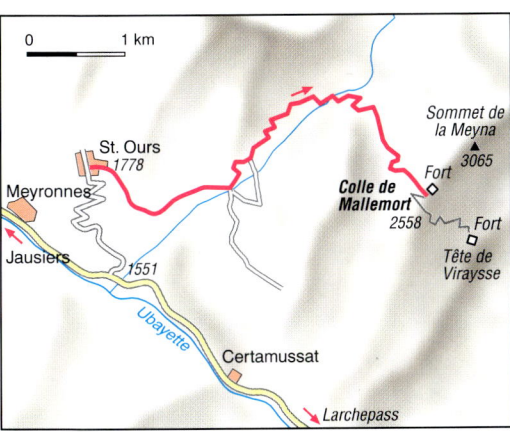

# 40 Tenda-Passstraße

**Höchster Punkt:** 1908 m    **Länge:** 8,0 km    **Höhendifferenz:** 633 Hm    **Zeit:** 1–2 Std.

▶ Leichte Radtour mit 12 % Höchststeigung auf einem kurzen Abschnitt; sonst fast durchgehend 9 und 10 % Steigung

▶ Auffahrt in der Regel ab Ende Mai schneefrei; Strecke offiziell vom 15. Mai–31. Oktober geöffnet

▶ Feste Erdstraße, nur in den Kehren etwas ausgewaschen und kleinere Schlaglöcher

**Hütten/Unterkünfte** keine

**Karte** Carte Topografique 1:100 000, Blatt 61

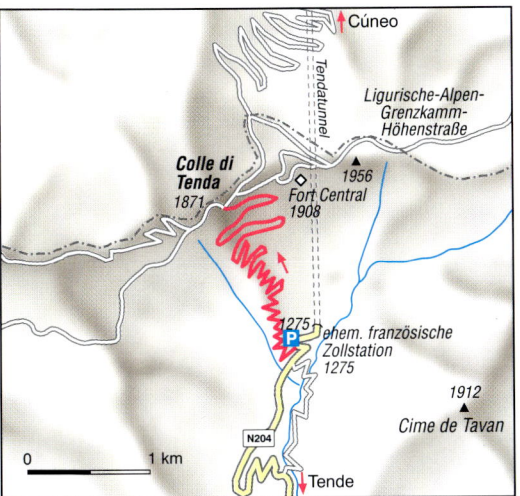

## Streckenverlauf • Colle-de-Mallemort-Festungsstraße

**Km 0,0 (1778 m)** In Saint Ours dem an der Kirche rechts vorbeiführenden Weg folgen, der bald in eine Erdstraße übergeht und bis zu einer Weggabelung kurz auf 10 % ansteigt.

**Km 1,5 (1900 m)** An Weggabelung entweder der mit 40 % Steigung am Hang hochführenden Trasse folgen (Beschilderung »Tête de Viraysse«) oder dem geradeaus führenden Weg, der nach ca. 300 Metern links abbiegt und oberhalb des Steilstücks wieder mit ersten Trassenvariante zusammenführt.

**Km 2,5** Ab der Stelle, wo beide Trassen wieder zusammenführen, weiter über Kehren mit 8 % Steigung bis zum Bachbett im Talkessel der Roche Blanche.

**Km 4,0** Über das Bachbett auf die rechte Talseite und über Kehren mit 10 % Steigung hinauf zu den verfallenen Kasernenanlagen von Mallemort.

**Km 7,0 (2490 m)** Dem hinter den Ruinen nach rechts ziehenden Weg mit einer Steigung von bis zu 10 % zum Grateinschnitt am Colle de Mallemort folgen.

**Km 7,5 (2558 m)** Ende der Straße beim Grateinschnitt am Colle de Mallemort.

**Hinweis** Die am Ende der Straße beim Grateinschnitt gut sichtbare, zum Fort auf der Tête de Viraysse hochführende Trasse ist aufgrund von Hangabrutschungen nicht mehr befahrbar, doch mit geeignetem Schuhwerk recht gut begehbar.

## Streckenverlauf • Tenda-Passstraße

**Km 0,0 (1275 m)** Vom Parkplatz über zahlreiche Kehren mit 9 % Steigung bis zu einem Haus.

**Km 2,5** Am Haus vorbei, über ein kurzes Asphaltstück mit 12 % Steigung und weiter über Kehren mit 10 % Steigung bis zu einem verfallenen Haus.

**Km 4,5** Vom Haus dann über Kehren mit 10 % Steigung hinauf zur Passhöhe.

**Km 8,0 (1908 m)** Ende der Straße auf der Tendapasshöhe.

**Tipp** Um zu dem verfallenen Fort zu gelangen, kann der von der Passhöhe abwärts führenden Straße gefolgt werden.